Marta Feuchtwanger wollte nie etwas anderes sein als »die Frau an seiner Seite« und hat sich erst in späten Jahren dazu überreden lassen, aus ihrem überreichen Schatz von Erinnerungen an ein Leben, in dem es keine Kompromisse gab, zu berichten. Sie starb 1987 hochbetagt in Pacific Palisades in Kalifornien, von wo aus sie das Werk Lion Feuchtwangers verwaltete.

Vollständige Taschenbuchausgabe
Droemersche Verlagsanstalt Th. Knaur Nachf., München
Lizenzausgabe mit freundlicher Genehmigung
des Langen-Müller Verlags, München

Umschlaggestaltung Adolf Bachmann
Gesamtherstellung Ebner Ulm
Printed in Germany 6 5 4
ISBN 3-426-02340-7

Marta Feuchtwanger:
Nur eine Frau

Jahre · Tage · Stunden

Mit 38 Abbildungen

Bildnachweis

Archiv Marta Feuchtwanger: 1, 2, 3, 4, 5, 6, 7, 9, 15, 16, 17, 19, 20, 21, 22, 23, 24, 25, 26, 27 (Foto: Stefan Lorant), 28, 29, 32 (Foto: Gerda Goedhart), 34, 35, 36, 37, 38; Sammlung Lion Feuchtwanger bei der Akademie der Künste, Berlin: 30, 31; Deutsches Theatermuseum, München: 12, 13 (Foto: F. Heyden, München); Max-Reinhardt-Forschungs- u. Gedenkstätte, Salzburg: 10, 11; Ullstein-Bilderdienst, Berlin: 8, 14, 18; Verlagsarchiv: 33

1

Wenn ich mit Freunden zusammensitze und sie mich über mein Leben mit Lion ausfragen, erzähle ich von unseren kleinen und manchmal auch nicht so kleinen Erlebnissen oder von turbulenten Ereignissen, die über uns zusammenbrachen, und wie wir sie dann durchgestanden haben. Jedesmal bestürmten mich die Freunde, ich solle das alles niederschreiben. Schließlich tat ich es, aber nur für mich. Ich hatte nicht die Absicht, etwas zu veröffentlichen, schon gar nicht, als ich beim Schreiben zu der Überzeugung kam, daß ich viel zu viel weiß, zu viel tat, zu viel sah, was ich lieber für mich behalten hätte. Entweder die Wahrheit oder gar nichts.
Ich schloß eine Übereinkunft mit mir: Ich verschweige nichts über mich, wenn es auch manchmal gewagt erscheinen mag, und das Sensationelle, sagen wir den Klatsch über andere, beschränke ich auf das Notwendigste. Da bleibt immer noch ein kleiner Spielraum.
Neulich wurde ich daran erinnert, daß ich bei einem Interview gesagt habe, mein Leben begann mit dem Tag, an dem ich Lion das erste Mal traf. Das stimmt immer noch.
Als ich jung war, habe ich leidenschaftlich gern Kopfsprünge vom Sprungbrett gemacht. Tief atmen, und dann springen. Und nun will ich erzählen, was mir so im Lauf der Zeit durch den Sinn gegangen ist.

Eines Tages las ich in einer Feuilleton-Spalte der »Münch-

ner Neuesten Nachrichten« den Namen Lion Feuchtwanger. Es war im Zusammenhang mit einem für das kleinstädtische München unerhörten Skandal. Da hieß es, der literarische Verein Phoebus, von dem Herausgeber des »Spiegel«, einer literarischen Zeitschrift, gegründet, habe »gestern einen Ball veranstaltet, zu dem die Spitzen der Münchner Gesellschaft geladen waren. Als die Gäste, darunter ein Minister, in Abendkleidern und Frack erschienen, wurden sie nicht hereingelassen. Die Arbeiter waren dabei, die Dekorationen herabzureißen. Sie erklärten schimpfend, daß sie nicht bezahlt worden waren. Die Polizei wurde gerufen und stellte die Ordnung wieder her. Das Fest konnte beginnen; doch ein gerichtliches Nachspiel wird folgen«. So ungefähr lautete die Zeitungsnotiz. Einige Zeit später wurde der Unternehmer, dem die Durchführung des Festes übertragen war, der am meisten Radau machte und Lion Feuchtwanger mit Erschießen drohte, nach einem ähnlichen Fall mit Gefängnis bestraft. Er hatte die jungen Leute, Lion Feuchtwanger und seine Freunde, in ihrer Unerfahrenheit hereingelegt. In diesem Fall, um den Skandal so schnell wie möglich beizulegen – eine Zeitung schrieb von dem »Margarinebarönchen, das die Arbeiter nicht bezahlte« –, hatten die Eltern der jungen Leute alles bezahlt, was natürlich zu hämischen Anwürfen herausforderte.
Lion Feuchtwanger konnte von da an nicht mehr zu Hause leben. Die Mahlzeiten wurden ihm vergällt durch spitze Bemerkungen der Eltern und Geschwister, die ohnedies gereizt waren aufgrund seiner geistigen Überlegenheit. Er war das älteste von neun Kindern, von kleinem Körperbau und sportlich nicht sehr trainiert. So hatte er es oft schwer, auf Fuß- und Bergtouren mit den robusten Geschwistern Schritt zu halten. Einmal blieb er gar in einer Sumpfwiese

stecken und wurde unbarmherzig ausgelacht. Er rächte sich, indem er hochmütig jede Unterhaltung ablehnte, die ihm oberflächlich oder gar vulgär erschien.
Ich wußte von diesen Dingen, noch ehe ich Lion Feuchtwanger persönlich kannte, denn ich traf seine älteste Schwester bei einer gemeinsamen Freundin. Diese Schwester, ein äußerst gutmütiges Mädchen, beklagte sich nicht über Lion, sie sagte nur, daß der zweitälteste Bruder Ludwig, der auch sehr gescheit wäre, immer bereitwillig Auskunft gäbe, wenn man ihn fragte, während Lion einfach antwortete: »Das verstehst du ja doch nicht.«
Die Stimmung im Elternhaus wurde immer unerträglicher, und so zog Lion befreit in ein äußerst schäbiges Dachzimmer. Es hatte kein fließendes Wasser, nur eine Waschkommode mit einem Krug und einer Schüssel. Unten war eine Schenke, und es roch nach Bier und Abtritt.
Um diese Zeit gab seine Schwester einen Hausball, zu dem sie mich einlud. Die Mutter bat Lion, den sie zufällig auf der Straße traf, dem Ball nicht fernzubleiben; sie wollte wenigstens nach außen hin die Einheit der Familie aufrechterhalten.
Ich ging voll Erwartung zu diesem Ball. All die unvorteilhafte Publizität konnte das Bild, das ich mir von Lion machte, nicht beeinträchtigen.
Es war schon spät geworden, ich hatte die Hoffnung, Lion zu treffen, schon aufgegeben, als ein hagerer, bleicher, fremdländisch aussehender Herr mich ansprach: »Mein Name ist Hartmann-Trepka, ich bin Erster Geiger im Hoforchester.« Er sagte, er sei ein schlechter Tänzer, so daß er nicht wage mich aufzufordern, aber ob ich nicht ein Glas Punsch mit ihm trinken wolle. »Gehen wir doch an den Tisch in der Ecke. Da sitzt mein Freund Lion.« Und er machte mich mit ihm bekannt.

Ich hatte Herzklopfen. Lion sagte etwas ironisch zu seinem Freund: »Jetzt ist ja dein Wunsch erfüllt.« Zu mir gewandt erzählte er, daß er an einem Sonntag bei dem Promenadenkonzert im Ausstellungspark den ganzen Abend hinter mir und meinen Eltern hergehen mußte. Sein Freund Hartmann konnte sich nicht sattsehen an mir. Er, Feuchtwanger, ziehe im allgemeinen Blonde vor, aber er müsse zugeben, diesmal habe sein Freund einen besseren Geschmack gezeigt als sonst. Und er fügte hinzu: »Wollen wir nicht diese bürgerliche Veranstaltung verlassen und in ein kleines Weinlokal gehen?« Dort könne man mit mehr Ruhe sehen, ob das vielversprechende Äußere von diesem Fräulein Löffler hält, was es verspricht.
Mir blieb der Atem weg über den gewagten Verlauf der Unterhaltung. Ich schwieg, und es wurde als Zustimmung aufgefaßt, meine stumme Ratlosigkeit als damenhafte Überlegenheit. Aber es war eine Herausforderung. So saßen wir in diesem kleinen Weinrestaurant, wo Freund Hartmann mir sogleich in unschicklichster Weise die Hände küßte und ich Feuchtwanger empört bat, mich vor diesen Zudringlichkeiten zu schützen. Ich lief aus dem Lokal. Die beiden folgten mir, doch sie konnten mich nicht einholen. Vorher hatte mich Lion Feuchtwanger noch nach meinem Alter gefragt, und ich sagte ihm, daß ich in ein paar Tagen neunzehn würde.
An diesem Geburtstag erhielt ich einen großen Strauß Parma-Veilchen, was damals im Januar ein aufsehenerregendes Geschenk war. In einem Begleitschreiben wurde ich aufgefordert, mir die nächste Ausgabe der »Münchner Jugend« genau anzuschauen. Da stünde ein Gedicht drin, »An Marta Gabler«. Der Vorschuß für dieses Gedicht habe den Veilchenstrauß ermöglicht. An das Gedicht

erinnere ich mich nur sehr vage. Es hieß darin ungefähr, daß ich zwar hübsch sei, aber auch sehr töricht.
Meine Mutter erzählte ihrer Schwester triumphierend, daß ich vom jungen Feuchtwanger ein Blumenbukett bekommen hätte. Diese sagte: »Der hat doch einen so schlechten Namen.« Gemeint war natürlich sein Ruf.
Einige Zeit später erhielt ich eine Ansichtskarte aus Italien.

Der Sommer verging. Ich war mit meiner Mutter in einem Badeort, war kurz verliebt. – Ein junger Mensch mußte Tag und Nacht bewacht werden, weil er von einem Wertherschen Selbstmordwahn besessen war. Ich war erschrocken und verwirrt.
Zurückgekehrt, wurde ich von Lion Feuchtwanger angerufen. Da war es wieder, dieses Herzklopfen. Wir trafen uns am höchsten jüdischen Feiertag, den Lion wie auch ich fastend und im Gebet verbringen sollten. Statt dessen gingen wir ins Isartal, dann auf sein Zimmer. Dort begann unsere Ehe. Doch eine Heirat hätten wir damals als einen höchst lächerlichen Rückfall in die Bürgerlichkeit betrachtet. Wir hatten nur einen Wunsch: unentdeckt zu bleiben. Wir überlegten nicht einmal, ob es lange dauern würde. Aber jede Begegnung war erfüllt von Herzklopfen.
Lions finanzielle Lage wurde immer schlimmer. Er hatte die Aufgabe übernommen, Theaterkritiken für die »Schaubühne« in Berlin zu schreiben. Für ihn war das damals eine große Sache; denn München, so kleinstädtisch auch sonst, war, neben Berlin, die führende Kunst- und Theaterstadt Deutschlands. Die wichtigsten und sensationellsten Uraufführungen fanden dort statt, Kritiker und Direktoren kamen aus allen Teilen des Landes. Lions kritische Tätigkeit war zwar ehrenvoll, sie verschaffte auch Einfluß, aber sie brachte wenig Gewinn. Ich war sehr

stolz, daß Lion mich zu den Premieren immer mitnahm und mich oft, wenn auch etwas ironisch, nach meiner Ansicht fragte. Seine Überzeugung, daß ich töricht sei, hatte er inzwischen aufgegeben. Er fand, daß ich zwar bildungsbedürftig, doch, wie er sagte, sehr musisch sei. Ich freute mich natürlich über sein Urteil; trotzdem war mir Lions Arbeit als Kritiker unbehaglich und erschien mir unbefriedigend. Trotz meiner Bewunderung für den glänzenden Stil quälte mich sein beißender Spott. Und ich habe oft darüber nachgedacht, ob das Urteil des Augenblicks einer späteren Rückschau standhalten würde. Ich war aber zu scheu und zu wenig selbstbewußt, um diese meine Gedanken zu äußern. Später hat sich in mir eine tiefe Abneigung gegen seine kritische Tätigkeit entwickelt, und wahrscheinlich war es diese Einstellung, die mich all meinen Einfluß aufbieten ließ, daß Lion sich von der Kritik abwandte und er zum Schreiben eigener Werke zurückkehrte.

Lion hatte damals gerade seinen ersten Roman veröffentlicht, »Der tönerne Gott«. Er hatte tiefen Eindruck auf mich gemacht, doch traute ich mich nicht, etwas darüber zu sagen. Mein Schweigen war unbeabsichtigt das Raffinierteste, was ich tun konnte. Lion war betrübt, weil er ernstlich glaubte, das Buch hätte mir nicht gefallen. Er zitierte Sombart: »Ich gehöre nicht zu jenen Korkseelen, die immer auf ihrer einmal vorgefaßten Meinung schwimmen«, und sagte, es läge ihm sehr viel an meinem Urteil. Andere waren nicht so zurückhaltend wie ich. Sein Freund-Feind Harry Kahn kam eines frühen Morgens zu ihm und erklärte, der Roman sei nichts weiter als ein verkitschter und verkoscherter Heinrich Mann, und ob Lion ihm nicht 50 Mark »leihen« könnte. Auf meine

Frage, was er darauf getan habe, sagte Lion: »Ich hab sie ihm gegeben.«
Als ich wieder einmal mit Lion einen kurzen Ausflug ins Isartal machte, erzählte er mir, unter einem Baum liegend – das Geld zum Einkehren reichte nicht immer aus –, von seinem Leben bevor wir uns kannten. Er sprach von seinem glühenden Interesse für das Theater und seinen frühen Versuchen. Wie er ermutigt wurde durch den damaligen Kritiker der größten Münchner Zeitung, Hans von Gumppenberg, der aussah wie Verlaine, aus einem alten Adelsgeschlecht – älter als die Wittelsbacher, das regierende Königshaus – stammte und sehr arm war. Ein Theater hatte das Wagnis auf sich genommen, zwei Einakter Lions aufzuführen, und er erzählte nun, wie diese Premiere von Anfang an unter einem bösen Zeichen stand. Die Stücke hießen »König Saul« und »Prinzessin Hilde«, und sie waren von Oscar Wildes »Salome« beeinflußt. Vor der Aufführung verbrannte der Minnesängerbart des Helden der »Prinzessin Hilde«. Der Darsteller löste, ohne Spitzbart, mit seinem runden Gesicht und verstört glotzenden Augen, schon bei seinem ersten Auftritt große Heiterkeit aus. Die biblischen blumigen Wiederholungen à la Oscar Wilde hatten bereits beim »König Saul« die Lachlust der Zuschauer erregt. Sie begannen, die Weissagung der Hexe, »Saul wird sterben auf den Höhen von Gilboa«, im Rhythmus mitzusprechen. Das Ganze sei so komisch gewesen, daß, wie eine Zeitung schrieb, der Autor in der Direktionsloge sich das Taschentuch in den Mund stopfen mußte, um sich das Lachen zu verbeißen. Gar nicht zum Lachen war aber der Familie zumute, die in großer Zahl der Aufführung beiwohnte. Ganz schlimm wurde es, als die Großmutter auch noch ihre Brillantbrosche verlor und nach der Vorstellung der Autor ver-

schwunden war. Die Familie befürchtete das Schlimmste, und die Stimmung wurde nicht besser, als sich herausstellte, daß der verlorene Sohn nach dem Debakel den angebrochenen Abend mit der Hauptdarstellerin in einem Weinlokal verbrachte. Am andern Tag wurde ein nicht sehr angesehenes Mitglied der Familie beim Vater vorstellig und verlangte, daß Lion Feuchtwanger von nun an unter einem anderen Namen schreiben sollte.

Lion fuhr zu seinem Freund Livingston-Hahn nach Köln. Dieser stammte aus einer Patrizierfamilie und schrieb schöne Gedichte für den »Spiegel«, Lions kurzlebige Zeitschrift. Livingston-Hahn spielte Lion gelegentlich schlimme Streiche. So lief er in München einmal der Droschke nach, in der Lion den prominenten Kritiker Alfred Kerr aus Berlin vom Bahnhof abholte. Hahn war in Frack und Zylinder, trug das Monokel im Auge und schrie: »Brot, Brot, Ihre Mitarbeiter verhungern.«
Von dieser Reise zurückgekehrt, mußte Lion von mir erfahren, daß ich ein Kind erwartete. Ich war ziemlich ratlos, doch kam mir auch in dieser Lage keinen Augenblick der Gedanke an eine Heirat in den Sinn. Es schien mir unmöglich, Lion mit einer solchen Bürde zu belasten, darüber hinaus war ich ja so von Anti-Bürgerlichkeit erfüllt, daß ich es für unwürdig hielt, an so etwas Veraltetes wie eine Heirat zu denken. Da sah ich zum erstenmal, wie couragiert und auch wie anständig Lion war. Trotz seiner Armut zögerte er keinen Augenblick, die volle Verantwortung zu übernehmen. Er bat mich nur, meinen Eltern nichts zu sagen. Er würde am nächsten Tag meine Mutter zu sich bitten, um mit ihr alles zu besprechen. Meine Mutter reagierte auf unerwartete Weise.
Ich muß hier einfügen, daß ich zu meinen Eltern die

schlechtesten Beziehungen hatte. Schuld daran war wohl der große Altersunterschied. Ich war das jüngste und einzig überlebende Kind. Die Lektüre Nietzsches und Ibsens hatte mich an allem Herkömmlichen zweifeln lassen, und meine Eltern, aus Furcht, das einzige Kind zu sehr zu verwöhnen, waren von unmäßiger Strenge. Ich hatte also eine sehr trübe Kindheit und Jugend, fühlte mich daher frei von jeder Pflicht und Rücksichtnahme und hatte nicht einen Augenblick ein schlechtes Gewissen.
Doch jetzt hatte ich großes Mitleid mit meinen Eltern. Meine Mutter ahnte wohl nach Lions Telefonanruf, worum es sich handelte. Ihr Schreck war aber sehr gemildert durch die Aussicht, daß ich in eine so angesehene, reiche Familie einheiraten würde, denn ich hatte zu ihrem Kummer manchen, in ihren Augen höchst vorteilhaften Heiratsantrag abgelehnt. Lion erzählte mir hernach sehr belustigt, daß sie ihm mitgeteilt habe, ich hätte eine ansehnliche Mitgift zu erwarten. Er betonte nachdrücklich, das sei mein Vermögen, und er wolle nichts damit zu tun haben. Mein Vater suchte daraus sogleich Kapital zu schlagen; doch meine Mutter wollte nicht, daß ich mit leeren Händen in die Familie Feuchtwanger eintrat. Sie werde es dieser eingebildeten Frau Feuchtwanger schon zeigen.
Als Lion seiner Familie die Nachricht brachte, reagierten alle mit verächtlichem Schweigen, wenigstens in seiner Gegenwart. Der Vater jedoch ging etwas weiter. Er suchte meinen Vater auf und sagte ihm einfach: »Mein Sohn ist ein Lump, und wenn Ihre Tochter ihn heiratet, ist sie auch nicht besser.«
Die Verlobung wurde offiziell angekündigt. Es gab Empfänge und Geschenke. Besonders gut haben sich meine vielen Verehrer bewährt. Sie alle kamen, als sei nichts

geschehen, mit Blumen und Büchern. Um meinen Zustand möglichst zu verbergen, hatte ich mir von meiner Mutter ein Korsett ausgeliehen. Doch ich zweifle, ob irgend jemand sich davon hat täuschen lassen. In dem Verhalten meiner Mutter war eine große Veränderung mir gegenüber eingetreten. Es gab keine Schimpfworte mehr, keine Ohrfeigen. Sie behandelte mich wie eine Erwachsene und Vertraute, und außerdem war sie hingerissen von Lion. Trotz allem, was vorgefallen war, er konnte nicht Unrecht tun in ihren Augen, und so blieb es bis an ihr Ende.
Wir – meine Eltern und ich – gingen nach Überlingen am Bodensee, einem besonders lieblichen Ort, wo die Trauung am 10. Mai 1912 im alten Rathaus stattfand. Ich erschien in einem schwarzen Schleppkleid mit breitrandigem Hut und Pleureuse. So hießen damals die großen Straußenfedern. Lion und ich fanden das sehr schön. Dann fuhren wir mit dem Schiff zur gegenüberliegenden Insel und wohnten in dem berühmten Insel-Hotel, einem ehemaligen Kloster.

Als Lion sich von seiner Familie trennte wegen eines quälenden Gefühls der Demütigung, war er nicht gewappnet für ein Leben außerhalb der Fleischtöpfe Ägyptens, wie er es nannte. Er gab zunächst Nachhilfestunden, doch waren sie nicht nur elend bezahlt, er war auch durch seine Schüchternheit nicht geeignet, seinen Schülern zu imponieren. Er fühlte, daß es eine Zeitverschwendung war, und versuchte es mit schriftstellerischer Tätigkeit. So kam die Möglichkeit, die Theaterkritik für eine einflußreiche Berliner Zeitschrift zu übernehmen, sehr gelegen. Aber wie schon gesagt, diese Arbeit wurde schlecht bezahlt. Daher beschloß Lion, sein Einkommen durch Kartenspielen zu vermehren. Er saß in einem Kaffeehaus an der schönsten Straße Münchens gegenüber dem Englischen Garten, ohne

Blick für das reiche Grün, vertieft in die Karten, leicht auf der Oberlippe schwitzend. Und immer verlierend, nicht nur, weil ihm die Gabe des Bluffens fehlte – er hat es auch in seinem späteren Leben nicht gelernt –, sondern weil er von seinen besten Freunden nach Strich und Faden betrogen wurde. Bald konnte man einen seiner Freunde mit Lions Konfirmationsuhr sehen oder mit Büchern unterm Arm seine Dachstube verlassen. Bis dann ein kleines Erlebnis – dies war alles vor unserer Verheiratung –, das auch mich einschloß, dem Arglosen die Augen öffnete.

Lion hatte ein altes Theaterstück gefunden, das eine bemerkenswerte Ähnlichkeit hatte mit dem damals sehr erfolgreichen Drama »Glaube und Heimat« von Karl Schönherr. Das alte Stück, Arthur Müllers »Ein feste Burg ist unser Gott«, wurde in einer neuen Bearbeitung Lion Feuchtwangers veröffentlicht und vom Volkstheater mit großem Erfolg aufgeführt. Dadurch wurde dem Autor Schönherr ein Plagiat nachgewiesen. Viele Wiederholungen der Aufführung brachten Lion eine ansehnliche Summe Geldes ein. Ein katholischer Geistlicher, Pater Expeditus Schmidt, ein großer Kenner der deutschen Literatur, hat Lions Bearbeitung in der Presse sehr gerühmt. Die beiden freundeten sich an. Es war ein merkwürdiges Bild, Lion neben dem großen, würdigen Franziskanerpater gehen zu sehen, vertieft in wichtige literarische Probleme.

Zunächst wurde ein großer Teil der Einnahmen zum Abzahlen von Schulden benutzt. Mit dem Rest wollten wir beide nach Italien fahren. Das bedurfte gründlicher Planung. Ich hatte einen Brief vorbereitet, den ich zurücklassen wollte und in dem ich erklärte, daß ich eine Bekannte aus dem Turnverein nach Italien begleiten würde. Sie habe mich, veranlaßt durch meine Kenntnis der Sprache und meine Vertrautheit mit den norditalienischen Kunstschätzen, zu dieser Reise eingeladen. Ich bat um Entschuldigung wegen der Heimlichkeit, aber ich fürchtete, auf Widerstand zu stoßen, und es wäre doch an der Zeit, daß ich endlich selbständig würde. So hatte ich meine gewagte Reise vorbereitet.

Doch es kam anders. Lion fürchtete, daß das Geld nicht ausreichen würde, und er entschloß sich, durch Kartenspielen die Summe zu vergrößern. Diesmal spielte er mit einem Herrn, der wegen seiner Verdienste um das Hoftheater Orden und Titel erhalten hatte. Dieser Herr spielte sonst nur um große Summen. Doch machte er bei dem bewunderten Kritiker, wie er sagte, eine Ausnahme. Lion hatte an diesem Tag besonders gute Karten. Aber er verlor. Sein Freund, der Hofmusiker, saß daneben, voll Respekt vor der erlauchten Gesellschaft. Einmal bückte er sich beflissen und hob eine Karte auf. »Sie haben etwas fallen lassen, Herr Geheimrat.« Da wußte Lion, warum er verloren hatte.

Vor dem Kaffeehaus stand ich mit meinem Köfferchen. Lion kam heraus, er war sehr verstört. – Ich ging nach Hause. Zum Glück hatte ich den Brief noch nicht abgeschickt. Am nächsten Tag lachten wir schon wieder über das Mißgeschick.

Die finanzielle Lage wurde immer trostloser. Als ich eines Tages mit meinem Schlüssel in Lions neu gemietetes Zimmer gehen wollte, war die Tür zu der Wohnung von innen abgeriegelt. Ich klingelte. Meine Verlegenheit versteckte ich wie gewöhnlich hinter einer besonders hochmütigen Miene. Die Vermieterin, eine Schwester der Kellnerin, die am Stammtisch in der Torggelstube bediente und die sonst viel Verständnis hatte für die Sitten der Bohème, öffnete nur widerwillig. Ich hinterließ eine Nachricht. Es war ausgemacht, daß Lion, wenn er Besuch hatte, das Fenster auf eine bestimmte Weise verhängen sollte, und wenn es unverhängt war, ich ungehindert heraufkommen konnte. Am nächsten Tag, der Vorhang war nicht vorgezogen, versuchte ich es noch einmal, und Lion war da. Er erzählte mir, daß er das Geld für die Miete nicht hatte und sich nicht nach Hause traute, weil er fürchtete, er werde gekündigt. Er sei die ganze Nacht auf der Straße herumgelaufen, bis er dann am Morgen seinen jüngsten Bruder anpumpen konnte. Doch müßte er das Geld doppelt zurückzahlen. So beschloß er nun, einen Bekannten zu bitten, ihm eine größere Summe vorzustrecken. Dieser edle Mann, Dr. Mannheimer, war ein reicher Junggeselle, der ein berühmtes altes Haus am Englischen Garten besaß. Es war das Lustschloß eines Hofconfiseurs aus der Barockzeit und hatte einen großen Park, in dem Rehe herumliefen. Es gab dort sehr gesuchte kleine Feste im Garten, im Winter in der großen Bibliothek. Dieser Mäzen hatte immer eine sehr schöne Freundin, meist war es eine bekannte Schauspielerin, und ich erinnere mich noch an ein Gerücht, daß ein solcher Star abwechselnd in Wien und München spielte und so kostspielig war, daß unser Freund mit einem anderen Kunstkenner in Wien die Kosten und die Gunst der Dame teilte. Einmal sandte er Einladungen aus für ein Maskenfest, die folgendermaßen lauteten: »Es wird mehr Wert auf unanständiges Äußeres als auf anständiges Inneres gelegt.« Lion hatte nur ein anständiges Inneres aufzuweisen.

Das lag nun alles hinter uns. Wir befanden uns in dem sagenhaften Insel-Hotel am Bodensee und ließen uns das Essen aufs Zimmer bringen. Am ersten Morgen weckte mich Lion mit einem Glas Wein. Mir wurde gleich furcht-

bar schlecht. Lion war tief erschrocken, und ich mußte sofort trotz meines Protestes zum Arzt. Der bestätigte, was ich sehr gut wußte, daß dies in meinem Zustand nur natürlich sei. Doch waren wir, der elterlichen Zucht entronnen, auch weiterhin höchst unvernünftig.
Lion hatte es schon immer verstanden, die schönsten Touren zusammenzustellen. So fuhren wir auf unbekannten Waldwegen in die Schweiz, vorbei an tiefgrünen Seen, meist mit einem Pferdefuhrwerk. Doch wir gingen auch viel zu Fuß. Wir machten den Übergang über die Gemmi, was natürlich für mich zu anstrengend war. Ich hatte dann auch, kaum auf dem Gipfel angelangt, die furchtbarsten Schmerzen. Im Hotel nahm ich ein heißes Bad. Wahrscheinlich war das ganz verkehrt, denn ich erlitt beinahe eine Frühgeburt. Am anderen Tag fuhren wir mit einem Gemmi-Wägelchen, einer Art Rikscha, wieder ins Tal, als sei nichts gewesen. Dann beendeten wir unsere Reise in Lausanne, wo ich das Kind zur Welt bringen sollte.
Es kam eine schwere Zeit. Ich hatte Kindbettfieber, und es war ganz gegen die ärztliche Regel, daß ich nach monatelanger Krankheit schließlich doch nicht gestorben bin. Ich erinnere mich, daß man mich, als das Fieber am höchsten war, im November in ein eiskaltes Bad steckte. Die Pflegerinnen glaubten, ich sei bewußtlos, ich war aber nur zu schwach, mich zu bewegen, und so hörte ich, wie sie sich darüber unterhielten, daß ich wahrscheinlich die Nacht nicht überleben würde. Sie stellten Vermutungen an, wer wohl ihr nächster Patient sein werde. Das Zimmer sei schon vergeben.
Lion war voll Sorge. Er hob mich aus dem Bett, wenn die Leintücher gewechselt wurden, mit mehr Kraft, Geschick und Zartheit als die beiden Pflegerinnen. Ich war fest

überzeugt, daß er es war, der mir die Zähigkeit gab, das Fieber zu überleben.
Meine Eltern kamen, und meine Mutter übernahm die Pflege der kleinen Marianne. Sie verschaffte uns ein Kindermädchen – ihr Name war Hortense Schneuvoli. Sie war ein robustes kleines Ding, doch weder die Sorge meiner Mutter, noch die sachgemäße Pflege des Mädchens konnten dem schwachen Kind genügend Widerstandskraft geben. Ich hatte es zuerst selbst genährt, das war sicher nicht gut, auch war ich bald zu kraftlos, um irgend etwas zu begreifen. Lions Sorge um mich machte ihn gleichgültig gegen alles andere.
Das Kind von Lion Feuchtwanger und mir liegt in dem ländlichen Friedhof von Pietra Ligure begraben. Auf den Grabstein hat Lion den Spruch meißeln lassen: »Aliena in terra – sub terra aliena«. Er war wieder in die Trostlosigkeit seiner Münchner Jahre verfallen.
Dann lebten wir noch einige Monate in dem kleinen italienischen Ort am Mittelmeer. Wir wohnten in einem alten Haus am Strand. Es gab nur Kerzen als Beleuchtung. Ein Kamin war die einzige Heizung in Sturm und Kälte. Uns schien es gut so.
Ich kam langsam wieder zu Kräften. Wir machten kleine Wanderungen, doch brach ich einmal auf der Landstraße zusammen, meine Füße gaben nach. Es war Gelenkrheumatismus, eine Folge der Infektion. Auch dies ging vorbei. Ganz gegen alle wissenschaftlichen Erfahrungen blieb kein Herzfehler zurück; doch ein nervöses Herz hat mich lange gequält. In Schmerz und Trauer fand ich nicht Erleichterung durch Tränen, nur mein Herz verkrampfte sich.
Nachts gingen wir an den Strand und standen vor den winterlich tobenden Wellen. Ich war voll Furcht. Nie vorher hatte ich mich gefürchtet. Ich hatte Angst, in den

dunklen Keller zu gehen, in dem die Küche und das Brennholz für den Kamin waren. Es knirschte unter den Füßen. Alles war schwarz von Schaben; doch ich schämte mich meiner sinnlosen Furcht und sprach nicht davon. Trotz allem war das primitive Leben gut für uns.
Lion begann zu arbeiten. Er half mir, Wasser aus dem Garten zu holen, in dem eine Zisterne stand. Das Trinkwasser mußte vom Marktplatz weit hergeschafft werden. Dann versuchte er, ein Stück zu schreiben mit dem Titel »Die Fleischtöpfe Ägyptens«. Doch war er nicht zufrieden damit. Es war, wie er sagte, nur eine Art handwerkliche Übung. Die beste Zeit hatten wir, wenn Lion mir vorlas. Er las Thomas Manns »Buddenbrooks« und Romane von Heinrich Mann, der sein Vorbild war.
Es war ein harter Winter. Das Haus wurde zu kalt, die Betten waren nachts feucht. Lion fürchtete ein Wiederaufflammen meines Rheumatismus. So gingen wir in die große Welt, wo es Heizung gab. Zuerst nach Menton an der Französischen Riviera, weil es geschützt lag. Meine schönen Kleider kamen wieder zu Ehren, und wenn ich mich zuerst schwer von dem kleinen Ort trennte, war ich doch zu neugierig und lebenshungrig, um nicht in den Rivieratrubel gezogen zu werden.
Die große Sensation war die Nähe von Monte Carlo. Damals war der »Parsifal« von Richard Wagner noch nicht freigegeben. Er durfte nur in Bayreuth aufgeführt werden. Erst im nächsten Jahr war die Schutzfrist abgelaufen. Da kündigte das Opernhaus von Monte Carlo eine Aufführung an. Lion bekam den Auftrag von der »Frankfurter Zeitung«, über die verbotene Aufführung zu berichten. Wir hatten die besten Plätze. Sie wären unerschwinglich für uns gewesen; aber der Ausweis der »Frankfurter Zeitung« verschaffte uns Freikarten. Die Aufführung war

unbeschreiblich komisch. Wagners Ausspruch »Laßt Weihe über euch sein« hatte keine Gültigkeit im Casino von Monte Carlo. Während der Aufführung hörte man die Stimme des Croupiers: »Rien ne va plus.« Die Darstellerin der Kundry, die berühmte Felia Litvinne, war so fett, daß sie Mühe hatte, von ihrem Lager aufzustehen. Die Gralsritter hatten aufgewichste Schnurrbärte. Sie kamen sich von beiden Seiten der Bühne entgegen und küßten sich. Die Pause war übermäßig lang, damit das Publikum Gelegenheit hatte, in den Spielsaal zu gehen. Lion verspielte fast unser ganzes Geld. Wir fuhren ohne einen Heller nach Menton zurück. Glücklicherweise hatten wir eine Rückfahrkarte.

Ich selbst langweilte mich beim Spielen. Ich war viel mehr an den Spielern interessiert. Da gab es noch richtige Großfürstinnen aus Rußland, behängt mit schweren Juwelen, gekleidet in berüschte Toiletten mit langen Schleppen; sie sahen aus wie Mumien. Die Fürsten, meist mit einem Knebelbart, trugen Monokel, waren immer im Frack, höchst demokratisch in der Wahl der Damen. Ich war sehr stolz, als einer der Herren mich für eine Dirne hielt und zum Souper einladen wollte. Ich weiß nicht, ob ich Lion imponierte, als ich ihm davon erzählte. Ich glaube, er tat nur so, um mir Freude zu machen, denn inzwischen war er lange zu der Überzeugung gekommen, daß ich keineswegs der dämonische Vamp war, den ich in München so gern vortäuschte.

Ich mußte zurückdenken an die Zeit vor unserer Verheiratung, als wir, in Begleitung und unter Aufsicht meiner Eltern, den berühmten Bühnenball besuchten. Der Münchner Fasching war damals etwas ganz Besonderes, das es weder in Paris noch in Köln noch in Berlin gab. Er wurde vor allem von Künstlern veranstaltet, mit den heitersten Dekorationen, den geschmackvollsten Kostümen, oft ganz billig und anspruchslos, doch mit einer Hingabe an die Fröhlichkeit, die nur ein Vorspiel war, nicht wie in anderen Städten schon die Erfüllung. Es gab zwar genau nach neun Monaten viele außereheliche Kinder, doch was während des Festes geschah, war von natürlicher Unbefangenheit. Überschäumend war ein Gruppentanz, Française genannt, bei dem die Frauen hochgehoben und jubelnd herumgewirbelt wurden.

Lion führte mich auf dem Fest gerade durch die Menge, als er gerufen wurde: es war der Schriftsteller Waldemar Bonsels. Er sah aus wie Dorian Gray, war blaß, elegant, zynisch, verschwenderisch. Bonsels saß in einer Loge mit einer Gruppe sehr reicher junger Männer, die sich als Schriftsteller oder Verleger einen Namen gemacht hatten. Wir wurden aufgefordert, in die Loge zu kommen, und mein Kostüm erregte große Bewunderung. Das Fest hieß, wie jedes Jahr, »Dienstboten-Ball«. Die Einnahmen waren für Wohltätigkeitszwecke bestimmt. Während sich die Feste sonst durch besondere Einfälle und Farbenpracht auszeichneten, war dieser Bühnenball – wohl weil die Schauspieler sich einfach amüsieren und aus dem täglichen Anspruch ihrer Rollen flüchten wollten – ein Fest, zu dem alle Frauen als Stubenmädchen und die Männer als Hausknechte kamen. Die Leute um Bonsels waren im Frack. In diesem Fall mußte man ein sehr teures Maskenzeichen erwerben, gehörte aber dann auch zu den ganz Feinen. Lion hatte eine Pressekarte und war von jedem Zwang befreit. Wir fanden, daß mein Aussehen sich nicht mit einem Zofenkostüm vereinbaren ließ. Deshalb wählte ich ein ägyptisches Gewand, das Kostüm einer Sklavin. Das war gewagt, aber sehr erfolgreich.

Lion hatte der Ersten jugendlichen Schauspielerin des Hoftheaters, Johanna Terwin, die gerade in Shaws »Cäsar und Cleopatra« großen Erfolg hatte, versprochen, sie in ihrer Bude zu besuchen. Wie auf einem Jahrmarkt waren kleine Buden aufgestellt, in denen die schönsten und beliebtesten Schauspielerinnen Küsse und Getränke zu hohen Preisen für den guten Zweck verkauften.

Lion ließ mich in der Obhut Bonsels' und seiner Genossen und versprach, nach der Française zurückzukommen. Wir wollten dann mit der ganzen Gesellschaft ins Restaurant zum Souper gehen. Kaum war Lion gegangen, überschüttete mich Bonsels mit den Blumen sämtlicher Blumenfrauen und ließ Sekt kommen. Seine Freunde verschwanden allmählich unter irgendwelchen Vorwänden. Ich weigerte mich, mit ihm allein ins Restaurant zu gehen. Doch als Lion nach der Française nicht kam und Bonsels eine Botschaft zu hinterlassen versprach, gingen wir in das im gleichen Haus gelegene Restaurant. Es gab nur Tische, die voneinander durch Wände getrennt waren. Wir begannen zu essen. Es gab Kaviar, den ich bisher nur vom Hörensagen kannte, natürlich Sekt und, ich glaube, Rebhühner. Ich war aber am Essen nicht interessiert. Vielmehr dachte ich mit Betrübnis, trotz allen Charmes, den Bonsels aufwandte, an Lion und warum er nicht kam. Ich sagte mir, obwohl Lion begeistert gewesen war von meinem Kostüm und stolz über das Aufsehen, das ich erregte: Eine Schauspielerin ist halt doch viel interessanter als ich.

Nach einiger Zeit kehrten wir wieder in den Ballsaal zurück, wo die Freunde versicherten, sie hätten trotz aller Mühen Lion nicht finden können. Ich suchte meine Eltern, sehr zum Ärger von Bonsels, und war im Begriff, nach Hause zu gehen, als ich endlich Lion sah. Er stand bei der Bude der Terwin. Doch begleitete er mich und meine

Eltern nach Haus. Wir gingen zu Fuß, das tat gut nach der Hitze des Tanzsaals. Wir sprachen nur wenig.
Am nächsten Tag ging ich zu Lion, entschlossen zu vergessen. Da stellte sich heraus, daß Lion den gleichen Entschluß gefaßt hatte. Ich mußte erfahren, daß Bonsels und seine Genossen ein finsteres Spiel mit uns getrieben hatten. Lion wurde, als er sich vereinbarungsgemäß auf den Weg zur Loge machte, von einem Unbekannten angesprochen. Er stellte sich ihm als Richard Elchinger, der neue Kritiker der großen Tageszeitung, vor. Er hatte äußerst anerkennende Worte für Lions Roman und versprach, darüber zu schreiben. Als Lion, erfüllt von der guten Nachricht, in die Loge kam, eröffneten ihm die Freunde schadenfroh, ich sei mit Bonsels weggegangen, sagten aber nicht wohin. Ich bemühte mich, ihm den Hergang zu erklären. An Lions Miene erkannte ich, daß er mir glauben wollte, fühlte aber, daß es mir nicht gelang, ihn zu überzeugen. Ich gestand, daß Bonsels mich auf der Treppe zum Ballsaal geküßt hatte. Lion sagte nur, es sei höchst unpassend, mit einem Fremden Kaviar zu essen. Jetzt erkannte ich, daß Lion mir vollen Glauben schenkte, und ich fand, das war gut. Von jetzt an legte ich gar keinen Wert mehr darauf, dämonisch zu wirken.

Die Direktion des Spielcasinos von Monte Carlo hatte beobachtet, daß wir stark verloren hatten. Man war immer besorgt, da sich Verzweifelte oft vom Casinopark ins Meer stürzten. Angeschwemmte Leichen waren schlechte Reklame für den Fremdenverkehr. So nahm uns ein Herr beiseite und erklärte, die Direktion des Casinos sei bereit, die Rückreise zu bezahlen. Ich war begeistert und fragte: »Wieviel?« – »Ah«, sagte der Herr, »das nicht. Wir geben Ihnen nur die Fahrkarte.« Natürlich haben wir abgelehnt.

Wir zogen dann nach Nizza in ein erschwingliches, kleines Hotel und machten damit einen guten Tausch. Es gefiel uns dort viel besser. Mittags aßen wir im Freien in einem kleinen Garten. Wir hörten zum erstenmal von wandernden Musikanten die berühmten Piedi-Grotto-Lieder wie »O sole mio« und »Fili d'Oro« und natürlich »Santa Lucia«, das mir bekannt war aus meiner Kindheit in München. Da war oft ein kleiner Italienerjunge gekommen, der im Hof Ziehharmonika spielte und sang. Ich durfte ihm ein Geldstück in Zeitungspapier herunterwerfen und hatte immer Angst, ihn zu treffen, zugleich hoffte ich es. Wenn er den breitkrempigen Hut schwenkte und heraufschaute, um sich zu bedanken, glaubte ich, das gelte mir allein.
Aber zurück zu Nizza. Ich hatte Sorgen. Lion schrieb an einem Artikel. Ich sagte beiläufig: »Ich glaube, ich gehe einmal auf eigene Faust nach Monte Carlo.« Ganz in seine Arbeit vertieft, sah Lion kaum auf. Das war mir recht. Das Geld ging zu Ende, und ich wollte einen Arzt aufsuchen. Die Doktoren in der Schweiz hatten erklärt, ich dürfe auf lange Zeit kein Kind haben, und ich befürchtete, ich sei wieder schwanger. Ein Arzt war teuer. So wollte ich erst mein Glück versuchen und spielen. Ich nahm aber nicht mehr als fünf Francs mit und gewann fünfzig. Das war nicht genug, aber mich verließ der Mut. Ich saß neben einem einfachen Mann, der nach einer bestimmten Methode spielte. Er hatte ein Notizbuch, in das er jedes Ereignis am Roulette eintrug. Ich fragte ihn, ob ich mit ihm setzen dürfte. »Kann Sie nicht daran hindern«, sagte er höflich und fügte hinzu: »Das genügt aber nicht, um zu gewinnen. Sehen Sie, ich sitze hier den ganzen Tag, seit die Tore aufgemacht wurden, und ich tue das jeden Tag. Ich gewinne mit meiner Methode gerade so viel, daß ich sehr

bescheiden leben kann. Ich lebe allein«, fügte er traurig hinzu. »Es ist eine Arbeit wie jede andere. Aber ich bin alt und bin gern hier. Doch um meinen Lebensunterhalt zu erspielen, muß ich bis Torschluß dasitzen.« Ich war so interessiert, daß ich vergaß zu setzen. Er verlor diese Runde. »Ihr Glück«, sagte er gleichmütig. Das Spiel regte ihn nicht mehr auf. Ich nahm meine fünfzig Francs.

Es war Zeit geworden zurückzufahren. An meiner anderen Seite saß ein kleiner, uneleganter Mann, der aussah wie ein Kolonialwarenhändler. Er konnte auch ein Beamter sein. Der Mann hatte stark gewonnen und war erregt. Er holte mich an der Tür ein und fragte mich linkisch, ob ich mit ihm dinieren wolle. Er hatte einen Haufen Chips in den Händen, die er wechseln ging. Auch alle Taschen waren voll. Etwas atemlos sagte er, er wolle in sein Hotel gehen, baden und sich umziehen, und er hoffe, mich danach im Vestibül zu treffen. Ich erwiderte kein Wort, war verwirrt. So viel Geld, und ich mußte zum Arzt! Er hielt mein Schweigen für Zustimmung, doch glaubte er, ich zögerte, weil ich ein Angebot erwartete. Er erklärte, es komme ihm auf tausend Goldfrancs mehr oder weniger nicht an. »Schön, heut abend um neun Uhr«, sagte ich und fuhr zurück nach Nizza. Statt zum Arzt ging ich zu einer Hebamme. Ich war voll Angst, aber ich scheute auch davor zurück, noch einmal nach Monte Carlo zu gehen. Der kleine Mann, der wartete, tat mir leid.

Bei der Hebamme in einem Hinterhaus war es schmutzig, und es war schmerzvoll. Aber ich habe selten eine Geldsumme so leicht ausgegeben wie diese, meine letzten fünfzig Francs.

Lion hatte inzwischen seinen Artikel fertiggeschrieben. Ich mußte mich ein paar Tage ausruhen, dann ging ich zu einer Bank mit Wertpapieren, die ich veräußern wollte. Ich

glaube, es waren Bayerische Pfandbriefe. Der Bankdirektor, der mich selbst empfing, sagte: »Nicht einmal eine so anziehende Fremde wie Sie kann mich veranlassen, ein so schlechtes Geschäft zu machen. Aber ich gebe Ihnen einen Rat, gehen Sie so schnell Sie können nach Deutschland zurück und kaufen Sie Rüstungspapiere. Ihr Kaiser Wilhelm braucht ja nur auf den Knopf zu drücken, und wir haben Krieg.« Das war im Frühjahr 1913.
Ich ging keineswegs so schnell wie möglich nach Deutschland zurück. Vielmehr suchte ich am nächsten Tag ein Pfandhaus auf und versetzte meine Uhr, die Lion mir in der Schweiz gekauft hatte, unsere Eheringe und einen Brillantring. Lion zitierte Hugo von Hofmannsthal: »Den Erben laßt verschwenden an Adler, Lamm und Pfau das Salböl aus den Händen der toten, alten Frau.« Dann packten wir vergnügt unsere Rucksäcke und zogen zu Fuß fort aus Nizza hinauf in die Berge. Wir sangen alte Marschlieder: »Es, es, es und es, es ist ein harter Schluß, weil, weil, weil und weil, weil ich aus Frankfurt muß.« Unser Ziel war das italienische Dorf Pietra, das kleine, alte Haus am Strand. Wir hofften, man werde uns nicht so bald die Rechnung präsentieren. Vorläufig waren wir hingerissen von der neuen Landschaft, von dem Gefühl der Schwerelosigkeit, das nur der Wanderer kennt, von der Aussicht, jeden Tag in einem andern Bett zu schlafen, neue ländliche Gerichte zu essen und immer weiterzugehen, nie zurück, nie denselben Weg. Wir gingen über Sospel und Molinet in das andere Tal herunter und waren wie stets entzückt, wenn vor uns wieder das Dreieck des Meeres lag.
In Pietra wurden wir wie alte Freunde empfangen. Und nun versuchten wir, auf irgendeine Weise Geld zu bekommen. Wir hatten am Ende des Jahres eine größere Summe zu erwarten. Es war aber nur mit Hilfe eines Wucherers

möglich, schon jetzt dranzukommen. Lion schrieb einem Freund, der unser Trauzeuge gewesen war, und bat ihn, das Nötige zu unternehmen; das hieß natürlich, auf ungefähr die Hälfte zu verzichten, denn so sind die Wege der Wucherer. Es dauerte sehr lange. Endlich kam Bescheid, aber als das Geld eintraf, war diese Hälfte noch einmal halbiert worden durch den Freund, der, wie er schrieb, der Versuchung nicht widerstehen konnte.

Wir hatten eine schöne Zeit in dem alten Dorf. Mit den Einheimischen gingen wir auf die Jagd und freuten uns, wenn nichts getroffen wurde, und an dem Huhn, das nach Jägerart am Spieß über einem Holzfeuer zubereitet wurde. Wir aßen das erste Mal Früchte vom Kirschlorbeerstrauch. Sie schmeckten wie Marmelade. Auch hingen immer noch große, längliche Haselnüsse an den kahlen Büschen. Der reichste Mann des Ortes war der Schweinezüchter. Wir fanden, er sah aus wie der Zigeunerbaron. Er hatte einen flotten Schnurrbart und ein blumenumranktes Haus. Auf einem dieser Ausflüge brachte er eine riesige Konservenbüchse mit. Wir alle haben mit größtem Genuß daraus gegessen. Es war eine besonders zarte, geräucherte Zunge. Als wir satt waren, erzählte der Schweinezüchter, der seinen Reichtum in Argentinien erworben hatte, daß diese Art Zunge dort vor allen andern bevorzugt und an Weihnachten gegessen werde. Das ganze Jahr gebe es auf den Haziendas in diesem Land der Viehzucht unentwegt Rindfleisch, und an den Feiertagen werde als besondere Delikatesse Pferdezunge gegessen. Ich schaute Lion an, der hörte sehr interessiert zu. So wurde auch mir nicht schlecht.

Die kleine Dorfschneiderin machte mir ein Sommerkleid, und allmählich wurde es wieder Zeit, loszuziehen ins Unbekannte. Dank dem Wucherer ging es diesmal mit

dem Zug die Italienische Riviera entlang nach Portofino, Rapallo, Spezia, hinüber zu der Insel, auf der Shelley gelebt hatte, am Meer entlanggegangen war, altes Brot kauend, seine Gedichte schreibend, und wo er ertrank.
Dann Florenz! Das schönste waren die Schiavoni, die unvollendeten Sklaven-Skulpturen Michelangelos, zu denen wir immer wieder zurückkehrten. Und die kleinen Trattorien hinter dem Strozzi-Palast. Ich konnte das gar nicht oft genug sagen: »Strozzi-Palast«. Es klang wie die Steinquadern, aus denen er gebaut war.
Wir wohnten in einer kleinen englischen Pension, die sich oben in einem alten Barockpalazzo befand. Man ging durch ein hohes Portal, stieg große, marmorne Treppen hinauf, vorbei an riesigen Statuen, bis man zu den ehemaligen Dienstbotenräumen kam. Innen war es freundlich, sauber, billig, und es gab trotz der englischen Besitzerin italienische Küche. Die Gäste waren meist Kunststudenten.
Und dann kam Rom.
Als wir aus dem Bahnhof Termini traten, rief ich aus: »Da ist ja schon was Altes.« Lion zog mich viele Jahre damit auf. Natürlich war er ebenso aufgeregt über Rom wie ich. Ich glaube, wir haben dort alles gesehen, wir waren unermüdlich und unersättlich. Immer wieder gingen wir zurück zum Forum. Langsam schritten wir durch den Titus-Bogen. Wir wußten zuviel von seiner Bedeutung. Es war da und dann, daß Lion den Plan zu seinem »Flavius Josephus« faßte. Ich glaube, es war gut, daß er so lange wartete, bis er die Geschichte dieses jüdischen Historikers und Feldherrn im ersten nachchristlichen Jahrhundert schrieb. Er mußte Schweres erleben, bis er dieses Thema gestalten konnte. Ich wunderte mich oft, wie ein Mensch zu all dem, was im Alltag über ihn hereinbricht, auch noch

das tragen kann, was die vielen Gestalten in seinen Büchern erleben. Ich habe manchmal den Eindruck gehabt, daß große Männer kalt und abweisend, ja gläsern wirken angesichts des Elends, das sie sehen mußten. Es ist, als ob nach einem langen Regen durchtränkte Erde das Naß nicht mehr aufnehmen kann und Wasser die Oberfläche bedeckt, widerspiegelnd statt aufzusaugen. Doch bei Lion hatte ich diesen Eindruck nie. Er war immer aufgeschlossen für das kleine und große Leid der andern. Manchmal denke ich, es war zuviel für einen Menschen, und er hätte länger gelebt, hätte er nicht soviel erlebt. Doch er sagte immer: »Das Ganze noch einmal«, ohne Reue, ohne Bedauern, ohne Haß.

Wir wohnten in einem kleinen Hotel in der Nähe der Piazza Navona, doch war es eigentlich nur eine Schlafstätte. Denn wir waren Tag und Nacht unterwegs. Wir gingen über die Engelsbrücke zum Vatikan. Vor uns ragte die Engelsburg, von der Kaiser Hadrian die steinernen Statuen auf seine Feinde werfen ließ. Wir folgten der engen, gewundenen Straße, bis wir vor dem Petersplatz standen. In dem riesigen Rund waren viele Menschen versammelt. Sie lehnten an den unzähligen Säulen. Es war merkwürdig still. Plötzlich fielen alle auf die Knie. Auf der rechte Seite der Peterskirche, hoch oben am Vatikangebäude, öffnete sich ein Fenster. Man sah eine weiße Gestalt. Es war der Papst. Er hatte soeben nach einer schweren Erkrankung das erste Mal das Bett verlassen. Er hob die Hände zum Segen, dann trat er wieder zurück.

Wir gingen in eine kleine Trattoria zum Mittagessen. Man saß auf der Straße fast unmittelbar unter dem päpstlichen Fenster. Es gab gebackenen Fisch, und eine große Anzahl Katzen wartete auf die Gräten und den Kopf. Einer Katze hatte ich nicht schnell genug gegessen, und sie biß mich ins

Bein. Die Wunde war unerheblich, aber der Strumpf war zerrissen. Ich trug schwarze Wollstrümpfe, daran erinnere ich mich ganz genau.
Am Abend kamen wir nochmals des Wegs. Wir wollten uns den Petersplatz bei Kerzenlicht anschauen. Als wir halbwegs über die Engelsbrücke gegangen waren, schrie eine Frau neben uns: »Miracolo!« Sie schaute verzückt auf und hob die Arme. Ein großes feuriges Kreuz schwebte in Richtung des Vatikans am Himmel. Auch wir waren verblüfft. Später sahen wir, daß es das Kreuz auf der Peterskirche war. Die Fassade war mit Tausenden von Kerzen illuminiert; doch die Kuppel war nicht erleuchtet. So schien das Kreuz in der Luft zu schweben.
Am andern Tag stiegen wir die Spanische Treppe hinauf. Auf beiden Seiten saßen Blumenfrauen mit ihren bunten, überquellenden Körben. Dazwischen schritten eilig junge Mönche in ihren purpurnen Kutten, nach denen sie Canceri – Krebse – genannt wurden. Dann gingen wir hinunter in das Café Aragno am Fuße der Treppe, wo schon Goethe gesessen hatte. Jahrhunderte war es Treffpunkt der schöngeistigen Welt, so wurde uns gesagt. Unermüdlich besichtigten wir Kirchen und Museen und folgten den Spuren Goethes auch nach Frascati, Albano und dem vulkanischen Nemi-See.

2

Unsere Reise nach Neapel brachte neue, unerwartete Erfahrungen. Wir fuhren dritter Klasse, etwas ganz Ungewöhnliches in Italien. Die Sitze waren schmal und hart. Es war auch nicht sehr sauber, aber keineswegs abstoßend, und die Mitreisenden ersetzten, was an Komfort abging. Es war das erste Mal, daß wir mit dem italienischen Volk in Berührung kamen. Obwohl unser Schulitalienisch sich im Norden Italiens gut bewährte, hatten wir hier Mühe, den Dialekt zu verstehen. Doch wurde das alles mit wohlwollendem Gelächter aufgenommen. Wir mußten mit den Leuten das Mittagsmahl teilen. Es gab die köstliche Finocchiofrucht, die aussieht wie eine weiße Zwiebel und nach Anis schmeckt. Das deutsche Wort dafür ist Fenchel. Man trank von dem leichten roten Landwein, der den Wohlgeschmack dieses rohen Gemüses und des Ziegenkäses außerordentlich erhöhte. Manche aßen auch rohe Zwiebeln. Ein ältliches Huhn wurde mit uns geteilt; doch wir waren hungrig und hatten gute Zähne, so schmeckte auch dies. Wir hatten etwas Schokolade mit, so daß wir nicht mit leeren Händen die Gastfreundschaft anzunehmen brauchten.
In Neapel fanden wir ein Zimmer nahe dem Hafen von Santa Lucia. Das war damals das Arme-Leute-Viertel. Neapel war noch nicht die Fremdenstadt, zu der es sich später entwickelte. So gab es auch keine Hotels am Meer, aber gerade am Meer wollten wir wohnen. Unsere Hausfrau war eine Schweizerin, und wir hatten großes Glück,

sie gefunden zu haben, wie sich später herausstellte. Man ging schon zum Frühstück aus, und wenn man durch die Gassen schlenderte, konnte man die ganze einheimische Bevölkerung auf der Straße sehen. Die Frauen saßen auf den geflochtenen Stühlen und kämmten sich gegenseitig die Haare. Die Kinder lausten sich, und die jungen Mädchen gingen im Korsett einander besuchen. Wir wurden mit großer Freundlichkeit begrüßt, am zweiten Tag schon wie alte Bekannte. Die jüngeren Frauen tasteten und befühlten den Stoff meines Kleides. Es war aber auch sehr schön. Ich erzählte ja schon von dem Sommerkleid, das ich mir in Pietra anfertigen ließ, sehr bunt, eng anliegend, an der Hüfte leicht gerafft. Wie auch immer, es gefiel uns und den Neapolitanern. Im Haar trug ich einen schmalen Goldreif, und mit meiner eingerollten Pagenfrisur sah ich schon am frühen Morgen aus wie die Salome.
Mittags gingen wir ans Meer, um in einem der kleinen und billigen Fischrestaurants zu essen. Nun wußten wir, daß man am Hafen einer großen Stadt keinerlei rohe Muscheln und Austern essen durfte, da die Abwässer in die Häfen geleitet wurden. Deshalb aßen wir nur Gekochtes, und die Vongole-Suppe, ein Muschelgericht, wurde bald unsere Leibspeise.
Eines Abends – wir kamen ziemlich müde nach Hause, denn wir waren fast den ganzen Tag in den Museen und Kirchen herumgezogen – wurden wir beide sehr krank. Wir hatten Krämpfe und Durchfall. Mir ging es am andern Abend schon besser, aber Lion hatte hohes Fieber. Die gute Hausfrau schickte nach ihrem Arzt, einem ehemaligen Professor aus der Schweiz. Sie hatte zu den damaligen italienischen Ärzten kein Vertrauen, denn die gaben in solchen Fällen meist Opium. Das war für die einheimische Bevölkerung das Richtige, doch die Fremden hatten die

Immunität der Neapolitaner noch nicht erworben. Der Arzt stellte Typhus fest und erklärte, er müsse den Fall eigentlich melden und Lion ins Krankenhaus schicken, damit er isoliert würde. Doch könne er das bei den herrschenden Zuständen nicht verantworten, denn selten habe ein so schwer Kranker lebend das Spital verlassen. Lion müsse also in seinem Zimmer völlig isoliert bleiben. Er dürfe auch nicht das Badezimmer benützen. Der Arzt verlangte streng, er müsse sich auf mich verlassen können.

Es waren schreckliche Tage. Lion fieberte und phantasierte und beruhigte sich nur, wenn ich ihm vorlas. Als das Fieber dann langsam wich, war er so schwach, daß selbst das Vorlesen zu anstrengend war. So erzählten wir uns Geschichten aus unserer Schulzeit. Lion erinnerte sich, welche Angst er vor dem Rektor seines Gymnasiums hatte. Ich kannte den Rektor Arnold vom Sehen. Er war zwergenhaft klein und sah aus wie ein Azteke. Nachts ging er durch die verödeten Straßen, um sich zu vergewissern, daß seine Schüler nicht länger als die erlaubte Zeit ausblieben. Um das Theater zu besuchen, mußten sie eine spezielle Erlaubnis haben. Die Schüler aber umgingen das Verbot. Man traf sich im Hinterzimmer einer kleinen Kneipe. Dort tranken sie Bier und rauchten ihre ersten Zigaretten. Das war natürlich ebenso verboten wie das Ausgehen und zog bei Entdeckung die Strafe der Relegation nach sich. Doch gab es noch eine andere Attraktion. Es wurde Geld gesammelt, und wenn genug einging, zog die dralle Kellnerin ihre Bluse aus und zeigte ihre Brüste. Wer dann noch extra bezahlte, durfte sie betasten. Die Kellnerin rechtfertigte ihre zusätzliche Forderung damit, daß sie bei der Beichte viele Vaterunser als Buße auferlegt bekomme, doch die kosteten sie nichts.

Wegen der zweiten Sünde aber müsse sie Votivkerzen kaufen und für die Heilige Jungfrau anzünden.
Nun war die Reihe des Erzählens an mir. Auch ich hatte heimlich geraucht. Es war auf dem alljährlichen Maiausflug, und auch wir hatten Angst, erwischt zu werden. Wir schlichen in einen dunklen Billardsaal und fanden das sehr abenteuerlich. Am nächsten Tag, als wir uns in der Schule einfanden, herrschte Panik unter den Lehrern und Lehrerinnen. Die Regierung hatte eine Kommission geschickt, doch es war nicht wegen unseres Rauchens, vielmehr war es eine jährliche Prüfung, der sich meine Schule unterziehen mußte, weil sie ein Privatinstitut war. Die Prüfung galt mehr den Lehrern als den Schülern, daher die Aufregung.
Der Regierungsinspektor fragte, was wir vorbereitet hätten – und das am Tag nach dem Maifest. Es war das Nibelungenlied. »Erzählen Sie mir etwas vom Inhalt.« Und so ratterte ich los. Alles ging gut, bis ich zur Nibelungenhochzeit kam und beschrieb, wie die Brunhilde den Gunter aus dem Bett schmiß und den Siegfried verlangte, der dann auch kam und sich mit dem Schwert dazwischen zu ihr legte. Da wurde der Inspektor tiefrot. Unser Professor, einen Schritt hinter ihm, biß sich auf die Lippen. Der prüfende Herr ging zur Tür, drehte sich um, sagte: »Setzen« und verschwand. Laut lachend – ich hätte gar zu gern gewußt, warum; meine Mitschülerinnen, die alle viel älter waren, schienen es genau zu wissen – ging der Professor auf mich zu: »Fräulein Löffler, Sie ahnen gar nicht, was Sie mir für einen Dienst erwiesen haben.« Er war nur probehalber angestellt im Theresien-Gymnasium, und wenn die Klasse im Institut versagt hätte, wäre er nicht bestätigt worden.
Während meiner Erzählung war Lion eingeschlafen. Es

war der Schlaf eines Genesenden. So hatte meine Wiedergabe des Nibelungenliedes auch diesmal eine gute Wirkung.

Sobald Lion kräftig genug war, gingen wir nach Castellammare am gegenüberliegenden Ufer der Bucht. Von da aus war es leichter, nach Pompeji zu gelangen, ohne in den täglichen Verkehr zu geraten. Man konnte am frühen Morgen dort ganz ungestört herumstrolchen. Die Fremdenführer waren noch nicht gegenwärtig, man brauchte sich also nicht unbedingt die unanständigen pompejanischen Fresken anzusehen. Dann, statt mit der Bergbahn zu fahren, ritten wir zu Pferd auf den Vesuv. Auf dem Rückweg wurde während eines Gewitters mein Pferd scheu. Doch hielt ich mich dank der Reitstunden, die mir Lion bezahlt hatte, im Sattel. Das war noch in München, während seiner ärmsten Zeit, ein Geburtstagsgeschenk gewesen und recht leichtsinnig.

Weiter ging es an Gargagno vorbei, bekannt wegen seiner Teigwaren. Da hingen die Maccaroni wie Schnüre von den Wäscheleinen, um in der Luft zu trocknen. Man ging durch einen Wald von Spaghetti. Die Landstraße führte mitten durch.

Wir näherten uns Amalfi von oben. Die Dächer waren flach und weiß, manche wie Kuppeln geformt, alles wirkte afrikanisch, der ganze Ort zog sich den Berg hinab. Seit den Tagen der Sarazenen hatte sich nicht viel geändert. Wir wohnten in dem ersten Albergo, das wir fanden. Es war ganz leer. Die Besitzerin lieh uns lachend Badeanzüge. Da es früh im Jahr war, gab es noch keine zu kaufen. Dann gingen wir an dem wunderbaren und berühmten Hotel Cappuccini vorbei. Früher war es ein Kloster gewesen und hing steil an einem felsigen Abhang.

Es war das erste Meerbad in unserem Leben. In einer Grotte, wo ein Boot überwinterte, zogen wir uns aus. Wir sahen eine nackte Frau ins Meer gehen. Vom Wasser aus rief sie auf berlinerisch ihrem Mann zu: »Na komm doch, Alterchen.« Manche Deutsche des damaligen Kaiserreichs hatten so viel Verachtung für das arme Italien, daß sie gar nicht daran dachten, auf die Sitten der Einheimischen Rücksicht zu nehmen. Das Volk nahm gutherzig alles hin. Man wunderte sich nur ein bißchen.

Paestum lag noch vor uns. Bevor wir nach Ischia gingen, um uns vollends zu erholen, beschlossen wir, in Salerno zu übernachten. Das alte Salerno war uns beiden vertraut durch das Epos vom Armen Heinrich des Hartmann von Aue und durch das wunderbare Drama von Gerhart Hauptmann. Am nächsten Morgen in aller Frühe nahmen wir einen kleinen Pferdewagen und fuhren die kurze Strecke nach Paestum. Da stand der mächtige, braun-gelbe Neptun-Tempel in der Morgensonne. Er sah aus, als glühe er von innen. Das Merkwürdigste aber war die seltsam zitternde Luft – Fieberluft. Alles war verödet, man sah nur ein paar Kühe weiden. Später lasen wir die Warnung, sich nach Sonnenuntergang nicht im Freien aufzuhalten wegen der Moskitos, Anopheles genannt, die die Malaria verbreiten.

Wir schifften uns nach Ischia ein. Unser Arzt, Professor Gläser, hatte uns an seinen Freund Michele empfohlen. Er war Weinbauer in der Casa Michele auf Ischia. Wir wohnten mitten unter den fruchtbehangenen Pfirsichbäumen, zwischen denen sich die Weinreben wie Girlanden hindurchrankten. Es gab nur ein paar winzige Häuschen, und es waren ganz wenig Leute da. So der deutsche Konsul aus Florenz, kultiviert wie alle Deutschen, die man damals in Italien traf, wenn auch etwas zu kaisertreu. Dann noch zwei junge Holländer und ein alter neapolitanischer Graf. Die beiden Holländer haben sich mir eingeprägt, weil sie uns die erfolgreiche Methode des Flöhefangens lehrten. Das war damals in Süditalien eine wichtige Kunst. Man mußte sich am Abend ganz ausziehen, in die Mitte des Zimmers stellen, eine Schüssel mit Wasser neben sich, und dann warten, bis die Flöhe an einem heraufsprangen; sie fangen und ertränken war dann ein leichtes. Auch der Konsul gab uns einen guten Rat: wie man am besten Sonnenbrand vermied. Er wurde aber nicht befolgt. Ich kam noch verhältnismäßig glimpflich davon, aber der blonde Lion, der ein ausgezeichneter und ausdauernder Schwimmer war, hatte sich im Wasser auf dem Rücken einen schweren Sonnenbrand zugezogen. Es war so schlimm, daß er starkes Fieber bekam und die Haut sich in einem Stück abziehen ließ. Ich trocknete sie, und bis zu unserem Exil wurde sie in einem Kuvert aufbewahrt mit der Aufschrift: »Haut von Lion«.

Von jedem in unserer Gesellschaft lernten wir etwas. So darf ich auch den italienischen Grafen nicht vergessen. Dieser führte uns zusammen mit einem Einheimischen in die Kunst der neapolitanischen Zeichensprache ein. Den Kopf von unten nach oben werfen heißt: nein. Um einer Frau zu sagen, daß sie schön sei, zog man die Hand mit einer langsamen Gebärde von oben nach unten über das Gesicht. Mit schneller Bewegung die Hand mit dem Rükken nach außen vom Hals zum Kinn mehrmals bewegen heißt: Ich weiß es nicht. Es hilft, wenn man gleichzeitig die Mundwinkel nach unten zieht. Und so ging es lange weiter. Die beiden hatten wirklich eine ganze Konversation vorgeführt. Später half uns am ganzen Mittelmeer vor allem die erste Bewegung im Verkehr mit Hausierern.

Es fehlte auch hier nicht an Aufregungen, verursacht durch

unseren Leichtsinn. Als wir bei einem Sturm trotz Warnung in den hohen Wellen schwammen, wurde Lion die Brille weggerissen. Ich versuchte, nach ihr zu tauchen, und kam in einen Strudel. Ich wurde tief hinuntergezogen, glaubte mich schon verloren, da riß eine besonders starke Welle mich wieder heraus. Das ging so schnell, daß niemand am Ufer etwas merkte. Ich lag lange völlig erschöpft am Strand.

Es drängte uns weiter. So viel war zu sehen. Wir nahmen das Schiff zurück nach Neapel. Im Museum zogen uns mehr als die griechischen Marmorstatuen die Köpfe der römischen Herrscher an. Wir wunderten uns über die naturalistische Ähnlichkeit der Büsten. Es fehlten nicht einmal die Warzen. Wir sahen die Köpfe von Vespasian, Titus und Domitian, die sich tief in Lions Gedächtnis einprägten.

Wir gingen auf den Posilipp, das Vorgebirge. Dort, gegenüber dem Vesuv, aßen wir schillernde Fische, ebenso wohlschmeckend wie bunt. Von da gingen wir zur Solfatara, wo kleine weiße Schwefelflämmchen über die schwarze Lava huschten, hinüber zu dem klaren Lago di Fusaro, um ohne Gefahr Austern essen zu können. Dort wurden im Altertum die Fische, um sie besonders schmackhaft zu machen, mit Sklaven gefüttert.

Unser nächstes Ziel war Capri. Ein glücklicher Zufall, vor allem weil wir Geld sparen mußten, bewahrte uns davor, in dem langweiligen Grand Hotel inmitten des Ortes abzusteigen. Wir gingen auf die andere Seite der Insel, wo es billig war, zum offenen Meer, zur Piccola Marina. Da war ein kleiner Strand, während die unglücklichen Reichen an der Marina Grande, dem großen, überfüllten Strand, wohnen und baden mußten. Diese Marina Piccola

mit den riesigen Faraglioni, den Zwillingsfelsen im Meer, und den großen, smaragdenen Eidechsen war das Schönste, was wir bis dahin gesehen hatten.
Die Casa Weber, so hieß unsere kleine Pension, hing über dem Meer, angeklebt am Felsen, und hatte eine schmale Steinterrasse. Sie lief an den Zimmern entlang, die nicht größer waren als Mönchszellen. Auf der Terrasse stand der Canonico, der Priester des Ortes und Bruder der Wirtin, ein schöner Mann mit einem Römerkopf. Er trug violette Strümpfe und hatte ein Fernglas in der Hand. »Quell' aria voluttuosà – was für eine wollüstige Luft«, so begrüßte er uns am ersten Morgen.
Wir fanden auch bald heraus, was es mit dem Fernglas auf sich hatte. Unten an dem kleinen Strand hatten sich die verschiedensten Gruppen gebildet. Der Kern war ein Bohèmegemisch von Russen, Schweizern und Skandinaviern, und dahinein brach plötzlich die neapolitanische Aristokratie. Ihre Männer suchten unsere Gesellschaft. Die Damen betrachteten uns von ihren Booten aus neugierig, doch zurückhaltend. Die Boote waren den venezianischen Gondeln nachgebildet, mit vielen bunten Kissen, einem Baldachin gegen die Sonne und einem stehenden Ruderer mit roter Schärpe und ebensolcher Capri-Mütze. Die Schiffer sangen, die Damen lehnten sich langgestreckt zurück. Gegen Mittag, wenn das Wasser sich erwärmt hatte, kamen sie von den Booten an Land und gingen für kurze Zeit ins Wasser. Ihre Zofen warteten am Strand. Es war wie ein Zeremoniell. Und da es keine Badekabinen gab, gingen die Damen hinter einen Felsen, um ihre Badeanzüge anzuziehen. Die Zofen hielten ein großes Tuch davor, und das war dann der Moment, in dem das Fernglas des Canonico oben auf der Terrasse in Aktion trat. Die Badegäste benahmen sich sehr diskret. Dann gingen die Damen wieder in ihre

Boote, die Zofen hängten die Badeanzüge nebst den Korsetten auf der Leine zum Trocknen auf.
Die Männer blieben zurück und setzten ihren Flirt mit mir fort. Einmal, als einer gar zu stürmisch wurde, sagte ich: »Ich kann Sie nicht verstehen. Sie haben die schönste Frau, die ich je gesehen habe, und machen einer anderen den Hof.« Er antwortete: »Was wollen Sie, ich bin neun Jahre mit ihr verheiratet.«
Es war wie eine Verschwörung. Etwa drei Männer umringten Lion, der im Sand lag, um ihn abzulenken, während einer sich mit mir unterhielt. Meist machten sie überschwengliche, lächerliche Komplimente, und ich wies sie zurück. Doch das schien sie um so mehr zu reizen. Es war aber recht harmlos und wurde auf die Dauer etwas langweilig. Ich entschuldigte mich, ich sei hier, um Kunstgeschichte zu studieren, und hätte mein Pensum noch nicht absolviert.
Lion hatte inzwischen eine kleine Schweizerin gefunden, die ihn amüsierte. Nach dem einfachen Mittagessen, meist aus Melone und Käse bestehend, legte man sich aufs Bett und las und studierte Kunstgeschichte. Erst gegen Abend ging man in der Kühle spazieren. Ein besonders schöner Weg, sehr schmal, sehr steil über dem Meer, hieß die Via Krupp. Dort wohnte und, soviel ich weiß, starb der große Waffenfabrikant. Er hatte sich – so wurde erzählt – bei Lebzeiten der schönen italienischen Knaben erfreut.
Auf unseren Spaziergängen kamen wir an einem einfachen kleinen Haus vorbei, an einem steilen Treppenweg gelegen. Man hörte eine Schreibmaschine. Wir fragten, wer das sei, und erfuhren, es sei Maxim Gorki. Wir standen oft unter seinem Fenster, nur um seine Schreibmaschine zu hören.
In den Mondnächten stieg man in Gesellschaft über Ana-

capri auf den Monte Solaro, um dort den Sonnenaufgang abzuwarten. Die Aussicht über die Bucht von Neapel und den Vesuv mit der Rauchfahne entschädigte für den verlorenen Schlaf. Auch die Fahrt in die Blaue Grotte versäumten wir nicht, obwohl wir im allgemeinen die vielbesuchten Sehenswürdigkeiten mieden. Wir schwammen in dem unwahrscheinlich blauen Wasser, auch die Luft leuchtete blau. Im Baedeker steht: »Im Wasser erscheint der menschliche Körper wie Silber, Knaben erbieten sich zu tauchen für eine Lira. Man begnüge sich, die Hand ins Wasser zu stecken.«

Das Geld des Wucherers wurde immer weniger. Wir gingen nach Neapel zurück, um zu versuchen, aus Deutschland Vorschüsse für zu schreibende Artikel zu bekommen. Auch Besuch hatte sich angesagt: Eine frühere Freundin Lions, die uns schon in die Schweiz nachgefahren war, wollte ihren Urlaub im Süden Italiens verbringen. Lion zeigte ihr die Umgebung von Neapel, während ich – man muß doch gastfreundlich sein – einen üppigen Tee vorbereitete. Ich wußte von früher, daß Kognak-Kirschen ihre Leidenschaft waren. So machte ich mich auf den Weg, um bei einer berühmten Confiserie die guten Dinge zu besorgen. Ich tat das nicht sehr gern. In Neapel allein auf die Straße zu gehen, war damals ein ziemliches Wagnis. Ich wurde unter den schmeichelhaftesten Worten, wie »Gesegnet sei deine Mutter – Benita la madre« oder »La bella nera – die schöne Schwarze«, unentwegt ins Hinterteil gezwickt. Als ich nach vielem Gerenne die Leckerbissen endlich auf dem Tisch hatte, mußte ich zu meiner Enttäuschung sehen, daß sie unberührt blieben. Nachdem der Besuch gegangen war, sagte mir Lion, daß das törichte Mädchen

ihm gestanden hatte, sie fürchtete, ich könnte sie vergiften.
Lion begleitete das Mädchen nach Rom, wohin er zur Erneuerung seines Militärpasses ohnehin fahren mußte. So war ich einige Tage allein in Neapel. Ich packte alles zusammen, was nicht in einen Rucksack paßte, denn wir hatten neue Pläne. Am späten Nachmittag schlenderte ich zum Corso, wohin man noch am ehesten allein gehen konnte. Der Corso lief am Meer entlang, er war breit, und so mußte man nicht, wie in den engen Straßen der Innenstadt, fürchten, auf die übliche Weise belästigt zu werden. Es war immer höchst unterhaltend zu beobachten, wie die beiden Reihen Pferdefuhrwerke, elegante Equipagen und einfache Droschken, sich entgegenkamen, wie die Insassen flirteten, winkten und lächelten, und das spielte sich schon seit Jahrhunderten so ab.
Aus einem Wagen wurde ich überraschenderweise gegrüßt. Es waren zwei meiner Capri-Bekannten, junge Barone oder Grafen. Ich hatte ihre Namen schon vergessen. Beim nächsten Vorbeifahren verließen sie den Wagen, um mit mir zu sprechen. Sie luden mich ins Theater und zum Abendessen ein. Ich lehnte das Theater ab, das erst nach dem Essen beginnt, und nahm die Einladung zum Essen an.
Als ich am Abend aus dem Haus trat, erwartete mich nur einer der beiden. Es war der Jüngere, der mir viel weniger gefiel. Er war so wie jeder junge Mann seines Standes in Europa, wohlerzogen, farblos, während der andere etwas von jenen gefährlichen Männern aus den frühen italienischen Romanen von Heinrich Mann hatte. Dieser ließ sich entschuldigen: er könne uns erst im Restaurant treffen, da er im letzten Augenblick abgehalten worden sei. Das Ganze erinnerte mich etwas an jenen Ball mit Bonsels.

Wir aßen in einem der gepflegten Restaurants hoch am Posilipp. Es war eine klare Nacht, man saß auf der Terrasse. Die Lichter von Neapel umsäumten die Bucht. Als wir nach Hause fuhren, fragte ich, ob ich nicht etwas vom alten Hafenviertel sehen könnte – Neapel, das dem Fremden normalerweise unbekannt bleibt.

Wir fuhren also durch enge, gedrängte Straßen. Es roch nach Olivenöl, man hörte singen und Mandoline spielen. Es war genau das, was ich wollte. Jetzt hörte man auch das Hämmern von Tamburinen. Wir stiegen aus dem Wagen und folgten den Leuten durch eine winkelige Gasse. Ihr Ende weitete sich zu einem kleinen Platz, der von Fackeln erleuchtet war. In der Mitte tanzten zwei sehr junge Mädchen barfuß die Tarantella. Sie schwenkten die weiten neapolitanischen Röcke, und ihre Haare flogen. Frauen saßen am Boden, gehüllt in lange schwarze Tücher, viele säugten ihre Kinder. Eine Gruppe von schwedischen Matrosen wirkte wie ein weißer Klecks im schwankenden Licht. Mein Begleiter warf einem Mädchen ein großes Geldstück zu. Sie hob es auf, ohne im Tanzen innezuhalten. Die andere tanzte mit vorgestrecktem Tamburin auf uns zu. Geschickt fing sie eine Münze damit auf. Dann mußten wir uns davonmachen, denn es ist nicht ratsam, in dieser Gegend Geld zu zeigen.

Vor einem kleinen Haus in der Calle delle Belle Donne, der Gasse der schönen Frauen, hielten wir, stiegen aus, und mein Begleiter sagte etwas zu dem Kutscher, der daraufhin wegfuhr. Wir gingen die enge Treppe hinauf und gelangten in das Absteigequartier des jungen Mannes. Alles war unwahrscheinlich, und es kam mir vor, als ob ich das gar nicht sei: hier in diesem tristen Raum mit einem fremden Mann, der mir nicht einmal gefiel.

Ich glaubte, ich müßte das erleben. Der junge Mensch war scheu und verlegen vor mir, der Fremden.
Am nächsten Tag, als ich etwas frische Luft schöpfen wollte, stand der andere, der Gefährliche, vor der Haustür. Ich weiß nicht, wie lange er gewartet hatte. Er bat mich, den Abend mit ihm zu verbringen. Ich zögerte. Er wollte mich um acht Uhr besuchen, dann werde man das weitere sehen.
Am Abend zog ich mich zum Ausgehen an und wartete, doch es kam niemand. Ich zog mich aus, legte mich ins Bett.
Am nächsten Morgen, als die Hausfrau das Frühstück brachte, sagte sie, daß am Abend vorher ein Herr dagewesen sei, der darauf bestanden habe, mich zu sehen. Sie aber habe ihm gesagt, daß ich keine solche wäre, die Herrenbesuche am Abend empfange.
Als Lion zurückkam, erzählte ich ihm sofort, was geschehen war. Er sagte nur ironisch: »So, so«, und man sprach von etwas anderem.

Das Geld ging nun endgültig zur Neige. Allerdings hatten wir noch Honorare von verschiedenen Zeitungen zu erwarten. Es blieben uns zwei Möglichkeiten, entweder zurückzukehren nach Deutschland, reumütig in den Schoß der Familie, oder ein äußerst eingeschränktes Leben zu führen. Wir zögerten keinen Augenblick. Die Rucksäcke waren ja schon gepackt.
Ein Stückchen fuhren wir mit der Bahn, der lange Marsch durch die wimmelnden Vororte erregte immer zuviel Aufsehen. Dann ließen wir diese letzte Verbindung mit der Zivilisation hinter uns. Der Ort hieß Praia und war nur eine Eisenbahnstation. Wir gingen ans Meer, das wir von nun an verlassen würden, da der Weg uns über die Berge ins Innere Italiens führen sollte. Der Strand lag verödet. Es war, obwohl die Sonne im Sinken war, sehr heiß.

Wir gingen am frühen Morgen die Landstraße hinauf in ein grünes Tal. Bald begann es zu regnen. Doch störte das nicht unsere Sorglosigkeit und Unbeschwertheit. Je länger man marschierte, um so weniger spürte man den Regen, und so kamen wir am Abend in dem kleinen Sapri an, vergnügt, müde, hungrig, triefend. Statt der Betten gab es Decken und Lappen, zu essen nichts als Eier mit Tomatensauce. Am anderen Morgen waren unsere Kleider trocken. Es ging weiter. Die Sonne schien wieder, die Landschaft wurde kahl und streng. Da zeigte sich, was für ein Stadtfrack ich war. Ich bekam Blasen an den Fersen, sagte aber nichts, doch als wir nach Castelluccio kamen, waren meine Füße wundgelaufen. Zum Glück hatte ich Turnschuhe mit, und so war alles über der Herrlichkeit der wilden Landschaft bald vergessen.
Wir saßen auf einem winzigen spanischen Balkon und sahen eine heimkehrende Schafherde vorbeiziehen. Der Hirte spielte eine eintönige Weise auf dem Dudelsack. Die kahlen Berge standen schroff und glühend im Hintergrund. Wir aßen Pecora, das ist ein abfälliges Wort für alte Ziegen, die einzige Nahrung der unbeschreiblich armen Bevölkerung. Aber auf einem offenen Holzkohlenfeuer zubereitet schmeckte das Fleisch ganz gut, wenn man nur lange genug kaute. Pecora blieb uns zeitlebens als Begriff von etwas besonders Zähem.
Wir wanderten weiter. Doch da zeigte sich wieder, wie wenig ich trotz all meiner Sportlichkeit aushalten konnte. Lion, der einen viel schwereren Rucksack trug, ging seinen steten Schritt. Ich mußte wegen der Blasen die Turnschuhe auch auf der Landstraße tragen, und die ungewohnten flachen Schuhe verursachten eine schmerzhafte Sehnenzerrung. Wir waren also gezwungen, einen Ruhetag einzulegen, dann noch einen zweiten. Lion benutzte die unwill-

kommene Muße, den Plan für ein Theaterstück zu entwerfen. So entstand das Drama »Julia Farnese«. Wir wollten weiter, doch mußten wir uns, um meinen Fuß nicht zu sehr anzustrengen, mit kürzeren Strecken begnügen.
An der nächsten Rast, es war ein denkwürdiger Ort, bekamen wir besonders gut zu essen. Man bereitete sich auf die Wahl am folgenden Tag vor. In dem einzigen Zimmer, das uns zur Verfügung stand, hatte in der Nacht zuvor jemand geschlafen. Die Leute sagten, die Bettücher seien so gut wie unbenutzt, und wir hatten große Mühe, die Wirtin zu überzeugen, daß wir trotzdem frische wollten. Die waren aber noch nicht trocken von der Wäsche, man hängte sie also über dem offenen Feuerplatz auf. Zu essen gab es römische Piccioni. Das sind junge, fette Tauben, die noch keine Federn haben und daher besonders zart sind – welch ein Gegensatz zur Pecora vom vorigen Tag. Die Tauben wurden über dem offenen Feuer am Spieß gebraten, und ein besseres Mahl gibt es auch für Könige nicht. Das Fett tropfte in die Glut und verbreitete mundwässernden Wohlgeruch. Auch die noch feuchten Bettücher rochen danach.
Am nächsten Tag sahen wir das aufregende Ereignis einer italienischen Wahlversammlung, die im Freien, auf dem schräg abfallenden Marktplatz, abgehalten wurde. Die alten, schiefen Häuser waren dekoriert mit bunten Tüchern. Die Leute hingen wie Trauben aus den Fenstern. Die Wahlzettel der Kandidaten wurden verteilt. Sie trugen die Bilder der zu Wählenden, da die meisten Leute weder lesen noch schreiben konnten. Es gab viel Musik und Geschrei, auch viel Gelächter. Die Trachten der Frauen leuchteten, plissierte Röcke in starkem Grün und Violett, ein Rock über dem anderen, entweder der grüne oder der violette darunter hervorschauend, sehr weit und schwin-

gend. Dazu trugen sie dunkle Mieder und schwarze Spitzentücher über dem Haar.
Lion schrieb einen Artikel für die »Frankfurter Zeitung«. Doch da wir wegen des Dialekts nicht verstehen konnten, worum es bei der Wahl ging, beschränkte er sich auf die heitere Jahrmarktsstimmung und die Szenerie, vergaß aber nicht, auch die analphabetischen Wähler zu erwähnen. Wir schickten den Artikel vom nächsten größeren Ort ab, eingeschrieben, doch er ist nie angekommen. »Facciamo indagini – Wir machen Nachforschungen«, war die Auskunft, die wir von den Behörden immer wieder auf unsere Beschwerde erhielten. Auch die 25 Lire, die wir für die verlorengegangene eingeschriebene Sendung bekommen sollten, sind nie in unsere Hände gelangt. Wir hätten sie gut brauchen können. »Facciamo indagini«, das haben wir später noch oft in vielen Sprachen hören müssen.

Dann kamen wir nach Cosenza. Wir kannten beide das Gedicht von Platen über das Begräbnis des Gotenkönigs Alarich im Flusse Busento. Doch wollten wir uns nicht eingestehen, daß wir deshalb neugierig waren, Cosenza zu sehen. Wir gingen hierher, weil wir an den ersten großen Ort der Umgebung etwas Geld, das wir dringend brauchten, bestellt hatten. Es war auch da, zu unserer Erleichterung, doch wir konnten es nur mit großen Schwierigkeiten herausbekommen. Denn wir sahen beide noch so jung aus, daß der Postbeamte glaubte, wir seien durchgegangene Minderjährige, und zunächst einmal die Polizei rief. Wir hatten keinen Paß, das kannte man damals nicht, und Lions Militärpapier verstand niemand: es war in deutscher Sprache. Doch das Wappen des Deutschen Reiches, des Bundesgenossen Italiens, machte genügend Eindruck, so daß wir das Geld schließlich ausgehändigt bekamen. Auch ein Brief meiner Eltern war da, die fragten, wann wir endlich nach Hause kämen, und ein Brief des Mädchens, das uns besucht hatte. Sie schrieb, daß trotz all der größeren und kleineren Leiden – Hitze, Sonnenbrand, Flöhe – der Aufenthalt in Italien der Höhepunkt ihres Lebens gewesen sei. Lion zitierte Goethe: »Denn mir sind weit mehr die Nebel des graulichen Nordens als ein geschäftiges Volk südlicher Flöhe verhaßt.«

Wir wanderten weiter. Gingen durch Weinberge, schliefen auch manchmal in den lauen Nächten unter den Reben. Ich hängte mir die dunklen, prallen Trauben ins Haar. Es war ein zeitloses, sorgloses Leben. Wenn uns Leute vorbeigehen sahen, riefen sie uns an und überhäuften uns mit Orangen und Trauben, Kastanien und Feigen. Was wir nicht essen konnten, hängten wir außen über die Rucksäcke.

Bald stiegen wir wieder zum Meer herunter und kamen an einen Ort mit dem Namen Tropea. Die Häuser schienen in dem fahlen Abendlicht grau-grün, auch der Himmel, es sah aus wie Verwesung. Als wir ankamen, gingen viele Leute an den Strand, dort war ein großer Haufen Felsgestein. Die Männer hatten alle Gewehre, man war auf Rattenjagd. Ich hätte nie geglaubt, daß es Ratten so groß wie Hasen geben könnte.

Inzwischen waren wir mehrmals verhaftet worden. Einmal, als wir in der Apotheke für meine empfindlichen Fersen ein Pflaster kaufen und gleichzeitig nach Unterkunft fragen wollten, folgte uns eine große Menschenmenge, die uns zum Gasthof begleitete. Kaum waren wir in unserem Zimmer und zogen uns aus, um den Staub der Landstraße abzuwaschen, als schon die Polizei an die Türe trommelte. Ich hatte gerade noch Zeit, mich in ein Bettuch zu wickeln. Als ich fragte, warum sie denn hinter uns her seien, antwortete einer der Polizisten: »Ah, Sie kennen

schon die Uniform der Polizei.« Da aber erschien der Apotheker in der Tür, entschuldigte sich im Namen des Ortes, des Landes und des Königs, und nachdem er alle hinausgeschoben hatte, sagte er, es seien nur neugierige junge Leute, die das Ganze angezettelt hätten, um zu erfahren, wer wir nun wirklich seien, und lud uns zum Essen ein.
Es war vor allem die Femmina, das Weib, das die Leute alle Haltung verlieren ließ. Eine Frau hatte Kinder zu haben und zu Hause zu bleiben, sonst war sie mehr oder weniger vogelfrei und eine Beute des Stärksten, in diesem Fall des Reichsten: des Apothekers. Das Recht des ersten wurde nicht bestritten, wenngleich unsere Ehe angezweifelt wurde, vor allem wegen der fehlenden Eheringe.
Lion wurde allmählich ungeduldig. Er telegrafierte dem nächsten deutschen Konsul: »Sind schon wieder verhaftet worden«, und bekam umgehend die Antwort: »Mal sehen, was sich tun läßt. Werden den Kerls schon aufs Dach steigen.« Das war uns nun auch wieder nicht recht. Es klang gar zu militärisch preußisch, und wir bereuten schon das Telegramm. Immerhin hat sich kein ähnlicher Zwischenfall mehr ereignet.
Schon bevor wir in den nächsten Ort kamen, fiel uns auf, wie groß und stattlich die Männer von Spezano waren. Als wir dann Unterkunft bei einem Ehepaar fanden, sahen wir, daß die Frauen ihnen in nichts nachstanden. Sie trugen, ebenso wie die Männer, eine bunte Tracht, die selbst in diesem farbenfreundlichen Land ungewöhnlich war. Wir wurden mit fast orientalischer Höflichkeit aufgenommen, und in ihrer Gastfreundschaft setzten sie uns ein ganz besonders gutes Essen vor, das viel mehr wert war, als wir dafür bezahlen mußten.
In der Nacht wurden wir durch dumpfe Geräusche und

leises Weinen geweckt. Ich zündete unsere Kerze an, und bald war wieder alles ruhig. Am nächsten Morgen sagte uns der Mann, er sei gezwungen gewesen, seine Frau zu verprügeln, denn sie hätte uns für das Essen einen viel zu hohen Preis abverlangt. Doch wir sollten ganz ruhig sein, er habe ein nasses, gedrehtes Handtuch genommen, damit er ihre Schönheit nicht verunstalte. So sei es Sitte bei den Albanesen. Dann erzählte er uns, daß ein Teil seines Volkes unter Skanderbeg, dem großen Führer, vor dem Einfall der Türken aus Albanien nach Kalabrien geflüchtet war und sie sich immer noch als Albanesen betrachteten. Dann führte er uns in die Skanderbeg-Straße. Er und seine Freunde gaben uns noch lange das Geleit – das verlange die Gastfreundschaft. So wurden wir wenigstens nicht mit Steinen beworfen, was nicht selten geschah, wenn die Gassenjungen es von sicherer Höhe aus ungestraft tun konnten. Manchmal erinnerte ich mich meiner Preise beim Wettlaufen im Turnverein und fing mir einen Lausejungen ein. Aber meistens waren die Burschen so verängstigt, daß das keinen Spaß machte. Glücklicherweise waren sie auch nicht sehr gut im Zielen. Wenn sie älter wurden, entwikkelten sie jedoch auf diesem Gebiet große Fähigkeiten, wofür die vielen einäugigen Hunde zeugten, denen man begegnete.

Wir bereiteten uns vor, über die Sila zu gehen. Das ist ein nicht sehr hohes Gebirge. Die Schwierigkeit war, daß es keine Unterkunft gab für eine Strecke von ungefähr 50 oder 60 Kilometern. Schlafsäcke waren damals noch nicht erfunden. Doch leichtsinnig wie immer machten wir uns auf den Weg.

Es war wild und einsam. Als wir die Höhe erreichten, sahen wir zu unserem Schreck, daß es gar nicht der Gipfel war. Ein Tal lag vor uns und auf der anderen Seite wieder

ein Berg. Es begann zu dunkeln. Schnee verhinderte ein trockenes Lager. Wir hörten Wölfe heulen. Da sah Lion einen Schäferjungen mit seiner Herde. Wir zweifelten, ob wir uns in seinem Dialekt verständigen könnten. Da erinnerte sich Lion an unsere Lieblingsverse bei Dante: »Nel mezzo del camin di nostra vita / Mi retrovai per una selva oscura / Ché la diritta via era smarrita.« Das ist natürlich symbolisch gemeint und heißt: »Auf der Mitte unseres Lebensweges befand ich mich in einem düstern Walde. Denn den geraden Weg hatte ich verloren.« Das Wort »smarrita« heißt »verirrt«, und der Schäferjunge verstand. Er brachte uns zu einer »cantoniere«, das ist eine Hütte für Straßenarbeiter. Sie nahmen uns ohne großen Enthusiasmus, aber selbstverständlich auf.
Wir fanden bald heraus, warum sie nicht erfreut über uns waren. Es gab so gut wie nichts zu essen. Durch den Schnee war die wöchentliche Zufuhr, die ein Kurier zu bringen hatte, nicht angekommen; doch wir waren glücklicherweise nicht so leichtsinnig gewesen, uns auf eine so lange Strecke ohne Proviant zu wagen. Wir hatten mehrere Büchsen Sardinen im Rucksack, die wir mit den anderen teilten. Sie hatten so etwas noch nie gegessen. Und wir tranken von ihrem leichten roten Landwein. Es war recht kalt in der Nacht. Wir hörten die Wölfe, aber wir waren in Sicherheit.
Dann ging es die andere Seite hinunter zum Tyrrhenischen Meer. An einem Ort, hoch auf einem Hügel gelegen, war es wieder besonders schwer, Unterkunft zu finden. Es gab keine »vedova« – das ist eine Witwe, die gewöhnlich ein freies Bett hatte; auch keine Frau, deren Mann in Amerika war, um Geld zu verdienen. Endlich erklärte sich ein Mann, der uns schon überall auf der vergeblichen Suche begleitet hatte, bereit, uns in seinem Haus schlafen zu

lassen. Auf die Frage, was seine Frau dazu sagen würde, gab er keine Antwort.
Als wir ankamen, war seine Frau verschwunden. Wir wollten über den Preis verhandeln. Darüber war er sehr empört, denn wir seien seine Gäste. Wir waren sehr müde, aber er machte keine Miene fortzugehen. Als ich ihm endlich sagte, ich möchte gern schlafen, bot er mir sehr großzügig an, so lange hinauszugehen, bis ich ausgezogen wäre. Ich erklärte, meine Religion verbiete es mir, mit zwei Männern zu schlafen. Er wurde bedrohlich. Wir griffen schnell unsere Rucksäcke und liefen, ohne uns die Zeit zu nehmen, sie umzuhängen, den Berg hinunter. Es war noch nicht ganz dunkel, als wir den gegenüberliegenden Hügel hinaufkletterten und im nächsten Dorf, umringt von einem Haufen jubelnder Kinder, ankamen.
Auf einmal war der Winter da. Doch obwohl es kalt und windig war, hatten wir großes Verlangen nach einem Bad. Wir nahmen unsere Bettlaken und begaben uns an den Strand. Dort errichteten wir mit Hilfe unserer Wanderstöcke ein Zelt, damit ich den nassen Badeanzug ausziehen konnte. Aber eine große Schar junger Männer hatte sich um uns versammelt, die erst friedlich aus der Ferne zuschaute. Aber als ich in das Zelt kroch, versuchten sie, das Bettuch wegzuzerren. Lion war gezwungen, mit dem zweiten Wanderstock bedrohlich hin und her zu schreiten, bis dann die Polizei kam. Ein Bote brachte einen strengen schriftlichen Verweis des Bürgermeisters, der uns das unchristliche Baden um diese Jahreszeit verbot.
Am nächsten Tag gingen wir nach Capo Colonna und standen vor der riesigen einsamen Säule, einem Wahrzeichen des antiken Großgriechenland. Weiter, immer weiter ging es, zum Cap Spartivento, der südlichsten Spitze des europäischen Festlandes, und als wir sie umgangen hatten,

sahen wir plötzlich und unerwartet den Ätna vor uns, die riesige Pyramide des Vulkans mit der weißen Halskrause des ewigen Schnees. Eine schwarze Rauchsäule stieg daraus hervor. Das nächste Ziel, die Insel Sizilien, lag uns gegenüber.

Weihnachten verbrachten wir in dem sagenhaften Ort Scylla, an dessen Felsen bei Homer die Schiffe zerschellten. Es war unheimlich. Das Wetter war bitterkalt. Es fiel ein eisiger Regen, der von plötzlichen Windstößen unterbrochen wurde. Dann kam kurz ein Stück reingewaschenen Himmels zum Vorschein. Die furchterregenden Felsen glommen naß und drohend.
Das einzige Albergo war verfallen durch Erdbeben und Stürme. Unser Zimmer hatte einen großen Riß mitten durch den Fußboden, so daß wir am Weihnachtsabend unten die armen Seelen bei einer Kerze an einem Holztisch sitzen sehen konnten. Sie hoben nicht die Stimme, kein Lied erklang von den sonst so sangesfreudigen Süditalienern. Doch wir waren glücklich.
Wir setzten über nach Messina. Herrliche Kirchen, Paläste, die schöne Wasserfront: alles nur Fassade, dahinter ein trostloser Trümmerhaufen nach dem furchtbaren Erdbeben von 1908. Das Hotel war schrecklich, die Toilette überflutet von Kot, keine Wasserspülung. Doch an ein Weiterwandern war infolge des ständigen Regens und der aufgeweichten Straßen nicht zu denken. Nur ein Lichtpunkt: es gab die herrlichsten Austern, die so gut wie gar nichts kosteten. Sie zu essen war ungefährlich, da die Austernbänke weitab vom Hafen lagen.
Als der Regen etwas nachließ, stiegen wir in den Trümmern herum. Hier, mitten im Schutt, war es weitaus am saubersten. Manchmal traf man einen Geistlichen, der an

einem nicht mehr vorhandenen Altar sein Gebet verrichtete. Einige Ziegen rupften an dem spärlichen Gras, das zwischen den herabgefallenen Köpfen der Heiligen wuchs. Ein letztes Mal stolperten wir über das Geröll der Ruinen und gelangten auf einen Platz, den wir übersehen hatten. Da stand, inmitten von Unrat und Trümmern, ein elegantes Denkmal, das einen Krieger in großer Rüstung darstellte. Von den umliegenden Häusern waren Stricke gespannt und am Arm des Ritters befestigt. Daran hingen bunte Lappen und Kleider. Sie flatterten im Wind, von der wechselnden Sonne beleuchtet. Die Inschrift am Sokkel lautete: »Don Juan d'Austria«.
Lion erzählte von diesem Halbbruder Philipps II., der ein Sohn Kaiser Karls V. war, in dessen Reich bekanntlich die Sonne nicht unterging. Don Juan war in Bayern geboren, und zwar in Regensburg als Sohn einer gewissen Barbara Blomberg. Ich, um zu zeigen, daß ich auch etwas wußte, fragte, ob das wohl um die Zeit war, als Kaiser Karl V. die Augsburgischen Fugger um viel Geld anpumpte. Lion hielt das für möglich. Er erzählte weiter, daß Don Juan sich durch besondere Tapferkeit ausgezeichnet habe. Er gewann für seinen Vater und Kaiser die Seeschlacht bei Lepanto gegen die Türken. An dieser Schlacht hatte auch Cervantes teilgenommen und wurde schwer verletzt. Eine Hand blieb steif. Später wurde der große spanische Dichter von den Berbern in Tunis gefangengenommen. Er mußte fünf Jahre Sklavenarbeit verrichten, bis er nach mehreren Fluchtversuchen freigekauft wurde.
So verband uns der kleine Platz Santa Annunziata mit seinen verwahrlosten Häusern und dem verschollenen Denkmal eines spanischen Granden mit Bayern und der Literaturgeschichte.
Auf Umwegen gelangten wir über eine Anhöhe nach

Taormina. Beim Abstieg wurden wir von einem Schneesturm überrascht. Es war sehr glitschig, ich rutschte aus, und mein Rock war von oben bis unten aufgeschlitzt. Ich flickte ihn notdürftig mit steifen Fingern.
Wir wollten weiter nach Syrakus. Doch vorher mußte ich mein Kleid in Ordnung bringen. Es war kein Touristenkleid – das gab es damals in Italien nicht –, sondern ein marineblaues Stadtkleid, das nun einen großen Riß hatte. Um ihn zu verbergen, kaufte ich in einem kleinen Stoffladen ein Stück schwarzen Samt; das setzte ich ein, vom viereckigen Halsausschnitt angefangen bis hinunter zum Saum. Für ein Nachmittagskleid wäre das bestimmt sehr originell gewesen. Dazu trug ich schon eine geraume Zeit Männerstiefel, um endlich die Blasen an den Füßen loszuwerden. Ein schwarzer Filzschlapphut verlieh mir ein verwegenes Aussehen. Doch in jedem kleinen Nest, das an unserem Weg lag, wechselte ich die Kleidung und zog eine frische Bluse, einen schwarzen Rock und angemessene Schuhe an, die außen am Rucksack hingen. Unsere Wäsche wusch ich in einem Bach.

Wir kamen nach Melilli. Da war gerade ein ländliches Fest im Gange, das jährliche Fest der Tiere. Wallfahrer kamen, Frauen rutschten die hohe Steintreppe zur Kirche auf den Knien hinauf, um ein Gelübde zu erfüllen, das sie vor Kinderlosigkeit bewahren sollte. Sie gingen auf die gleiche Weise wieder herab, manche wuschen die Treppen mit ihren langen Haaren. Das war eine Buße.
Das Wichtigste aber war die Segnung der Tiere. Die Bauern kamen mit Ochsen, mit ihren Hähnen, Maultieren und Eseln in die Kirche und zwangen die Tiere auf die Knie. Der Priester segnete sie und besprengte sie mit Weihwas-

ser. Wahrscheinlich war dieser Brauch ein Überbleibsel der heidnischen Opferung.
All das sahen wir: Tempel, Vulkane, Felsen, fremdartige Gebräuche, und wir konnten nicht genug davon kriegen. Wir gingen immer weiter, immer weiter gegen den Wind, bis wir nach Syrakus kamen. Wir wußten nicht, was schöner war – das mächtige griechische Amphitheater oder vorher die Latomien, die antiken Steinbrüche, die jetzt üppig mit Pflanzen überwuchert waren. Die granulierten Säulentrommeln lagen noch so, wie sie verlassen worden waren, als Kriege das Bauen der Tempel und Theater unterbrachen. Oft dienten die Steinbrüche als Gefängnis für Kriegsgefangene. Auch Archimedes, der in Syrakus geboren war, und Demosthenes, der von Athen als General vor Syrakus zog, waren dort gefangen gewesen. Der Tyrann Dionysios hat eine Grotte errichten lassen, aufsteigend in der Form des Buchstaben »S«, die eine so merkwürdige Akustik hat, daß man ein geflüstertes Wort aus den Latomien hoch oben in den Felsen deutlich hören kann. Und so, wird gesagt, habe der Tyrann seine Gefangenen belauschen können.
All das erzählte mir Lion, als wir zwischen den verwitterten Säulen herumkletterten. In späteren Zeiten dienten die Steinbrüche als Begräbnisstätten, und in der Neuzeit wurde dort anläßlich des Durchbruchs des Suezkanals Verdis »Aida« aufgeführt.
Wir erfuhren, daß im Frühsommer der »Agamemnon« des Aischylos im Amphitheater gespielt werden sollte. Ungefähr zweitausend Jahre nach seiner Erstaufführung in diesem gleichen Theater. Wir beschlossen, später wieder nach Syrakus zurückzukehren.

Unser nächstes Ziel war Girgenti. Wir trappelten vor uns hin. Es geschah nichts Ungewöhnliches, bis wir nach Ragusa kamen. Dort waren die Kinder, die uns wie stets am Eingang des Ortes empfingen, nicht nur besonders zahlreich, sie waren auch außerordentlich laut, es pfiff in unseren Ohren, manche schlugen auf Töpfe, es war wie ein Zirkus.
Und als wir dann endlich Zuflucht in einem Albergo fanden, versammelte sich eine große Menge unter unserem Fenster. Man hörte Rufe: »Quando fate il gioco? Wann beginnt ihr mit dem Spiel?« Die Leute glaubten, wir seien Seiltänzer. »Saltimbanchi« rief es ununterbrochen. Wir mußten auf den Balkon und uns verbeugen, sonst wäre die Menge die ganze Nacht auf dem Platz geblieben.
Als endlich Ruhe war und wir uns für das Abendessen zurechtmachen wollten, klopfte es an der Tür. Herein kam der Kellner und sagte geheimnisvoll, draußen sei ein Herr, der uns sprechen wolle. Wir erklärten, wir würden keine Altertümer kaufen. Der Kellner erwiderte empört: »È un riccone«, das sollte heißen, er ist ein Reichling, ein schwerreicher Mann. Doch ehe wir den Mund zu einer Antwort auftun konnten, kam ein noch junger Mensch herein, schob den Kellner beiseite und schleuderte Hände voll Goldstücke über den Tisch, so daß sie in alle Ecken rollten. Wir wichen unwillkürlich an die Wand zurück, und so standen wir einander stumm gegenüber. Der Kellner war verschwunden. Dann sagte der Mann: »Wieviel kostet die Frau?« Er ging sehr unzufrieden fort, als Lion ihm versicherte, er würde mich nicht verkaufen. Von da an trafen wir den Mann, wo immer wir hinkamen. Er fuhr im Auto herum, bis er uns in einem Gasthof fand, sprach nie ein Wort, saß in seiner Ecke und starrte finster vor sich hin. Lion nannte ihn den »Mesner«, das war eine Anspielung

auf eine Erzählung von Hermann Bahr. Darin bezahlte ein Mann, der unter der schlechten Laune seiner Frau litt, einen Mesner. Das ist ein katholischer Kirchendiener, der meist viel freie Zeit hat. Der Mesner sollte sich in die Nähe setzen, wo immer das Ehepaar sich befand, und die Frau ununterbrochen anschauen. Von da an sei die Frau wieder sehr vergnügt geworden.

Der nächste Ort war Terranova. Es war nur eine Übernachtungsstation. Doch am anderen Morgen, als wir sehr früh das Albergo verlassen wollten, vertrat sich Lion auf der letzten Stufe zur Straße den Fuß. Der Wirt brachte ihm, der blaß auf der Schwelle saß, einen Strega. Das half über den ersten Schock hinweg, und Lion bestand darauf, nachdem er sich kurze Zeit ausgeruht hatte, daß wir unsere Wanderung fortsetzten. Gerade daß er mir noch erlaubte, den Fuß etwas zu massieren und zu bandagieren. Er hielt auch wirklich durch; doch als wir im nächsten Ort ankamen, war der Knöchel so geschwollen, daß ich Lion nur mit äußerster Vorsicht den Stiefel vom Fuß ziehen konnte. So blieben wir in Vittoria. Ich ging zur Apotheke, die ziemlich weit entfernt lag, um essigsaure Tonerde zu kaufen. Durch Zufall erinnerte ich mich an die lateinische Bezeichnung »Aqua Aluminii Acetici«. Auf dem Rückweg wurde ich von einer Horde Burschen umringt und an eine Straßenmauer gedrückt. Es war das erste Mal, daß ich mich etwas fürchtete. Doch war meine Wut größer als meine Angst; ich begann laut nach Lion zu rufen und auf deutsch furchtbar zu schimpfen. Das half. War es, daß sie annahmen, Lion sei in der Nähe, oder waren es, was ich für wahrscheinlicher hielt, einfach die fremden Laute – jedenfalls ließen die Burschen mich los.
Ich sagte Lion nichts von dem Vorfall; denn es stellte sich

heraus, daß der Fuß mehrere Tage Ruhe brauchte. Ich war natürlich gezwungen, noch öfters allein Besorgungen zu machen. Doch blieb ich immer unbehelligt. Vielleicht ist es wirklich so, daß in Sizilien der Fremde ein Gott ist.

Als wir wieder weiterkonnten, beschlossen wir, in die Cava d'Ispica zu gehen. Dazu brauchten wir einen Führer. Wir fanden einen Schafhirten mit einem Maultier, an dessen Bauch ein Gewehr hin und her schwankte. Die Cava ist eine Schlucht, die seit Urzeiten den Menschen als eine natürliche Wohnstätte diente. Sie war wie eine Spalte durch den Felsen geschnitten, die Wände standen senkrecht und waren von Löchern, teils natürlichen Höhlen, teils von Menschen erweitert und durchbrochen. Im Altertum soll es eine Begräbnisstätte der ersten Christen gewesen sein. Man hatte diese Höhlen, um sie vor wilden Tieren zu schützen, nicht durch Treppen verbunden; die Menschen mußten einer auf des andern Schulter steigen, um sie zu erreichen. Im Innern waren Löcher in die Decken geschnitten, und man kletterte an Seilen von einem Stockwerk zum anderen. Am Bauch des Maultiers hing auch ein Körbchen mit Eiern und eine Pfanne. Der Hirt pflückte wilden Spargel und bereitete ein herrliches Omelett auf einem offenen Feuer.

Wir fanden eine billige Schlafstätte. Sie war in einem Taubenschlag. Es wurde viel gegurrt in dieser Nacht und auch etwas herumgeflattert und manches fallen gelassen. Dafür kostete es auch nur fünfzig Pfennig. Auf jeden Fall brachen wir früh auf, ungeduldig, um zu den Ruinen von Girgenti zu gelangen. Von Pindar stammt der Ausspruch, Girgenti sei die schönste Stadt der Sterblichen.

Im Baedeker von 1903 steht: »Bettler und Kinder sind aufdringlich, die einzige Verteidigung ist Geduld. Alter-

tümer, die Hausierer anbieten, sind unecht«. Es hatte sich nichts geändert in der Zwischenzeit.
Glücklicherweise sind auch die Ruinen dieselben geblieben. Es schien uns, als sei das Bild der antiken Stadt klarer und einheitlicher als das vieler anderer alten Städte. Vielleicht entstand dieser Eindruck auch nur, weil die Ruinen weit entfernt lagen von der neuen Stadt.
Noch immer war es kalt, und wir hatten es schwer, in den Ruinen eine windgeschützte Ecke zu finden, wo wir unser Mittagsbrot essen konnten.

Wir wollten zu den antiken Festspielen. So gingen wir auf anderen Wegen wieder nach Syrakus im Osten der Insel zurück. Unser Weg führte diesmal durch schweflige Hügel, die kahl und verlassen lagen, immer höher, bis wir nach Castrogiovanni kamen.
Wir freuten uns an der hufeisenförmigen, felsigen Stadt, die im Altertum so voller Blüten war, daß, wie Livius sagte, die Hunde vor lauter Wohlgeruch ihre Witterung verloren.
Wir kamen nach Piazza Amerina, das sich uns nur dadurch einprägte, daß wir wieder einmal fliehen mußten. Als wir den Ort verließen, folgte uns ein junger Mann und bot uns eine wertvolle Münze zum Kauf an. Er bestand darauf, daß wir sie genau betrachteten, und als wir erklärten, daß wir keine Münzen sammelten, wurde er bedrohlich und sagte, es gebe auch noch Messer in Sizilien. Lion klopfte mit der Hand auf seine rechte Rocktasche, in der ein Reiseführer steckte, und sagte: »Und ich habe einen guten deutschen Revolver.« Da drehte sich der junge Mensch um und ließ uns in Ruhe.

Wir aber gingen mit großen Schritten in die andere Richtung. Das antike Geldstück war eine landwirtschaftliche Gedenkmünze vom Jahr vorher.

Am nächsten Tag kamen wir nach einem langen Marsch wieder in Syrakus an. Ganz Sizilien strömte herbei zum Fest des »Heiligen« Agamemnon. Es waren keine Plätze für die Aufführung mehr erhältlich. Wir konnten aber den Proben zu den Festspielen beiwohnen, da Lion einen Bericht für die »Schaubühne« schreiben wollte.

Es gab viele unerwartete Zwischenfälle. Man hielt es für nötig, einige Holzeinbauten auf dem Proszenium vorzunehmen. Dadurch gab es ein ungeheures Echo. Die Probe mußte abgebrochen werden. Am nächsten Tage wurde das Theater mit Militär gefüllt. Und wirklich, das Echo war verschwunden. Man hörte jedes Flüstern bis in die entferntesten höchsten Reihen.

Das Schönste war der natürliche Hintergrund: das Meer, auf das der Türmer Ausschau gehalten hatte, das Schiff erwartend, das die Achäer nach dem langen Krieg von Troja zurückbringen sollte. Lion rezitierte: »ϑεοῦς μεναῖτε τονδ' ἀπαλλαγέν πονόν – Ihr Götter, macht ein Ende dieser Qual.«

Inzwischen war es endgültig wärmer geworden, so daß wir hofften, bald den Ätna besteigen zu können. Wir wanderten wieder nördlich nach Catania, wo wir etwas Geld erwarteten. Im Beisein der Bevölkerung mußten wir erneut die lästige Prozedur über uns ergehen lassen: Vorzeigen des Ausweises, der nicht verstanden wurde, und Weigerung, das Geld auszuhändigen. Der Mann am Schalter sagte uns, es gäbe nur eine Möglichkeit, wir müßten zwei Zeugen beibringen, die ihm bekannt seien und die für uns einstünden. Als wir uns ratlos anschauten, kamen zwei Herren auf uns zu, ein älterer und ein jüngerer. Sie stellten

sich vor, sagten, sie hätten alles gehört und seien gern bereit, bei der Madonna zu schwören, daß sie uns schon viele Jahre kennen würden.
Dann mußten wir mit den freundlichen Cataniern einen Wermut trinken, und sie halfen uns auch am nächsten Tag, einen italienischen Ausweis zu erwerben.
Unsere Freunde wollten uns die Sehenswürdigkeiten zeigen, und als der Jüngere Lion in ein Gespräch über die Antike verwickelte, sagte der Ältere zu mir: »Heiraten Sie mich, ich habe eine Villa vor dem Tor.« Und mit einem Achselzucken in die Richtung von Lion fügte er hinzu: »Was kann Ihnen der junge Mann schon bieten?«
Es wurde Zeit, sich für den Ätna vorzubereiten. Man mußte nach Nicolosi, um den Schlüssel fürs Observatorium zu erhalten, damit man oben übernachten konnte. Dann galt es, einen Führer zu finden. Der verlangte, daß wir Maultiere mieteten. Wir aber wollten zu Fuß gehen; denn das war billiger. So einigten wir uns, daß der Führer sein Reittier mitnahm und für den Proviant sorgte.
Am Abend vor dem Aufstieg gingen wir vor den Ort und kletterten auf den Monte Rossi herum; das sind kleine, erloschene Krater. Wir sahen eine berittene Expedition vom Ätna zurückkehren, mit vielen Maultieren, Sack und Pack. Der Führer hielt plötzlich sein Reittier an und rief: »Jessas, der Feichtwanger!«
Es war der Münchner Dramatiker und Großbankier Josef Ruederer. Er war ein mächtiger Mann mit einem kraftvollen Kopf wie aus Holz geschnitzt. Kraftvoll und hart war auch sein Stil. Ruederer hatte das Stück »Die Morgenröte« über Lola Montez geschrieben.
Er schien sehr erfreut über die Begegnung, obwohl Lion ihn in seinen Kritiken nicht immer sanft angefaßt hatte. Er blieb die Nacht in dem primitiven Gasthof, um den Abend

mit uns zu verbringen. Man schwelgte im Münchner Dialekt und diskutierte das Münchner Theater.
Der Aufstieg war schwieriger, als wir gedacht hatten. Die Lava war ein steiniges Geröll. Es war gut, daß wir unsere Wanderstöcke hatten, denn man rutschte einen Schritt zurück, nachdem man zwei vorwärts getan hatte. So erreichten wir auch nicht das schützende Observatorium. Wir mußten die Nacht in einer verfallenen Hütte verbringen. Eisiger Schneewind blies durch die Ritzen. So ein Maultier wäre doch nicht schlecht gewesen. Kein Wunder, daß unser Führer noch vor Tagesanbruch auf den Abmarsch drängte. Wir wateten durch die Schneehalskrause, die wir schon von Cap Spartivento her kannten, und sahen weit übers Land, über die Meerenge nach Kalabrien, das uns so lange vertraut war. Im Norden schwammen die Liparischen Inseln.
Als wir den Kraterrand erreichten, kollerte und bollerte es aus dem Schlund. Schweflige Rauchschwaden stiegen herauf. Der Führer schwang sich auf sein Maultier und ward nicht mehr gesehen. Die Erde hob und senkte sich. Uns war schwindelig. Es war ein Erdbeben, doch nicht von langer Dauer. Aber unten angelangt, sahen wir, daß es großen Schaden angerichtet hatte. Das erste Dorf, durch das wir kamen, Linera, war dem Erdboden gleich. Die Häuser in dieser Gegend sind aus schwarzen und weißen Lavasteinen gebaut, die Steine werden ohne verbindenden Mörtel nur aufeinandergelegt. Frauen und Kinder lagen unter den Trümmern, ein großer Spalt ging mitten durch den Friedhof, die Särge waren aufgesprungen, die Gebeine verstreut. Die Männer, die in den Weinbergen arbeiteten, blieben verschont.
Wir setzten unseren Weg fort nach Acireale. Auch hier großer Schaden, doch gab es wenigstens keine Toten.
Trotz Müdigkeit gingen wir weiter.

Der Weg führte uns jetzt wieder ins Innere der Insel. Es war eine trostlose, arme Gegend, ohne die fruchtbare Lavaerde des Vulkans.
Die Landstraße war menschenleer. Einmal trafen wir eine Gruppe Arbeiter, die die Straßenlöcher ausfüllten. Sie riefen uns neugierig an – man hielt uns für Hausierer – und fragten, ob wir Taschentücher verkauften. Sie wollten uns etwas zu verdienen geben, damit das arme Weib, also ich, sich ein Maultier anschaffen könne und nicht zu Fuß durch den Staub gehen müsse. Dann boten sie uns Zwiebeln an. Erheitert von dieser Begegnung und nachdem wir uns unter lustigem Geschwätz bei ihnen ausgeruht hatten, setzten wir unseren Marsch fort.
Wir gingen durch Sperlinga, das den lateinischen Spruch »Quod Sicilis placuit / sola Sperlinga negavit« (Was Sizilien gefiel, wies Sperlinga zurück) noch immer tragen mußte. Es trug ihn schon seit dem Jahr 1244, als es allein zu Frankreich hielt.
Zwei Carabinieri, das sind die schmucken Gendarmen in ihren napoleonischen Uniformen, winkten uns im Vorbeigehen von einer Anhöhe zu und schwenkten ihre Dreispitze. Alles schien vergnügt an diesem Frühlingstag. Die Mandelbäume blühten schon.
Wir kamen in Gangi an, als mehrere aufgeregte Leute fragten, ob wir es schon wüßten: zwei Carabinieri seien soeben in Sperlinga aus dem Hinterhalt erschossen worden. Briganten hätten sie ermordet. Es waren die beiden Gendarmen, die uns so fröhlich zugewinkt hatten.
Langsam stiegen wir den Hügel zum Ort hinauf. Wir suchten eine Unterkunft. Ein Gasthaus gab es nicht. Spielende Kinder führten uns zu einer Witwe. Wir legten unsere Rucksäcke ab und fragten nach dem Postamt, wo

wir wieder Geld erwarteten. Diesmal wurde es uns, dank der freundlichen Catanier, ohne Schwierigkeiten ausgehändigt.

Als wir uns entfernen wollten, hielt uns ein älterer Herr an, eine merkwürdige und unerwartete Erscheinung. Er war groß und elegant und trug ungewöhnliche weiß und schwarz karierte Reithosen sowie ein Monokel. Er stellte sich als Baron Li Destri vor und fragte, ob er uns behilflich sein könne und wir gut untergebracht seien. Als wir dies bejahten und ihm den Namen der Witwe nannten, rief er die Stadtwache herbei und sagte, es sei ganz unmöglich, daß eine junge Dame wie ich da wohne. Die Wache solle sofort unser Gepäck dort abholen. Wir wandten ein, wir könnten das nicht tun, ohne die Frau zu entschädigen. Dann wolle er mitkommen.

Als wir mit der Wache hinter uns ankamen, bekreuzigte sich die Frau und sagte, sie habe gleich gedacht, daß wir verdächtig seien, und nun komme die Polizei in ihr ehrliches Haus. Der Baron wies sie streng zurecht, erlaubte auch nicht, daß wir sie entschädigten. Ich sah, wie er ihr heimlich ein Geldstück zusteckte, und sie entließ uns mit Segenswünschen.

Dann zogen wir mit großem Gefolge in seinen uralten Palast, eine spanische Burg aus dem Mittelalter. Auf einem steilen Hügel gelegen, war sie sicher gegen belagernde Feinde. Innen war es äußerst einfach, aber behaglich. Es handelte sich um das Jagdschloß der Li Destri, die sonst in Palermo wohnten. Das ganze Land mit den Weinbergen ringsum gehörte ihnen. Es herrschte also noch Feudalismus auf der Insel.

Der Baron bestellte sofort ein großes Abendessen bei dem Polizisten, der zugleich Koch und Diener war.

Und es begab sich wie in der Bibel. Die ganze Bevölkerung zog den Hügel herauf in blauen Bauernkitteln und brachte den Gästen des Herrn ihren Tribut: Zicklein, Hühner und Artischocken. Der Barbier des Ortes kam, rasierte den Gast und nahm keine Bezahlung. Dann aßen wir wie die großen Herren. Und wir tranken den roten Vino Corvo, den Wein von dem berühmten Weinberg der Li Destri.

Der Baron war selig über unsere Gesellschaft. Da er genau unterrichtet war über Geschichte und Kunstschätze der Insel, bot er uns an, in Palermo unser Führer zu sein. Außerdem mußten wir ihm versprechen, noch einen Tag zu bleiben, um der Prozession beizuwohnen, die wegen der langen Trockenheit angesetzt war. Er sei eigens zu diesem Zweck mit seinem neuen Mercedes aus Palermo gekommen.

Am andern Tag standen wir also hoch auf dem kunstvoll aus Eisen geschmiedeten Balkon und sahen die Prozession durch die enge gewundene Straße den Hügel hinauf- und hinabziehen. Voran gingen die Jungfrauen mit ihren großen schwarzen Tüchern über dem Kopf. Dann folgten die Jünglinge, entblößt bis zum Gürtel, und geißelten sich wie Flagellanten mit eisernen Ketten. Gleich dahinter kam der Baron in seinen schwarzweiß karierten Knickerbockern und seinem Monokel, und aus Ermangelung eines Baldachins hielt die Stadtwache einen großen Regenschirm über ihn. Dann folgte die Geistlichkeit, und alle sangen laut und schrien zum Himmel um Regen. Und siehe da, es regnete wirklich in großen Tropfen, wenn auch leider nur sehr kurz. Immerhin wurde die Anwesenheit der Gäste des Barons als gutes Omen angesehen.

Li Destri war sehr betrübt, daß wir nicht mit ihm in seinem neuen Mercedes zurück nach Palermo fah-

ren wollten. Wir aber freuten uns wieder auf die Landstraße.
Wir wandten uns nach Norden zum Meer, nach Cefalù, dem Ort, der auf einem Felsvorsprung liegt, geformt wie ein Kopf. Dies gab der kleinen Stadt ihren Namen.
Als wir uns in dem Zimmer, das wir fanden, schlafen legen wollten, dröhnte der Raum von Fliegen, die dick und schwarz die Wände bedeckten. Doch wir hatten bereits gelernt, was man in einem solchen Fall zu tun hat. Man schloß alle Fenster und Türen und ließ nur den Spalt einer Türe offen. Dann zündete man eine Kerze an und stellte sie in den Vorraum. In dem verdunkelten Zimmer kehrte man nun die Fliegen mit einem Reisigbesen von Wand und Decke und wedelte sie so hinaus. Sie flogen in Schwaden durch den erleuchteten Spalt.
Am anderen Morgen besuchten wir die Kirche, in der sich das große, alte byzantinische Mosaik des Christus befand. Hier wurde uns wieder klar, wie anders die Wirkung eines Kunstwerks ist, wenn es in der Umgebung betrachtet werden kann, für die es geschaffen wurde, und nicht in einem Museum. Viele Male gingen wir zur Kirche zurück.
Endlich sollten wir Palermo sehen. Als erstes fielen uns die Frauen mit ihrer hellen Haut und den blauen Augen auf. Sie gaben, besser als alle Geschichtsbücher, Zeugnis von der Zeit, da die Normannen die Insel beherrschten. Die Stadt schien heiterer als die meisten, die wir bisher gesehen hatten.
Doch bald erlebten wir, wie grimmig auch sie sein konnte. Ein Generalstreik wurde angekündigt. Wir gingen neugierig durch die Straßen – es war das erste Mal, daß wir so etwas sahen. Es gab zwei Lager auf einem weiten Platz, eine bedrohlich schweigsame Menge Arbeiter und eine Truppe Polizei, die einander gegenüberstanden. Ein Ar-

beiter kam auf uns zu und forderte uns höflich auf, durch Nebenstraßen nach Hause zu gehen. Das sei kein Platz für eine Frau, sagte er streng. Wir erkannten auch, daß es kein Platz für Neugierde war. Das waren energische Männer, entschlossen, ihr Vorhaben durchzuführen.

Wir fuhren mit der Tram zum rotgoldenen Monreale. Zurück in Palermo, fanden wir Unterkunft bei einem Mesner. Seine Frau hatte glücklicherweise eine Nähmaschine, denn Lions Pyjamas zerfielen. Ich ging in die Stadt, einen Stoff zu kaufen. Bei den Quattro Canti hörte ich meinen Namen rufen. Atemlos lief der alte Baron hinter mir her. Er begleitete mich beim Einkauf und ging mit mir das Päckchen tragend nach Hause. Für den nächsten Tag lud er uns dringend in sein Stadtpalais ein.
Er ließ uns mit dem Wagen abholen, aber statt uns darüber zu freuen, fürchteten wir, der Preis des Zimmers könnte sich dadurch erhöhen.
Das kleine Palais war unscheinbar und sehr alt. Innen war es licht und einfach. Es gab nur wenige Kunstwerke, doch paßte der etwas vergilbte Marmor von Fußboden und Treppe gut zur heiteren Farbe der Stadt.
Als wir gingen, wollte Lion der Köchin ein Trinkgeld geben. Sie mißverstand die Geste und drückte ihm herzlich die Hand.
Auf der Nachhausefahrt fragte Lion, was das Wort »abigeato« bedeute, man lese es oft in der Zeitung. Li Destri erklärte, das sei Viehraub. Ganze Schafherden würden gestohlen, ohne daß man sie je wieder fände. Das Wort wurde eigens dafür geprägt. Dann sprach Li Destri über den ungesühnten Mord an den Carabinieri, auch von dem Raubmord an einem alten Milchmann, der nur 50 Centesimi in der Tasche hatte. Doch er betonte, daß wir nichts

zu fürchten brauchten; den Sizilianern sei nach alter Sitte der Fremde heilig. Ich erwähnte, daß einer der neapolitanischen Grafen in Capri mir erzählt hatte, er gehe jedes Jahr mit Frau und Kindern auf seine sizilianischen Güter, und daß er regelmäßig der Mafia einen Beitrag zahle. So genieße er ihren Schutz. Li Destri schwieg.

Bevor wir Sizilien verließen, wollte ich die schauerlichen Figuren in dem Schloß Pallagonia sehen, von denen ich in Goethes »Italienischer Reise« gelesen hatte. Goethe konnte sich ja, indem er seine sonst so überlegene Haltung verlor, gar nicht darüber beruhigen. Sein Abscheu machte mich neugierig.
Es war ziemlich umständlich hinzukommen, und als wir endlich ankamen, fanden wir die Figuren auf den niederen Mauern zwar grotesk, aber eher enttäuschend als abstoßend. Wir beschlossen, in das kleine Schloß hineinzugehen. Da niemand den Eingang bewachte, traten wir durch das unverschlossene Tor und prallten erschrocken zurück. Hinter der Tür stand ein totenbleicher, lebloser Mönch und grinste uns an. Er steckte in der weißen Kutte der Dominikaner und war aus Wachs. Wir gingen langsam weiter, folgten dem Korridor; auf beiden Seiten waren Zellen, und darin knieten Mönche im Gebet, lagen auf ihren Pritschen, saßen vor ihren Tischen beim Mahl. Es war ein ganzes Kloster, lebensecht, erschreckend.
Ich weiß nicht, ob Goethe all das gesehen hat. Er erwähnte es nicht. Aber wenn wir ausgezogen wären, das Gruseln zu lernen, hier hätten wir es gelernt.

Mit großen Erwartungen setzten wir unseren Weg fort. Es wurde Mittag. Plötzlich lag Segesta uns gegenüber, leicht schwebend, ein weißer Tempel in dorischer Einfachheit,

umgeben von Bergen, selbst auf einem Hügel liegend. Niemand war zu sehen, nicht einmal eine Schafherde. Purpurn im Hintergrund das afrikanische Meer.
Mit Segesta glaubten wir, den Höhepunkt unserer Sizilien-Wanderung erreicht zu haben. Uns zog es jetzt nach Afrika, nach Tunesien. Doch wollten wir Selinunt nicht übergehen. Es lag auf dem Weg nach Marsala und Trapani, wo wir uns einschiffen wollten. So stiegen wir wieder nach Süden zum Meer hinunter.
Wir kamen zuerst durch grüne Hügel, doch diese senkten sich allmählich in unendliche Wüstenlandschaft hinab. Afrika kündigte sich an. Bald unterbrachen nur niedrige, palmartige Büschel die weite, flache Küste. Und da lagen die Ruinen von Selinunt.
Sie übertrafen alles, was wir bisher gesehen hatten, an furchtbarer Ödnis und Verlassenheit, an grandioser Schönheit. Die mächtigen Tempel waren durch ein Erdbeben zerstört. Sie lagen genau in der Form, in der sie aufrecht gestanden hatten, gelbbraun und grau, unter der gnadenlosen Sonne in den Sand versinkend. Kein Leben, ganz selten eine grüne Eidechse.
Wir gingen ans Meer. Nackt schwammen wir weit hinaus.

Nach einem langen Marsch kamen wir, nicht ganz zufällig, an dem Etablissimento de Marsala vorbei. Man rief uns hinein. Es kam ja nicht oft vor, daß junge Leute mit Rucksäcken sich hier sehen ließen. Innen war es wunderbar kühl unter den mit Frost überzogenen Röhren. Es war dunkel, und die riesigen Fässer standen wuchtig in großen Reihen.
Man führte uns vor ein besonders großes Faß. Darin gärte der Marsala, der für den Papst betimmt war. Daneben

stand das Faß für den Zaren. Wir mußten von beiden kosten; es schmeckte süß und herrlich kalt nach der sengenden Hitze der Landstraße. Wir tranken, bis unser Durst gestillt war. Dann dankten wir für die königliche Gastfreundschaft.

Wieder im Freien, wurde mir furchtbar schwindlig. Darauf hatten sich unsere Gastfreunde wahrscheinlich schon gefreut. Es kostete große Willenskraft, daß ich, wie ich heute noch hoffe, gerade gehen konnte. Lion schien ganz unberührt. Ich habe seitdem nie wieder Marsala getrunken.

Wir erreichten das geschäftige Trapani. Endlich war etwas Geld da, sogar ziemlich viel, die letzte Rate des Wuchergeldes, die inzwischen fällig geworden war, und Honorare für Artikel. Wir waren wieder Bürger geworden, vorbei war es mit der Landstreicherei.

Wir stiegen in einem komfortablen Hotel ab, froh, weil wir nun wirklich nach Afrika konnten. Und doch fühlten wir, daß wir etwas sehr Gutes verloren hatten.

3

Dann landeten wir in Tunis.
Wir gingen herum in dieser neuen Welt, lernten arabisch, rochen und schmeckten die Stadt. Es war sehr heiß, aber das störte uns nicht. Manchmal, wenn wir mittags ausgingen – die Straßen waren menschenleer um diese Zeit–, sanken unsere Schuhe in den heißen Asphalt.
Wir aßen, meist in einem kleinen italienischen Restaurant, exquisite Gerichte, leicht und billig, und freuten uns, daß wir die zwei Hauptsprachen beherrschten. Lion, dem das Arabische keine Schwierigkeiten bereitete durch seine Kenntnisse des Hebräischen, begann bereits, die Zeitungen in allen drei Sprachen zu lesen.
Nachdem wir tagelang in den Souks, den arabischen Basars, planlos herumgezogen waren, beschlossen wir, mit etwas mehr Methode diese Stadt zu erforschen. Wir gingen zum deutschen Generalkonsul. Er gab uns die besten Tips, die wir erwarten konnten. Durch seinen Rat wurden wir, die doch hier nur neugierige Touristen waren, gegen unseren Willen, ja ohne unser Wissen, in die Politik hineingezogen. Er sagte, er wolle uns mit seinem »Kawasch« bekannt machen, das ist der Name für eine Art Faktotum, den das Konsulat beschäftigt. Und er brachte uns mit einem heiteren spitzbärtigen Araber zusammen – er war etwa dreißig Jahre alt–, der uns unbezahlbare Dienste leistete.
Sobald es seine Tätigkeit im Konsulat erlaubte, begleitete er uns in den alten Teil der Stadt. Er erzählte stolz, daß er

durch seine Stellung die deutsche Staatsangehörigkeit erworben habe. Darüber war er überaus glücklich. Er äußerte sich auch sehr franzosenfeindlich, was uns eher peinlich war. Wir liebten die französische Literatur und Malerei, wenn wir auch sonst nicht viel von Frankreich kannten.

Als der Kawasch den deutschen Kaiser zu rühmen anfing, wurde uns das etwas unheimlich. Lion war voll Bewunderung für die französische Aufklärung, die französische Republik, er war keineswegs stolz auf das deutsche Militärregime, die provozierenden Reden des Kaisers, der Ausspruch vom »Sprung nach Agadir« klang ihm noch in den Ohren. Das Lob des Kaisers erschien uns mehr als eine Höflichkeit.

Unser Freund – sein Name war Abdel Kader – lud uns zu einer arabischen Hochzeit ein. Da merkten wir, daß dieser Kawasch mehr war als ein Faktotum. Er schien eine Art Bindeglied zwischen der nicht sehr franzosenfreundlichen Regierung – Tunis war französische Kolonie – und den Deutschen zu sein. Seine Weigerung, Bezahlung für seine Führerdienste anzunehmen, bestätigte uns in dieser Vermutung. Doch war es nur eine Vermutung. Wir ließen uns treiben, wollten wir doch die Gesellschaft dieses liebenswürdigen und gefälligen Mannes nicht verlieren.

Er machte uns mit seiner Frau bekannt. Sie war Französin, in ihrer Eigenschaft als Frau des Kawasch aber Deutsche geworden. Alles sehr verwickelt.

Der Tag der Hochzeit kam heran. Frau Kader nahm mich mit zur Braut, die eben geschmückt wurde. Sie kannte ihren Bräutigam nicht, hatte ihn noch nie gesehen. Dann traten wir auf die Straße, wo sich der Hochzeitszug bildete. Die Kutschen waren verhängt, die Braut und die Brautmädchen stießen während der Fahrt wilde, eintönige

Schreie aus, wobei sie sich ununterbrochen mit der flachen Hand auf den Mund klopften und wodurch ihre Schreie wie ein seltsam erschreckendes Trillern klang. Ich wurde von Frau Kader nun in das Haus der Männer gebracht, wo Lion inzwischen eingetroffen war. Es war ganz außergewöhnlich, daß eine Frau zugelassen wurde, sogar die Frau unseres Freundes entfernte sich. Ich wollte ihr folgen, wurde aber zurückgerufen.
Inzwischen war es Abend geworden, man servierte seltsame Gerichte, meist waren sie sehr süß. Es wurde eintönige arabische Musik gespielt, die Musikanten waren blind, genau wie im Hause der Braut. Die Frauen durften nicht von einem fremden Mann gesehen werden. Aber warum auch hier blinde Musikanten? Das sollten wir bald erfahren.
Die Musik wurde lauter und schneller, die Männer klatschten im Takt in die Hände. Wir saßen alle auf bequemen Kissen auf der Erde, doch nun schoben sich die Männer nach vorn, der kleinen Bühne zu. Zwei Frauen kamen sich entgegen. Sie waren groß, üppig und sehr weißhäutig. Sie trugen ungeheuer weite, bauschige Hosen von leuchtend grüner Farbe, und ihre Oberkörper waren nackt. Es waren Bauchtänzerinnen. Sie tanzten sehr langsam, eigentlich fast unbeweglich. Nur ihr Bauch wippte und drehte und wand sich. Die Männer klatschten in die Hände, der Rhythmus wurde schneller, die Männer wurden aufgeregt, sie schrien, die Frauen stampften mit den Füßen auf, sie hatten plötzlich Stöcke in den Händen. Ihre Bäuche zitterten und zuckten, als wären sie Tiere, ganz unabhängig vom übrigen Körper. Die Tänzerinnen stachen sich mit den Stöcken in die Bäuche. Die Männer sprangen auf. Da entfernten wir uns auf ein Zeichen des Kawasch.
Die Männer taten so, als sei ich überhaupt nicht anwesend.

Das war Höflichkeit dem fremden Mann gegenüber. Aber ich war doch froh, als wir wieder auf der Straße standen.
Am nächsten Tag nahm uns Frau Kader zur Sommerresidenz des Scheichs mit. Wir kamen zu dem am Meer außerhalb von Tunis gelegenen Schloß Bardo, nachdem wir erst das dicht daneben befindliche Museum besucht hatten. In diesem Museum waren vor allem bronzene Geräte und Kunstgegenstände ausgestellt, die vor kurzem aus dem Meer geborgen worden und lange vor Christi Geburt mit den Schiffen, auf denen sie befördert wurden, untergegangen waren. Sie kamen aus Griechenland und waren, wie man an ihrem etwas überladenen Stil erkennen konnte, offenbar für die Provinz bestimmt. In vielem waren sie den Geräten ähnlich, die wir in Pompeji gesehen hatten.
Als es nun Zeit wurde für unseren Besuch, zu dem wir angemeldet waren, gingen wir ungehindert durch das Tor in die üppigen Gärten und wanderten eine Zeitlang herum, bis wir einer Schar von Gärtnern und Arbeitern begegneten. Plötzlich hörten wir den schrillen Klang einer Glocke. Die Arbeiter liefen eiligst davon. Es nahte sich eine Gruppe herrlich gekleideter Frauen in orientalischer Tracht, und als sie uns sahen, verschleierten sie sich sogleich. Vor ihnen ging ein Eunuch, der die Glocke schwang, damit die männlichen Arbeiter sich schleunigst entfernen konnten.
Wir wurden nun mit großem Gefolge zum Schloß geführt. Als wir in den mit Bogengängen umgebenen Schloßhof traten, war es wie ein Märchen aus Tausendundeiner Nacht. In den Hallen lagen auf weichen Polstern nur mit Schleiern bekleidete Frauen und schliefen. Als sie bei unserem Eintreten aufwachten und sich umdrehten, sahen wir, daß es meist alte Frauen waren.

Wir wurden in den Thronsaal geführt, der nicht sehr eindrucksvoll war – es war ja nur das Sommerschloß –, und von da in die übrigen Räume. Leider war man modern geworden; es gab nur Möbel, wie man sie in jedem drittklassigen deutschen Warenhaus finden konnte. Dann kamen wir in den Speisesaal, dessen langer Tisch mit Nippes vollkommen bedeckt war. Hier in Tunis begegnete ich kleinen Porzellanfiguren, wie ich sie seit meiner Kindheit, als wir noch die Jahrmärkte und die Auer Dult besuchten, nicht mehr gesehen hatte: kleine Männchen mit weit aufgerissenen Mündern, sie hielten ein porzellanenes Notenblatt vor sich, auf dem zu lesen war: »Wir sind die Sänger von Finsterwalde«; oder Frösche in Männerkleidung und kleine Schweinchen, die als Sparbüchsen dienten. Manche waren auch mit Moos bewachsen.
An allen Ecken standen große Spiegel. Die Frauen waren naturgemäß sehr an meiner Kleidung interessiert; doch sprachen sie kein Wort Französisch, und unser Arabisch beschränkte sich auf einige Höflichkeitsfloskeln. Die Frau des Kawasch bemühte sich zu übersetzen. Man servierte Tee, und bald wurde es lebhafter. Der Sohn des Scheichs kam in der Uniform eines hohen Militärs und küßte alle Frauen der Reihe nach ab. Und weil er nun mal in Schwung war, gab er auch mir schnell einen Kuß. Er hatte einen Schnurrbart.
Der junge Scheich sprach ein ausgezeichnetes Französisch.

Am nächsten Tag fuhren wir nach Karthago. Das war eine große Enttäuschung. Von dem alten Karthago ist nichts geblieben. Doch die Landschaft war unverändert – unverändert schön. Wir sahen weißgekleidete Dominikaner in der Nähe des Klosters und beobachteten das tägliche Leben der Bürger von Sidi Bou Said. Es war ein kleines

Dorf, das nur aus einer großen, weißen Treppe bestand, die in den tiefblauen Himmel führte. Auf ihr spielte sich alles ab. Kinder jagten herum, Tote wurden zu ihrer letzten Ruhestätte getragen, Wasser wurde geschleppt und der tägliche Klatsch ausgetauscht.
Da es heiß und staubig war, suchten wir den Strand auf, um zu schwimmen. Wir hatten wie immer unsere Badeanzüge unter den Kleidern an. Als wir uns zum Trocknen hinlegten, kam ein Araber auf der Höhe vorbei und begann laut zu singen, offenbar, um die Badenden zu warnen. Er hob sich in seinem wüstengelben Burnus riesengroß vom abendlichen Hintergrund ab, als er, vor sich hinsingend, oben am Hügelrand mit weiten Schritten vorbeizog, eine Reihe Kamele hinter sich.
Am Abend wollte ich mir die Haare waschen. Es gab in unserem Zimmer kein fließendes Wasser, nur einen Krug und eine Schüssel. Ich bekam Seife in die Augen und zerbrach den Krug. Als ich es dem Wirt, einem Malteser, meldete, machte er ein bedenkliches Gesicht und sagte, ich müßte ein Goldstück dafür bezahlen. Ich war erschrokken, das war viel Geld. So fragte ich ihn, ob es ihm recht sei, wenn ich einen neuen Krug besorgen würde. Das war ihm sogar sehr recht, so brauchte er nicht in die Hitze hinauszugehen.
Wir zogen also am nächsten Tag wieder in die Souks und versuchten unser Glück. Natürlich konnten wir das gleiche Gefäß nicht finden; so beschlossen wir, einen Krug mit einer Schüssel zu kaufen. Es war eine Garnitur, wie wir sie in Europa glücklich losgeworden wären, mit zartlila Rosen und barockem Gewinde. Der arabische Händler verlangte fünf Francs dafür. Ich hatte immer gelesen, daß man lange handeln müsse, sonst freue den arabischen Händler das ganze Geschäft nicht. Und so gelang es mir nach vielen

Tassen Kaffee, den Krug und die Schüssel auf drei Francs herunterzudrücken. Lion war das nicht recht; auch ich kam mir schließlich etwas schäbig vor. Aber der Händler war überaus glücklich und ließ uns mit vielen Segenswünschen ziehen.
Als ich dem Wirt den Einkauf brachte, war er so hingerissen von der Schönheit der Garnitur, daß er mir anbot, für die Schüssel drei Francs zu zahlen.

Und wieder brauchten wir den Rat unseres guten Kader. Wir hatten vor, von Tosseur durch die Wüste nach der alten arabischen Stadt Biskra zu ziehen, und zwar auf Kamelen. Vorher aber wollten wir eine Zeit an einem Badestrand verbringen. Die lange Fußwanderung in Italien und die zahlreichen Entbehrungen hatten uns doch recht erholungsbedürftig gemacht. Kader empfahl uns den Badestrand von Hammamet. Er sagte, er sei ganz unbekannt und würde daher, vor allem um diese Zeit, menschenleer sein. Um Kamele zu mieten und Proviant zu kaufen, sei das große Kaufhaus in Tunis der beste Platz. Er gab uns wertvolle Ratschläge.
Wir schickten seiner Frau ein schönes Geschenk und trennten uns für diesmal. Nach der großen Wanderung durch die Wüste wollten wir uns wiedersehen.
Doch vieles kam dazwischen.

Wir nahmen die Bahn nach Nabeul. Unser Gepäck schickten wir voraus; denn schon wieder kam die Versuchung über uns, zu Fuß zu gehen. Wir wollten zu Fuß durch die Wüste.
Das war nicht einfach, es war eigentlich unmöglich. Dauernd mußten wir den Sand aus den Schuhen schütteln. Wir kamen nicht vorwärts. Daher beschlossen wir, barfuß zu

gehen. Der Sand war zu heiß; man hätte darin Eier kochen können. Ein Glück, wir waren nicht weit vom Eisenbahngleis entfernt. So tröstete uns das Bewußtsein, daß wir nicht in der Wüste verloren waren. Der italienische Ausspruch »Nur die Hunde und die Engländer gehen in der Sonne« fiel uns ein.

Alle Mühe war vergessen, als wir in der Nähe des Ziels ankamen. Wir erstiegen eine kleine Anhöhe, und wieder lagen das Meer und eine Bucht vor uns. Nichts als Sand und purpurnes Meer. Wir kamen an einem offenen kleinen arabischen Friedhof vorbei. Die weißen, abgerundeten Grabsteine standen ungleichmäßig, viele sanken in den Sand dem Meer zu.

Wir gingen um einen anderen Hügel – und waren angelangt. Hammamet unterschied sich nur wenig von seinem Friedhof. Die grellweißen Häuser mit ihren gewölbten Dächern lagen unregelmäßig, schräg und sahen verfallen aus.

Wohnung fanden wir außerhalb des Ortes in einer kleinen Pension. Sie gehörte einem Franzosen. Er war alt und dünn, hatte einen kleinen Spitzbart und war nicht nur der einzige Europäer weit und breit, er war auch der Vertreter der französischen Behörde. Offiziell war die Selbständigkeit von Tunis anerkannt. Der Scheich war das Oberhaupt, die Regierung aber wurde von einem französischen Regenten ausgeübt. Um den Anschein der Unabhängigkeit von Tunis zu wahren, hatte die französische Regierung wie bei einem fremden Land Konsuln eingesetzt. Und so war der kleine, unscheinbare Pensionsinhaber der französische Konsul.

Alles war genau, wie wir es uns wünschten und wie unser Kader es vorausgesehen hatte. Es gab Fische und Früchte und das schmackhafte französische Brot. Beim Essen saß man auf der kleinen Terrasse und sah lange Reihen von

Kamelen mit ihren Jungen als schwarze Silhouetten am glühenden Horizont vorbeiziehen.
Nachts hörte man rollende Trommeln. Es war Ramadan, der arabische Fastenmonat. Tagsüber wurde gefastet, aber in der Nacht gegessen, gesungen und getanzt. Doch alles war weit entfernt, und die dumpfen Geräusche erhöhten nur die nächtliche Stille.
Am Tag kamen die gelangweilten Araber. Das Fasten und der nächtliche Tanz machten sie zu müde zur Arbeit. Sie saßen mit gekreuzten Beinen am Boden, wenn wir vom Strand in die Pension zurückkamen. Unter ihnen war der Sohn des arabischen Bürgermeisters von Hammamet, ein junger Mensch. Er war groß, schön, mit einem kleinen schwarzen Schnurrbart und schmachtenden Augen. Er saß zu meinen Füßen und schaute mich an. Er trug einen weißen Burnus, auf dem Kopf den grünen Turban zum Zeichen, daß er nach Arabien, nach Mekka und seinem heiligen schwarzen Stein, der Kaaba, gepilgert war.
An einem Sonntag kam eine Verwandte unseres Wirts. Ihr Mann war der Besitzer der größten Zeitung von Tunis, der »Dépêche Tunisienne«. Mit ihr kam ein langer, dünner Redakteur, und auf einmal war man wieder mitten in Europa. Die Frau, etwa vierzig, mit einer scharfen, kühnen Nase, ungeheuer geschminkt, lebhaft und beredt, war ganz erfüllt von dem neuesten Pariser Skandal: die Ermordung eines hohen französischen Beamten durch die Frau eines hervorragenden Abgeordneten. Aber der Grund war keine Liebesaffäre; vielmehr erklärte die elegante Mörderin, Madame Cailleaux, freimütig, der Ermordete hätte ihren Mann politisch angegriffen und dadurch verhindert, daß er Minister wurde. Der Prozeß näherte sich seinem Ende, das Urteil konnte jeden Tag erwartet werden. Am

nächsten Morgen hörten wir den Besuch durch das ganze Haus schreien: »Elle est acquittée, elle est acquittée – sie ist freigesprochen.« Alle waren sehr einverstanden mit dem Urteil der Geschworenen.
Um das Ereignis zu feiern, wollte die lebhafte Dame etwas unternehmen. Es wurde beschlossen, einen Ausflug zu nahe gelegenen Ausgrabungen zu machen. Dazu wurden Esel bestellt, und auch wir mußten mitkommen.
Die Dame hatte sich für diesen Ausflug wegen der Hitze und damit sie kein Korsett tragen mußte, in einen Morgenrock gekleidet. Er war sehr vielfarbig, und sie sah mit ihrem grellrot gefärbten Haar und der gebogenen Nase aus wie ein Papagei. Dabei war sie sehr gutartig und weihte mich unterwegs in die Geheimnisse der französischen Kosmetik ein. Sie empfahl mir vor allem die neue Crème Simon, sie sei unbedingt notwendig in diesem trockenen Klima.
Der lange, dünne Redakteur, ihr Begleiter, hatte verschlafen. Für ihn war nur ein ganz kleiner Esel übriggeblieben. Als wir durch ein Bachbett reiten mußten, lief ihm in der Mitte das Eselchen zwischen den Beinen davon.
Am gleichen Abend kam der Wirt totenbleich auf uns zu und sagte: »Zwischen Frankreich und Deutschland ist Krieg ausgebrochen.« Auch habe er die Weisung, uns sofort zu verhaften. Doch nehme er als Konsul für sich das Recht in Anspruch, uns persönlich in Schutzhaft zu nehmen. Er könne es nicht verantworten, eine Frau in ein tunesisches Gefängnis zu sperren. Er selbst fühle sich nicht sicher in dem arabischen Ort und löse sein Haus auf. Wir mußten ihm das Ehrenwort geben, am kommenden Morgen nach Tunis zurückzufahren.
Am nächsten Tag bestiegen wir einen französischen Mili-

tärzug, der eine Strafkompanie, Les Joyeux (Die Fröhlichen) genannt, zur Hauptstadt transportierte; jeder zivile Bahnverkehr war wegen der Mobilmachung eingestellt. Lion und ich sprachen nur französisch miteinander. Trotzdem war es reichlich ungemütlich. Die Soldaten legten sich keine Zurückhaltung auf; ihre Bemerkungen über die Deutschen waren blutrünstig und bedrohlich, zum Beispiel: »Allen Deutschen sollte man die Kehle durchschneiden.«

In Tunis angekommen, sahen wir ein Telegramm angeschlagen: »Der österreichische Erzherzog Franz Ferdinand von einem Serben erschossen.«
Wir zogen wieder in das maltesische Hotel, wo unser Gepäck aufbewahrt war.
Noch vor Sonnenaufgang klopfte die Militärpolizei an die Tür. Wir öffneten ohne zu zögern, was einen guten Eindruck machte. Die Durchsuchung war nur flüchtig, aber sie nahmen Lion mit.
An der Tür sagte ein Soldat: »Geben Sie Ihrer Frau möglichst viel Geld. Es wird Ihnen sowieso abgenommen.« Sie hatten Lions Militärpaß nicht gefunden. Ich rannte sogleich hinterher, denn ich wollte wissen, wohin sie Lion brachten. Doch das war natürlich sinnlos.
Ich kehrte zum Hotel zurück und sagte dem Wirt, er möge mir ein kleines billiges Zimmer nach hinten geben, ich wisse nicht, was nun geschehen werde. Doch er weigerte sich; ich könne so lange bleiben, wie ich wolle, und brauche nichts zu bezahlen. Er riet mir, auf der Bank Geld zu wechseln für den täglichen Gebrauch. Wir hatten nur Gold bei uns, das war international gültig, aber die Banken waren auf unbestimmte Zeit geschlossen.
In aller Frühe ging ich zum deutschen Generalkonsul. Ich

traf ihn gerade, als er in großer Panik in ein Auto stieg, um sich einzuschiffen. Er rief mir zu, ich solle mich an den Schweizer Konsul wenden. Der kam erst mittags in sein Büro und schickte mich zum französischen Residenten. Dort erhielt ich die Auskunft, daß die französische Zivilregierung durch ein Militärregime abgelöst worden sei.
Ich suchte nach dem französischen Hauptquartier. Niemand wußte, wo es war. Man hätte es mir auch kaum gesagt, selbst wenn man es gewußt hätte.
Mein Wirt half mir mit Kleingeld aus, und ich irrte in den glühend heißen Straßen herum, um herauszufinden, wohin man Lion gebracht hatte.
So kam ich an eine Kaserne vor den Toren der Stadt. Um nicht aufzufallen in dem gefährlichen Vorstadtviertel, trug ich einen Staubmantel und einen großen Reiseschleier über dem Gesicht. Man sah nicht, ob ich alt war oder jung.
Ich bat die Schildwache, mich zum Vorgesetzten zu bringen. Ein Offizier sagte, daß ich da nichts zu suchen hätte. Ich erklärte ihm, ich sei Deutsche und suche meinen Mann. Er war voll Verständnis, aber auch er wußte nicht, wo das Hauptquartier war; doch er wolle mir einen Soldaten mitgeben, der mit mir alle Kasernen absuchen solle.
Wir kamen an eine wunderbare Moschee. Die Franzosen hatten das heilige Gebäude beschlagnahmt und zu ihrem Hauptquartier gemacht. Der junge Soldat ging mit mir bis zum Eingang und lief davon. Die Schildwache vor dem Tor war furchterregend: ein riesiger, halbnackter Neger aus Martinique mit einem großen, gebogenen Säbel über der Schulter.
Ich ging hinein, vorbei an dem Neger, der so verdutzt war, daß er mich nicht zurückhielt. So irrte ich durch diese herrliche Moschee, in die bis zu jenem Tag kein Ungläubiger den Fuß gesetzt hatte. Ich stieß auf einen höheren

Offizier, dem ich wiederum meine Lage schilderte. Der brachte mich zu seinem Vorgesetzten. Dieser küßte mir die Hand und sagte, ich sei ihm schon bekannt, er habe soeben einen Brief gelesen, den ich an Lion geschrieben hatte und der adressiert war an das französische Generalquartier. In diesem französisch abgefaßten Brief sprach ich von unserer Freundschaft für Frankreich und erklärte, ich glaube nicht an einen Krieg. Ich hätte auch gehört, der Papst wolle vermitteln. Dann fügte ich hinzu, daß Lion in seiner Eigenschaft als Journalist wahrscheinlich nach Erledigung einiger Formalitäten ausgetauscht werde gegen französische Journalisten, die sich auf deutschem Boden befanden. Zum Beweis seiner Tätigkeit legte ich einen Ausschnitt aus der »Frankfurter Zeitung« mit seinem Namen bei. Es war die Kritik über den »Parsifal«.

Ich drückte dem General mein Befremden aus, daß eine so kultivierte Nation wie die französische einen Mann ohne Zahnbürste ins Gefängnis schicke. Der Offizier versprach, wahrscheinlich um mich loszuwerden, daß, sobald der Oberkommandierende General eintreffen würde, er mit ihm meinen/unseren besonderen Fall besprechen werde. Er könne mir aber schon jetzt die Versicherung geben, daß am nächsten Tag eine Ordonnanz ins Hotel kommen würde, um mich und die Zahnbürste zu Lion ins Gefängnis zu bringen.

Auf dem Rückweg ging ich in ein französisches Reisebüro und kaufte mit den Goldstücken, die ich noch hatte, zwei Schiffskarten nach Italien. Dann packte ich und wartete.

Am nächsten Morgen – ich war bereit, obwohl ich nicht glaubte, daß der französische Offizier sein Wort halten würde – ging die Tür auf, und Lion trat herein. Er hatte,

wie er sagte, auf unerklärliche Weise einen Urlaub von zwei Stunden bekommen, um die Hotelrechnung zu begleichen und seine Zahnbürste abzuholen.
Wir ließen sogleich durch den Hotelbesitzer eine Droschke kommen und fuhren zum Hafen.
Da lag auch ein italienisches Schiff. Wir wurden jedoch nicht durchgelassen. Vielmehr erhielten wir die Weisung, uns auf Waffen und Geld, vor allem auf Gold durchsuchen zu lassen. Glücklicherweise war Lion alles Gold, das er noch hatte, im Gefängnis abgenommen und gegen tunesische Banknoten ausgetauscht worden. Ich hatte mein Gold beim Bezahlen der Schiffskarte verbraucht. Nur der Militärpaß – er war in einem japanischen Wäschekorb versteckt – war gefährlich.
Während wir endlos warteten, sah ich eine Reihe aneinander gefesselte junge Leute am Kai stehen. Ich hörte sie deutsch sprechen und fragte, ob ich etwas für sie tun könnte. Sie waren außer sich vor Wut und Verzweiflung. Es stellte sich heraus, daß sie Bonner Borussen waren, ahnungslos auf einer Ferienreise nach Ägypten; sie hatten nicht die Absicht, in Tunis auszusteigen. Sie wurden von einem tunesischen Hafenbeamten, der aufs Schiff kam, aufgefordert herunterzukommen, es handle sich um eine Formalität, die Pässe müßten abgestempelt werden. Am Kai wurden sie gefesselt und als Kriegsgefangene bezeichnet. Das war ein böses Omen. Ich ließ mir ihre Namen geben für den Fall, daß ich etwas für sie tun könnte.
Inzwischen kam die Reihe an uns, das Gepäck zu öffnen. Noch während der Beamte alles durcheinanderwarf, trat ein Zivilist mit einem schwarzen Spitzbart heran und sagte: »Der Herr mit der Dame kann passieren.« Gleich darauf waren wir auf dem italienischen Schiff, das heißt, auf italienischem Boden.

Vom Deck schauten wir auf die jungen Menschen herab, die da unten gefesselt in der heißen Sonne standen. Plötzlich lief ein schnurrbärtiger italienischer Matrose auf uns zu, nahm uns bei den Armen und zerrte uns die Treppe hinunter. Mich stieß er in eine Kabine dritter Klasse zu einem Haufen schreiender italienischer Frauen; an der Tür sah ich, daß Lion noch weiter heruntergezerrt wurde. Der Matrose kam gleich wieder zurück und sagte, er müsse uns verstecken, die Franzosen wollten das Schiff durchsuchen. Ich war skeptisch, wußte ich doch, daß ein Schiff die Souveränität des Landes hat, dessen Flagge es trägt.

Inzwischen hatte ich den Staubmantel und den Schleier abgelegt, als auch schon französische Soldaten in die Kabine eindrangen und das Gepäck der Deutschen verlangten. Die italienischen Frauen schrien fürchterlich, es seien keine Deutschen da, auch hatten die Soldaten eines ihrer Gepäckstücke mit herausgeschleppt. Die Frauen machten einen solchen Lärm, daß die Soldaten in größter Panik abzogen.

Später hörten wir, daß der Kapitän an der Brüstung stehend vergeblich gegen die Verletzung des Völkerrechts protestierte. Eine der wild gewordenen Frauen lief den Soldaten nach, um ihnen ihr Gepäck abzujagen. Sie kam abgekämpft zurück und brachte auch gleich das unsere mit. Einer der Handkoffer war von einem Bajonett durchbohrt.

Inzwischen kam der brave Matrose wieder und sagte beruhigend, wir hätten nichts zu befürchten, er habe den Signore gut versteckt. Ich solle nur einstweilen bei den Frauen bleiben; später würde er uns in eine Privatkabine bringen.

Die französischen Soldaten blieben aber, wie ich später hörte, noch eine ganze Weile auf dem Schiff. Sie durch-

suchten sogar das Kohlenlager und hatten dabei mit ihren spitzen Stöcken überall hineingestochen. Es war ein Wunder, daß Lion, der unter den Kohlensäcken versteckt war, nicht verletzt wurde.
Auch nach der Abfahrt dauerte es noch zwei Stunden, bis wir die beiden Eckfestungen von La Goulette passiert hatten und in internationalen Gewässern waren.
Auf dem Schiff war außer Italienern nur ein elsässisches Ehepaar, das nicht als deutsch angesehen wurde, und ein großer Mann von militärischem Gehabe. Er stellte sich als Herr von X vor, sagte, er sei ein hoher deutscher Offizier und erzählte auch gleich, er sei deutscher Spion mit einem belgischen Paß und habe in seinem Gepäck einen Fotoapparat und genaue Bilder aller französischen Festungen der Afrikaküste.
Das Schiff legte in Palermo an. Wir mußten zum deutschen Konsulat, da Lion sich bei der ersten Behörde als Soldat zu melden hatte.
Der Konsul zeigte uns seinen leeren Kassenschrank, er konnte uns nicht das Reisegeld geben, auf das jeder Soldat Anspruch hatte. Dafür schrieb er in den Militärpaß die Bescheinigung: »Der Soldat Lion Feuchtwanger hat sich ordnungsgemäß gemeldet, er kann wegen Geldmangel nicht weiterreisen.«
Die Banken waren aus Furcht vor der Kriegspanik geschlossen. So mußten wir unsere tunesischen Noten heimlich an einer Straßenecke bei einem Schwarzhändler in italienisches Geld umtauschen. Wir erhielten nur einen Bruchteil des Wertes; doch wir mußten essen und noch für einige Deutsche sorgen, die sich uns beim Konsulat angeschlossen hatten.
Nach der Überfahrt mit dem Schiff nach Neapel fuhren wir mit dem Zug weiter nach Rom. Dort meldete ich bei

der Botschaft die Namen der jungen Gefangenen am Hafen von Tunis, damit deren Eltern benachrichtigt würden. Auch hier mußten wir wieder auf Geld warten. Nun waren wir wirklich am Ende.

Lion Feuchtwanger schrieb in einem Artikel über unsere Flucht in den »Münchner Neuesten Nachrichten«:

> Wir benutzten den Aufenthalt in Rom zu einem Besuch des Kapitolinischen Museums. Als ich die Statue der Kapitolinischen Venus drehte, zerriß ein Spinnennetz, das sich vom Kopf der Göttin zur Decke wob.

Die große Zehe des sterbenden Galliers war abgefallen, und Lion war sehr versucht, sie einzustecken.

Die Italiener, mit denen wir im Restaurant ins Gespräch kamen, konnten nicht begreifen, daß Lion nach Deutschland zurückeilen wolle, um »den Soldaten zu machen, wo doch die Hühner in Rom jetzt so billig sind«.

Endlich kamen wir nach Österreich, wo wir in den Militärfahrzeugen freie Fahrt hatten. Das Rote Kreuz sorgte für Kaffee und Brote. Wir trafen in München ein und stiegen in einer einfachen Pension an der Prielmayerstraße ab.

Am nächsten Morgen gingen wir zu meinen Eltern. Wir trafen sie in der Haustür, sie waren im Begriff auszugehen. Es war ein stummes Wiedersehen, sie konnten nicht sprechen, der freudige Schreck war zu groß.

Nun kam die Zeit der Umstellungen. Wir waren sehr patriotisch gewesen, als wir weit weg waren von Deutschland. Auch hatten wir bis zuletzt geglaubt, daß unsere Sozialdemokraten einen Krieg nicht zulassen würden. Wir hatten Generalstreiks erwartet, in allen Ländern. Doch nur der Sozialist Jaurès in Frankreich hatte Protestversammlungen abgehalten. Bald darauf erschoß ein Fanatiker den größten Pazifisten seiner Zeit.

In den tunesischen Zeitungen hatten wir gelesen, daß der deutsche Kaiser die Zaren-Witwe, als sie durch Deutschland nach Rußland reisen wollte, vergewaltigt habe; in den deutschen Zeitungen stand, daß Nürnberg von Flugzeugen beschossen wurde. Das war eine viel gefährlichere Lüge, denn sie klang plausibler. Deutschland zerriß den Fetzen Papier, wie Bethmann-Hollweg den Nichtangriffsvertrag mit Belgien bezeichnete, und die Truppen zogen siegreich in das neutrale Belgien ein. München jubelte. Erst in der Torggelstube fanden wir ein anderes Deutschland.
Lion meldete sich sofort zum Militär. Doch er bekam zunächst Urlaub wegen seiner heldenhaften Flucht. Darüber hinaus war seine Formation komplett, und man mußte erst einen Platz für ihn im Heer finden. Ein Bruder war schon an der Front, der zweite Reservist in Uniform, der dritte wurde bei der Infanterie ausgebildet.
Ich war durch den Krieg wie erstarrt, konnte nicht mehr lachen. Lion nahm alles stoisch hin, er hatte noch keinen Platz für sich in den Ereignissen gefunden. Er wollte mich wohl auch nicht ängstigen.
Als die alte Stadt Leuwen im neutralen Belgien von den Deutschen zerstört wurde, schienen manche doch zu zweifeln, ob das heilige Recht der Selbstverteidigung auf unserer Seite sei. Ich erinnere mich an die tiefe Erschütterung, in der wir Frank Wedekind antrafen. Er sagte: »Ich fürchte, die Deutschen werden den Krieg verlieren. Das wird gut für die Menschheit sein.« Zu Lion sagte er: »Stellen Sie sich vor: ein siegendes militärisches Deutschland über alles.«
Tag und Nacht zogen junge Menschen singend an unseren Fenstern vorbei zum nahen Bahnhof. Mir schien es, als sängen sie, um ihre Angst zu betäuben. Aber sie hatten Befehl zu singen. Die ganze Bevölkerung taumelte voll

künstlicher Begeisterung. Doch manchmal machte sich ihre Panik Luft in wilden Gerüchten über Spionage.
Wir hatten einmal in Genf weiße Filzhüte gekauft, doch die Bänder mußten erneuert werden. So gingen wir in ein Hutgeschäft in der Kaufingerstraße. Kaum hatte die Verkäuferin in das Innere der Hüte geschaut und das Etikett der französisch-schweizerischen Firma gelesen, rannte sie zur Tür und schrie: »Polizei! Spione! Verhaftet das welsche Gelump.« Eine große Menschenmenge sammelte sich bedrohlich vor dem Geschäft. Wir wollten trotzdem gehen, uns schien das Ganze mehr komisch als gefährlich. Doch wir wurden sofort umringt und konnten uns nicht rühren. Ein junger Mensch holte die Polizei und rief uns noch zu: »San S' stad, dann g'schieht Eahna nix.« Ein freundlicher Gendarm machte sich Platz und verlangte einen Ausweis. Lion hatte seinen Militärpaß mit. Aus der Menge rief einer: »Da sieht man, daß das Spione san, jetzt haben s' gar noch 'n falschen Paß.« Als aber der Polizist Lions Namen las, wußte er sogleich Bescheid. Die Geschichte unserer Flucht und Ankunft war am Tag zuvor in der Zeitung gestanden.
Lion hatte seine Kritikertätigkeit wieder aufgenommen, und ich trug zu einer Theateraufführung mein selbstgefertigtes Seidencape, das doppelseitige, innen königsblau und außen schwarz. Nach der Vorstellung gingen wir gerade nach Hause, als sich wieder viele Menschen hinter uns ansammelten. Wir waren beide braungebrannt. Einer schrie: »Verhaftet's den Serb, das fremdländische Gesindel.« Die Menge ging schweigend hinter uns her, doch es geschah nichts weiter. Allmählich gewöhnten wir uns an solche Ausbrüche.

Lions Militärurlaub war zu Ende. Er mußte ins Infante-

rieregiment »König« einrücken. Man gab ihm eine verschossene, geflickte Uniform, deren Messingknöpfe er täglich putzen mußte. Die Knöpfe waren aber so alt, daß sie keinen Glanz mehr annahmen. Für die viel zu großen Stiefel, die mit Zeitungspapier ausgefüllt werden mußten, bekam er Schuhwichse, in die man – so lautete die Vorschrift – hineinspucken mußte, wenn sie sich bei großer Kälte verhärtete. Die Mütze war ebenfalls zu weit. Auch hier halfen Zeitungsstreifen. Sie war genauso abgetragen wie der Rock. Als Lions Mutter meinte, er solle sich eine private Uniform anfertigen lassen, antwortete er: »Wenn des Königs Rock gut genug für ihn ist, dann ist er auch gut genug für mich.«
Dann begann das Exerzieren. Die erste Zeit durfte er zu Hause schlafen. Am Abend war er so müd, daß er, sobald er zur Tür hereinkam, in einen Stuhl fiel und einschlief. Ich zog ihm nur mit Mühe die Stiefel aus. Dann putzte ich sie, so gut es ging, und polierte die Knöpfe. Der Feldwebel drohte mit Einsperren, wenn bei der Inspektion nicht alles spiegelte.
Lion war sehr kurzsichtig. Bei dem kalten, regnerischen Wetter lief die Brille oft an; so grüßte er alle und jeden, der eine Uniform trug, auch die Briefträger und Bankboten. Doch das half nichts. Einige der Rekruten hatten vor einem Offizier nicht salutiert, und so wurde Lions Vergünstigung des Zu-Hause-Schlafens abgeschafft.
Das war eine große Qual. An hartes Lager war Lion durch unsere Wanderungen gewöhnt, nicht aber an den furchtbar kalten Winter. Die Soldaten mußten stundenlang im windigen, vereisten Hof der Kaserne um ihr Frühstück anstehen. Sie aßen aus Blechnäpfen. Am Abend vorher hatte es Brühe mit etwas Schweinefleisch gegeben. Das hart gewordene Fett löste sich beim Abspülen im kalten

Wasser nicht auf, und so schwamm es am nächsten Morgen auf dem Zichorienkaffee. Es gab im Krieg schlimmere Dinge, aber es nutzte nichts, sich das zu sagen. Der Magen, der bei allen Feuchtwangers anfällig war, hielt es nicht aus. Der Militärarzt bekam es mit der Angst zu tun und stellte Lion ein Attest aus, daß er wieder zu Hause essen und schlafen durfte. Er bekam sogar dreißig Pfennig pro Tag zur Verköstigung. Diese Vergünstigung aber hatte zur Folge, daß Lion noch in der Nacht aufstehen mußte, um den weiten Weg zur Kaserne mit der Elektrischen zurückzulegen.

Der Feldwebel sagte: »Der deutsche Soldat muß kämpfen zu Wasser und zu Lande«, und alle mußten sich in die Pfützen werfen. Doch die Pfützen waren hartes Eis geworden. Die Rekruten marschierten mit ihren Gewehren schlitternd und rutschend, und der Vordermann schlug dem Hintermann sein Gewehr um die Ohren. Einmal fiel Lion dabei die Mütze vom Kopf. Er wußte nicht, ob er sie aufheben sollte. Einerseits mußte das königliche Gut erhalten bleiben, doch andererseits fiel er aus der Formation. Er wählte das letztere. Als er dann hinterherzottelte, kamen ein paar alte Weiblein auf ihn zu und sagten mitleidig: »Da, Soldat, hast a Brezen.« An diesem Tag hatte er sogar zwei Gewehre zu tragen, denn ein Nebenmann war bei der Übung verunglückt. Wie sollte er da die Brezl annehmen?

All das wurde zufällig von Erich Mühsam beobachtet: Lion Feuchtwanger, der gefürchtete Kritiker, in dieser jämmerlichen Situation. Mühsam hielt sich die Seiten vor Lachen. Ihm freilich konnte so was nicht passieren; er war wegen »Irrsinn« vom Militärdienst befreit. Man wußte mit ihm und seinen anarchistischen Utopien nichts anzufangen, so hielt man das für die beste Lösung. Mühsam

hatte in der Torggelstube von diesem Erlebnis erzählt. Er war, obwohl er spontan gelacht hatte, wie alle andern unwillig über die Art, mit der Lion behandelt wurde.
Lion selbst beklagte sich nie. Als ein Manöver befohlen wurde, kam der Wachtmeister auf ihn zu und fragte: »Feuchtwanger, es wird eine schwere Nachtübung sein. Tun Sie mit?« Und Lion sagte: »Ja.«
Dann wurden die Rekruten im Schießen ausgebildet. Lion in seiner Kurzsichtigkeit konnte das Ziel kaum erkennen. Doch er schoß eifrig, was das Zeug hielt. Der Sergeant, der für die Munition verantwortlich war, kam wütend auf ihn zu und fragte: »Was sind Sie von Beruf?« Lion antwortete: »Doktor der Philosophie und Schriftsteller.« Der Sergeant war kurze Zeit sprachlos. »Probieren Sie's noch mal.« Lion schoß. Der Sergeant fragte: »Was haben Sie jetzt getroffen?« Lion antwortete: »Den vierten Ring.« – »Ins Schwarze haben S' getroffen, Sie Trottel«, schrie er.
Endlich war es so weit, daß die Soldaten den Treueeid leisten konnten. Sie mußten sich im Kasernenhof aufstellen, und der Hauptmann, im Privatleben Eisenbahnbeamter und nicht an Rhetorik gewöhnt, hielt eine Ansprache. Er führte aus, daß es eine große Ehre sei, im deutschen Heer zu dienen, in das Zuchthäusler nicht aufgenommen würden. Er endete seine Ausführungen mit den Worten: »So kann man sagen, die deutsche Armee besteht aus lauter unerheblich Vorbestraften.«
Dann wurden die Soldaten nach ihrer Religion aufgerufen, da sie je nachdem verschiedene Eide zu leisten hatten. Außerdem stammten sie aus allen Teilen Deutschlands. Lion stand am Schluß ganz allein mitten auf dem Platz. Er mußte auf die Fragen mit lauter Stimme schreien: »Ich bin Bayer und Nicht-Christ.«

Damit waren die Feierlichkeiten vorbei, doch nicht vorbei waren die Übungen auf dem vereisten Boden. Das ununterbrochene Hinschmeißen und Aufspringen wurde eines Tages doch zuviel, und Lion bekam eine Magenblutung. Der Militärarzt sagte rauh: »Es muß schon sehr schlecht mit dem deutschen Heere stehen, daß man auf Sie angewiesen ist.«

Ein bäuerlicher Soldat, der vollkommen verwirrt war von der Großstadt, kam zu mir und teilte mir im Auftrag der Militärbehörde mit, daß Lion im Lazarett sei. Das war alles. So machte ich mich wieder einmal auf, Lion zu suchen.

Wieder war es schwierig, weil die Krankenhäuser überfüllt waren; es kamen schon sehr viele Verwundete aus dem Feld zurück.

Ich fand Lion endlich in einem Altweiber-Hospital in Nymphenburg. Als ich ankam, lagen die Nonnen, die dort pflegten, auf den Knien, mitten im Krankensaal. Es war gerade ein Soldat gestorben.

Alte Weiblein gingen von Lager zu Lager und sagten mit zittrigen, hohen Stimmen: »Du armer Soldat, was mußt du gelitten haben.«

Lion war recht schwach, doch erlaubte man bald, daß er nach Hause durfte in meine Pflege. Allerdings mußte er vorher unterschreiben, daß er auf jede Pension und Entschädigung verzichtete. Sonst hätte man ihn nicht herausgelassen.

Er war aber keineswegs vom Militärdienst befreit, er war nur zurückgestellt. Alle paar Monate mußte er sich zur ärztlichen Untersuchung melden.

Während er sich langsam erholte, begann er sich wieder mit dem Stück »Julia Farnese« zu beschäftigen.

Eines Nachmittags – wir wollten uns gerade auf dem Spirituskocher Tee zubereiten – klopfte es ungestüm an die Türe, und noch ehe wir etwas sagen konnten, stürzte eine Frau in mittleren Jahren herein, mit brennenden Augen und zerzausten Haaren: »Ich bin Else Lasker-Schüler. Sie müssen mir helfen.« Lion, verwirrt und verlegen, bat sie, mit uns Tee zu trinken, doch sie antwortete heftig: »Ich sehe schon, Sie suchen nach Ausflüchten«, und stürzte wieder hinaus. Das war unsere einzige Begegnung mit der wunderbaren Dichterin. Lion hätte ihr gern geholfen, doch war er zu ungeschickt und schüchtern. Er sagte: »Auch zum Helfen braucht man Courage.«

Das erste, was wir von Lions Familie erfuhren, war ein grober Brief eines Onkels, dem Lion noch von früher Geld schuldete. Lion, in jugendlichem Stolz, schickte es ihm sofort mit den Zinsen, die nicht einmal verlangt wurden, zurück. Wir waren beide äußerst befriedigt über diese Geste. Der Onkel antwortete sehr gekränkt.

Es drängte Lion, an die Arbeit zu gehen. Ihn beschäftigte die feindselige Stimmung gegen England. Auch ich machte merkwürdige Beobachtungen. Als ich einmal Schlange stand, um Milch zu kaufen, hörte ich mit Erstaunen, wie anti-preußisch das Volk war. Die Frauen waren sich einig, den Krieg hätten wir nur den Preußen zu verdanken. »Freilich«, sagte eine mit einem Marktkorb, »da ist mir der Franzose immer noch lieber als so an Saupreiß.« Und sie schaute mich von der Seite an. Ich hatte einen Hut auf, das schien ihr sehr verdächtig.

In den Zeitungen wurde aller Haß über England gegossen. Der Dichter Ernst Lissauer nannte es das »perfide Albion«. Lion suchte in der Vergangenheit nach Parallelen. Er wollte es nicht wahrhaben, daß alles, was man bisher an einem Volk bewundert hatte, nun nicht gewesen sein sollte. Doch schien ihm seine Stimme, wenn er sie erheben würde, zu schwach in dem lauten Chorus. Er glaubte, daß er mit einem Gleichnis aus der Geschichte besser durchdringen könne. Er entdeckte »Die Perser« des Aischylos. Da läßt der Dichter den Feind, die Perser, ihren eigenen Krieg schildern und ihre eigene Niederlage. So feierte ein griechischer Dichter den Sieg. Nur einmal ist Aischylos ein feindliches Wort entschlüpft: wenn er den Boten von dem mißtönigen Schlachtruf der Perser berichten läßt.

Lion Feuchtwanger machte sich daran, die Hexameter des griechischen Dichters ins Deutsche zu übertragen. Seine Nachdichtung fand großen Widerhall. Sie wurde ungekürzt in Siegfried Jacobsohns »Schaubühne« abgedruckt; auch Maximilian Harden veröffentlichte große Teile daraus in seiner »Zukunft«. Später wurde sie vom Münchner Schauspielhaus zur Uraufführung erworben. Es war eine denkwürdige Aufführung, wenn auch der Darsteller des König Darius Münchner Dialekt sprach. Doch das merkten wenige. In vielen Städten Deutschlands wurden »Die Perser« gezeigt. Aber bei aller Bewunderung des Publikums und der Presse verstand niemand die Botschaft.

Lions Interesse für England ließ nicht nach. Ich selbst wußte von diesem Land nur, daß es eine Königin gehabt hatte, einen jüdischen Ministerpräsidenten und daß der Kronprinz, der Prince of Wales, ein Lebemann, viel karikiert wurde. Er war schon ziemlich alt, als er König wurde, und hat sich dann, wie Heinrich IV., als ein ausgezeichneter Staatsmann erwiesen. Uns war er vor allem sympathisch, weil er für seinen Vetter, den deutschen Kaiser, eine große Abneigung zeigte.

Die Intellektuellen in Süddeutschland hatten nur Interesse für Frankreich, für seine Maler, seine Poeten, seine

Schriftsteller. Die Engländer waren für sie ein trockenes Handelsvolk, die Männer trugen karierte Knickerbocker und steckten auf Reisen ihre Nasen tief in den Baedeker, statt Kunstwerke und Landschaft zu genießen. So wurden sie in den »Lustigen Blättern« dargestellt. Außerdem spielten sie Tennis. Die Frauen waren alte Jungfern, in allen billigen Pensionen des Festlandes zu finden.
Shakespeare wurde durch die klassischen Übersetzungen als deutsches Eigentum betrachtet.
Lion las Macauley. Er las das Leben Baron Clives und Warren Hastings'. Er las über das Wirken Hastings' in Indien, er vertiefte sich in Literatur über das Indien während der englischen Kolonisation. Er las die Dichtungen der indischen Könige und die Worte Goethes über Sakuntala: »Nenn ich Sakuntala dich / Und so ist alles gesagt.« Er fand zu seinem Entzücken die Dichtung des Königs Sudraka, »Vasantasena«, und dichtete das alte Drama in deutsche Verse um.

Lion schrieb und las mir vor. Ich fand alles wunderbar. Für kurze Augenblicke war der Krieg vergessen.
Dann schrieb Lion das Drama »Warren Hastings, Gouverneur von Indien«. Er reichte es dem Schauspielhaus ein, dem damaligen Avantgarde-Theater Münchens in der Maximilianstraße. Der Direktor Georg Stollberg war Feuer und Flamme. Doch die Polizei verbot das Stück als »zu England-freundlich«. Aber Stollberg ließ nicht locker. Schließlich hatte er, wie er sagte, doch auch Wedekind durchgesetzt. Er ging persönlich zum Polizeipräsidenten und verhandelte mit ihm hinter dem Rücken des Zensors, brachte Empfehlungen von Ganghofer und Michael Georg Conrad, dem großen liberalen Schriftsteller. Conrad wandte sich an den wichtigsten katholischen Abgeordne-

ten, der rief noch in der Nacht bei Lion an und sagte, es sei eine vaterländische Pflicht, dieses Theaterstück aufzuführen. Und »Warren Hastings« wurde freigegeben. Die Uraufführung fand am 23. Dezember 1916 statt.

4

Ich erwähnte bereits einige Male die Torggelstube, ein kleines Weinlokal am Platzl inmitten der Altstadt, nicht weit vom Alten Hof und direkt neben dem Hofbräuhaus. Es war innen auch bei Tag dunkel. Die Wände waren getäfelt, die Tische durch niedrige Holzwände getrennt. Ein sogenanntes Nebenzimmer war fast ausschließlich von Künstlern, Schauspielern und Schriftstellern besucht. Zwei lange Haupttische waren da, die getrennte Lager bildeten. Der eine war der Stammtisch von Max Halbe, einem damals berühmten Dramatiker. An der Spitze des anderen Tisches saß der große Frank Wedekind. Seine Stücke waren gewagt und erotisch. Einmal mußte er wegen Majestätsbeleidigung fliehen, und eine Zeitlang war er in Festungshaft. Er sah aus wie ein Mittelding zwischen einem Clown und dem Teufel, und er benahm sich genauso wie er aussah.

Manchmal herrschte große Feindschaft zwischen den beiden Lagern, und nur wenige, wie zum Beispiel der allgemein beliebte Erich Mühsam, konnten es wagen, zwischen den beiden Tischen hin- und herzuwechseln. Meist war es Wedekind, der die Feindschaft provozierte, obwohl auch Halbe aggressiv und beißend sein konnte. Ich erinnere mich, daß Wedekind eines Tages, von einer kurzen Reise zurückgekommen, zu Halbe sagte: »Max, ich hörte zu meinem Bedauern, daß während meiner Abwesenheit dein Stück uraufgeführt wurde. Nun, es wird wohl noch einmal gespielt werden.«

Als der Schriftsteller Birinsky aus Wien das erste Mal in die Torggelstube kam, empfing ihn Wedekind mit jener überschwenglichen Höflichkeit, von der man nie wußte, ob sie nicht Hohn war. Er sagte zu dem Neuangekommenen: »Mein Herr, ich beglückwünsche Sie zu Ihrer Ankunft in München. Ich habe das sichere Gefühl, daß Ihre Verdienste hier nach Gebühr gewürdigt werden.« Birinsky, überaus geschmeichelt, fragte, worauf er diese Ansicht stütze. Wedekind erwiderte: »Nun, ein Herr, dessen Name schon mit Bier anfängt...«
Trotz seiner gewagten Ansichten über Liebe und Ehe, die er in seinen ungewöhnlichen Stücken nicht nur aussprach, sondern fanatisch predigte, war er im täglichen Leben überaus korrekt und streng. Einmal, als er seine schöne Frau verdächtigte, den Flirt mit einem Bekannten zu weit zu treiben, bückte er sich unter den Tisch und fragte feierlich: »Tilly, ist dir etwas heruntergefallen?« Er wollte sicher sein, daß sie nicht fußelte. Ein andermal kam die bezaubernde blonde Schauspielerin Annie Mewes nach einer erfolgreichen Premiere trunken vom Beifall hereingestürmt und fing an, auf dem Tisch zu tanzen. Alle klatschten im Rhythmus und reichten ihr Gläser mit Wein herauf. Plötzlich legte sie sich erschöpft auf den Tisch. Einen Augenblick war Schweigen, dann sagte Wedekind sachlich: »Nun, meine Herren, wer fängt an?«
Manchmal kamen auch Fremde auf ihn zu, um sich rühmen zu können, mit ihm gesprochen zu haben. Meist würdigte er sie keiner Antwort. Doch einmal erklärte er auf die Frage, warum er seinen Töchtern so merkwürdige Namen gab: »Nun, mein Herr, ich dachte mir, sollte meine Tochter einen braven Bürger heiraten, so ist der Name Fanny angebracht. Sollte sie jedoch wider Erwarten

eine Hure werden, so kommt ihr der Name Kadidja sicher sehr zustatten.«

Zum Wedekind-Kreis gehörte auch Heinrich Mann. Es bestand ein natürliches Einverständnis zwischen den beiden großen Männern. Man hörte sie nie ein gereiztes Wort reden. Heinrich Mann war unnahbar, bescheiden, der letzte große Herr und der erste große Liberale, den ich getroffen habe. Er hatte die feierliche Redeweise des Patriziersohnes aus der Hansestadt. Ich glaube, wenn wir ihn nicht so bewundert hätten, wäre er uns wohl manchmal komisch vorgekommen. Lion erzählte, daß er ihn eines Nachts durch die menschenleere Türkenstraße nach Hause begleitet habe, als Heinrich Mann plötzlich stehenblieb und sagte: »Wenn man sein Wasser abschlüge.« Dann setzte er sein Gespräch über Zola fort. Lion war erschüttert über das armselige Zimmer Heinrich Manns. Sie mußten auf seinem Bett sitzen, es gab sonst keine Möglichkeit. Auf dem einzigen Stuhl lagen Bücher. Ich weiß nicht, ob die beiden damals der Meinung Rainer Maria Rilkes waren: »Armut ist ein großer Glanz von innen.«

Wenn man von der Torggelstube spricht, darf man nicht vergessen, die Kellnerinnen zu erwähnen. Diesen Beruf übten viele in den Gaststätten Münchens aus, aber die Kellnerinnen in der Torggelstube waren ein ganz besonderer Schlag. Zum Teil waren sie außerordentlich hübsch, und ich weiß von vielen verzweifelten jungen Männern, die, wie Heinrich Manns Professor Unrat sagt, das Ziel der Klasse nicht erreichen konnten. Hübsche Kellnerinnen gab es auch anderswo, doch wo gab es solche, die nicht nur die Zeche auf eigene Verantwortung stundeten, sondern dazu noch erhebliche Summen ausliehen, wenn es die Umstände erforderten? Doch war das nicht alles. Ich muß vorausschicken, daß die Mädchen nicht von lockeren Sitten waren. Zwar nicht verheiratet, hatten sie aber meist einen ständigen Freund, ein Verhältnis. Oft war ein Kind da. Das wurde gewöhnlich in Pflege gegeben, und am Sonntag ging das Paar aufs Land, wo die Pflegeeltern meist wohnten, um das Kleine zu besuchen.

So erzählte mir die Annie, daß ihr Herr ein Major sei, der aber seine Uniform nicht tragen dürfe, wenn er mit ihr ausging, daß er sie jedoch heiraten werde, sobald er seinen Abschied genommen habe. An einem Sonntag sah ich alle drei, Vater, Mutter und Kind, gemessenen Schrittes in die Kirche gehen.

Nun kam es aber auch vor, daß einer der Gäste besonders unglücklich war: kein Geld, keine Geliebte. Dann wußten diese Mädchen ohne viel Umstände die Unglücklichen zu trösten.

Wie selbstverständlich sorgten sie dafür, daß wir so oft wie möglich unsere Leibgerichte bekamen. Einmal kam mir die Marie mit Tränen in den Augen entgegen – es gebe keine Zwetschgenknödel mehr. Dafür, sagte sie, werde sie mir das nächste Mal welche zurücklegen und sie wie eine Löwin ihr Junges verteidigen.

Aber die Mädchen spielten ihren Gästen auch kleine Streiche. An einem hohen jüdischen Feiertag – es war der große Fasttag – rief eine der Kellnerinnen durchs Lokal, der Herr Feuchtwanger möchte herauskommen. Draußen warte ein Herr auf ihn. Mindestens fünf Feuchtwanger stürzten verlegen heraus. Keiner hatte den anderen vorher gesehen. Alle aus der frommen Familie hatten das Fasten gebrochen.

Wie ich schon früher erzählte, wurde Lion als Ersatzreservist eingezogen und erregte Heiterkeit und Mitgefühl bei seinen Freunden. Der große Schauspieler Gustav Waldau – eigentlich hieß er Baron von Rummel — war Hauptmann. Er schaute auf die andere Seite, wenn er den Gemeinen Feuchtwanger auf der Straße traf. Er wollte nicht, daß dieser vor ihm habacht stehen müsse. Einmal, nach einem anstrengenden Nachtmarsch, schlief Lion in der Elektrischen ein. Ein alter General stieg zu. Feuchtwangers Nachbar gab ihm einen freundlichen Rippenstoß, damit er aufstand und nicht bestraft werde. Doch der General winkte ab und sagte: »Bleib nur sitzen, mein Sohn.«

Auch am Stammtisch fanden sich Generäle ein, so der bekannte Bergsteiger und Forscher General Wundt. Er war Schwabe, doch befehligte er ein bayerisches Regiment. Freundlich schwäbelnd sagte er zu Lion: »Wenn Sie ins Feld geschickt werde, melde Sie sich doch bei mir. Ich habe lauter nette Leute, eine Menge Akademiker. Es sind auch schon viele gefalle.« Bei seinem nächsten Urlaub erzählte der General trüb, es sehe schlecht aus mit dem Krieg. Viele Offiziere würden von ihren eigenen Soldaten erschossen. Er selbst wäre beinah gefangengenommen worden. »Ich mußte auf Hände und Füße krieche. Als General kann ich mich doch nicht lumpe lasse.«

Unter den Gefallenen war der Maler Franz Marc.

Der Dichter Bruno Frank kam in einer badischen Ulanenuniform aus dem Feld, schön wie ein Gott. Sein erster Ausgang war in die Torggelstube.

Doch auch sonst machte sich der Krieg bemerkbar. Es fanden sich meistens nur ältere Stammgäste ein, so Papa Rößler, Autor der »Fünf Frankfurter«, und sein Mitarbeiter Roda Roda, ein wohlbekannter Kriegsberichterstatter und meisterhafter Anekdotenerzähler. Einmal schickte er gedruckte Anzeigen an seine Freunde und teilte mit: »Ich habe mich soeben mit der Gräfin Zeppelin

im Konkubinat vereinigt.« Doch wir hatten alle den Verdacht, daß er diese äußerst reizvolle Dame ganz gewöhnlich geheiratet hatte.
In die Torggelstube kamen auch Max Reinhardt, die große Sängerin Maria Jeritza, Egon Friedell, der Essayist und Philosoph, Alfred Polgar, der unvergleichliche Verfasser geistreicher und witziger Kritiken, der den Ausdruck »bonmourant« statt »bon-vivant« prägte, als er eine Rezension über ein lächerliches, sentimentales Kriegsstück schrieb; Karl Vollmöller, Dramatiker und Lebenskünstler; der liebenswürdige Dichter Wilhelm Schmidtbonn, der das Stück vom Grafen Gleichen schrieb und vielleicht der letzte Romantiker war; Walter Harlan, Autor des poetischen Stückes »Das Nürnbergische Ei«, das mir sehr gefiel. Doch war ich enttäuscht, als er zu uns zum Tee kam und mit Lion nur über Tantiemen sprach. Auch Walter Rathenau fand sich ein und unterhielt sich mit Wedekind über große Politik. Ein junger Offizier namens Bernhard Köhler kam regelmäßig auf seinem Urlaub direkt in die Torggelstube. Er sah grobschlächtig aus, war sentimental und in mich verliebt. Unter Hitler ist er einer der grausamsten Gauleiter geworden. Vorher war er befreundet mit Erich Mühsam, der später von den Nazis ermordet wurde. Köhler wurde beim Nürnberger Prozeß zum Tode verurteilt.

Oft ging man nach Schwabing in ein kleines Restaurant, um Karl Valentin zu sehen. Er war groß, sehr dünn, mit lichtem, rotem Haar, wässerigen blauen Augen und einer falschen Nase. Diese Nase unterschied sich aber nur wenig von seiner echten Nase. Sie war spitz und zeigte etwas aufwärts. Vielleicht war diese künstliche Nase ein Symbol seiner Komik: so wie sie beinahe unmerklich von der Wirklichkeit abwich, so war auch sein Humor nur ganz

leicht angedeutet. Er lachte nie. Manchmal verzog er den Mund zu einem geduldigen, schmerzlichen Lächeln. Seine Partnerin, die dralle Liesl Karlstadt, wirkte wie Sancho Pansa neben Don Quixote. Sie trat fast immer in Hosen als Lehrjunge auf und manchmal als Kapellmeister. Die Karlstadt versuchte mit gesundem Menschenverstand, Valentin von seinen schrulligen Ideen abzubringen, oder sie machte ihn auf Ungereimtheiten in seinem Verhalten aufmerksam. So fragte sie einmal, warum er eine Brille aufhabe. Mit seinem geduldigen Lächeln stöhnte er: »Warum?« Er verdrehte die Augen über soviel Unverstand. Aber die Karlstadt ließ nicht locker. »Sie haben ja gar keine Gläser drin.« Valentin nahm die Brille ab, beschaute sie liebevoll, seufzte und sagte: »Ich hab mir halt denkt, besser als nichts ist's doch.«
Während der Nazizeit erzählte Valentin seinem Publikum: »Geh ich da durch die Brienner Straße beim Café Luitpold vorbei. Wer kommt raus und steigt in seinen großartigen Mercedes? Ein Nazi.« Valentin wird zur Polizei gerufen und strengstens verwarnt. Am nächsten Abend – es sitzt ein Polizist direkt vor ihm – erzählt er wieder: »Geh ich da beim Café Luitpold vorbei. Wer steigt in einen brandneuen Mercedes – kein Nazi.«
Ich habe ihn ganz gut gekannt, und eines Tages traf ich ihn und die Karlstadt in der Elektrischen. Als er mich sah, grüßte er nicht, sondern setzte sich in die entfernteste Ecke, nachdem er erst neben der Karlstadt gesessen hatte. Sie fing an, aus einer Tüte Pflaumen zu essen. Valentin von seiner Ecke schrie durch die ganze Elektrische: »Sie, das g'hört sich fei net, daß man in aller Öffentlichkeit aus der Stranitzen ißt.« Und zu mir gewandt: »Hab ich nicht recht, Frau Nachbarin?« Die Karlstadt schrie erbost zurück: »Das wär ja noch schöner, wenn man nicht mehr

in Ruhe Zwetschgen essen darf in der Elektrischen. Wer hat Sie denn überhaupt g'fragt um Ihre Meinung?« – »Ich sag meine Meinung, ob S' wollen oder net.« Die beiden schimpften laut und herzhaft. Bald mischten sich die anderen Fahrgäste ein, und es entstand ein wüster Lärm. Da waren die beiden am Ziel angelangt. Valentin lüpfte sein Hütchen und sagte: »Nichts für ungut, Frau Nachbarin.« Sie brummelte vor sich hin, er blinzelte mir zu. Dann stiegen sie aus. Die Leute schimpften noch lange über den spinnerten Tropf.

Valentin ist in kleinen Bierlokalen aufgetreten, ehe er, von einigen Künstlern und Schauspielern entdeckt, in den »Simplicissimus« geholt wurde. Das war nun ein ganz besonderes Lokal. Sein Vorläufer waren die »Elf Scharfrichter«. Meine frühesten Erinnerungen an dieses Lokal sind etwas vage. Ich weiß nur noch, daß ich als junges Mädchen ein großes Plakat in der nüchternen Türkenstraße gesehen habe. Da stand in riesigen, bluttropfenden Buchstaben der Name Marya Delvard, daneben ihr Bild, eine schlangenähnliche Frau in einem angeklebten schwarzen Kleid, das Gesicht kalkig weiß mit glühenden Augen, ein Vamp. Ich war neugierig und ging so oft wie möglich an diesem Lokal vorbei.

Der »Simplicissimus«, in dem die füllige Katie Kobus herrschte, hatte viele Künstler und Dichter des damaligen Kabaretts übernommen. Thomas Mann, der später oft in seinem Haus aus seinem neuen Manuskript vorzulesen pflegte, verblüffte mich durch seine Technik. Er erzählte mir, er habe in seiner Jugend bei den »Elf Scharfrichtern« viel Übung gehabt. Dem Trubel des »Simplicissimus« freilich war er zu meiner Zeit allerdings schon längst entrückt. Doch Frank Wedekind trat noch häufig auf, seine gewagten Lieder mit der Laute begleitend. Katie

Kobus, die ihr schwarzes Haar wie eine Krone über dem bunt geschminkten, großen Gesicht trug, wurzte auf schlaue Weise die lüsternen Bürger, um aus dem Erlös die hungernden Künstler zu ernähren. Das Kabarett war wohl nach dem Muster des Pariser »Grand Guignol« gebildet, doch in seiner Art unverkennbar münchnerisch. Dazu ist aber zu sagen, daß die viel gerühmte und besungene Münchner Bohème fast nur aus Nicht-Münchnern bestand. Joachim Ringelnatz war von der Waterkant. Seine überhängende Nase berührte fast das vorspringende Kinn. Er lehnte mit dem Ellbogen am Klavier, seinen rechten Zeigefinger bohrte er in die Schläfe, als zöge er so seine skurrilen Verse aus dem Hirn. Man sah auch oft eine totenbleich geschminkte Frau, ausgemergelt von Leidenschaft. Sie schleppte am linken Bein eine Kugel an einer Kette nach. Stets begleitete sie ein mephistophelisch aussehender Herr, der, um im Bild zu bleiben, auch noch hinkte, und das alles in der feierlichen Ludwigstraße.

In dieser Umgebung trat nun auch Valentin auf, und es ist der besonders anspruchslose Zauber der Münchner Bohème gewesen, daß nichts, auch das Gegensätzlichste nicht, aus dem Rahmen fiel. Doch Valentin hat sich zuerst heftig nach seinem verrauchten Bierlokal zurückgesehnt. Er war verschlossen, mißtrauisch, sparsam, hypochondrisch. Er wäre ohne seine kernige Karlstadt verloren gewesen. Ich traf ihn einmal bei der Aufnahme eines Films, in dem er auf Veranlassung und unter der Regie Bertolt Brechts gespielt hatte. Er sagte betrübt: »Ja, ja, jetzt bin ich auf einmal der Herr Schauspieler. Vorher war ich halt ein Volkssänger.« Valentin ist dann vom Theater, von den Münchener Kammerspielen in der Augustenstraße, geholt worden, und zwar für Nachtaufführungen. Er hat dadurch wider alle Erwartungen das Theater während der Inflation über Wasser gehalten.

Lions Nachdichtung der »Vasantasena« hatten die Kammerspiele einige Jahre zuvor zur Aufführung angenommen. Man fand lange keine geeignete Schauspielerin für die Titelrolle. Der damalige Direktor Hermann Sinsheimer kam aus Mannheim, wo gerade eine sehr junge Schauspielerin, Sybille Binder, auftrat. Auch ohne Schminke und Verkleidung sah sie wie die Inderin Vasantasena aus. Sie wurde herbeigerufen, spielte und hatte in der Münchner Erstaufführung am 8. Februar 1918 einen großen und verdienten Erfolg. Ihre dunkle, etwas rauhe Stimme war ebenso bestrickend wie ihr Spiel und ihre Erscheinung. Das Stück, das Lion in Verse übertragen hatte, ging über alle deutschen Bühnen.

Sybille Binder kam oft zu uns. Sie hatte den neuen Direktor geheiratet, ihren Regisseur Otto Falckenberg. Wir waren mit beiden eng befreundet. Sie klagte, daß sie keine geeigneten Rollen finden konnte. Lion suchte und fand ein Stück, »Der Frauenverkäufer« von Calderón. Er übersetzte, bearbeitete und dichtete es in Blankversen nach. Die Proben unter dem Regisseur Rudolf Frank waren schon festgelegt. Kurz zuvor hatte Sybille eine junge Wiener Schauspielerin nach München empfohlen. Falckenberg studierte damals den »Sommernachtstraum« ein und suchte eine Besetzung für den Puck. Sybille spielte den Oberon. Sie sah aus wie ein kostbarer, grüner Skarabäus. Auf ihre Veranlassung wurde der Puck mit der »Neuen«, Elisabeth Bergner, besetzt. Die kam jetzt zu Lion und behauptete, sie sei die geeignete Besetzung für die Dorothea, Tochter des Luis im »Frauenverkäufer«. Lion erklärte ihr, er könne das nicht finden. Sie sei eine wunderbare Schauspielerin, aber er habe beim Schreiben der Rolle an die Binder gedacht, die sich ganz mit seiner Vorstellung von der spanischen Dorothea decke. Die Bergner kam

noch oft, immer bezaubernd und demütig, aber Lion blieb fest.
Bei der Uraufführung am 15. März 1922 spielte dann doch die Bergner, obwohl die Binder die Frau des Direktors war. Das Stück hatte einen guten Erfolg, aber nicht den der »Vasantasena«. Nach der Premiere sagte die Bergner zu Lion: »Können Sie mir verzeihen? Ich bin schuld an dem Mißerfolg.« Das Stück wurde in München oft gespielt, Rudolf Frank hatte es mit viel Liebe einstudiert, doch keine andere deutsche Bühne nahm es in ihr Repertoire auf.
Ich habe nie wieder in meinem langen Leben eine Frau gesehen, die eine solche Wirkung auf Männer ausübte wie Elisabeth Bergner. Man sagte, daß der große und berühmte Bildhauer Wilhelm Lehmbruck ihretwegen Selbstmord verübte. Ich habe gesehen, wie sie die Männer verzauberte und verwandelte. Dabei war sie immer damenhaft und nicht einmal kokett, aber heiter, liebenswürdig, ja einschmeichelnd und sehr gescheit. Einen Welterfolg hatte sie mit der »Heiligen Johanna« von Shaw. Sie wurde in England, wohin sie sich vor Hitler flüchtete, im Triumph aufgenommen. Doch in Amerika hatte sie einen schweren Stand, obwohl sie mehrere Filme gemacht hatte. Nach dem Krieg ging Elisabeth Bergner zeitweise nach Deutschland zurück. Sie spielte u. a. »Geliebter Lügner«, das Zweipersonenstück nach dem Briefwechsel Bernard Shaws mit der Schauspielerin Stella Campbell. Der Erfolg war sensationell. Elisabeth Bergner lebt heute in London und tritt gelegentlich im deutschen Fernsehen und in Filmen auf.
Sybille Binder spielte in England, meist im Fernsehen, und hat sich, wie ich hörte und las, auch dort einen Namen gemacht. Niemand begriff, daß sie plötzlich ihre Karriere vergaß und diesen wunderbar aussehenden Otto Falckenberg verlassen konnte um eines jungen Dichters willen, der

krank war und bald starb. Später in Berlin, wo sie bei Reinhardt auftrat, sah man sie oft mit einem jungen Menschen, Otto Katz, einem Mitarbeiter von Erwin Piscator. Katz war charmant, kultiviert, gescheit und unbedeutend. Wir trafen ihn dann in der Emigration während der PEN-Club-Tagung in Paris, noch immer charmant, vielleicht etwas melancholisch. Leicht hatten wir es ja alle nicht. Wer hätte aber gedacht, daß dieser eher leichtsinnige, unbeschwerte Mensch ein leidenschaftlicher Kommunist war. Nach dem Krieg wurde er in die Tschechoslowakei berufen, die sein Geburtsland war. Er bekleidete dort ein hohes Amt. Man erzählte sich, er sei ein ruchloser Kommunist gewesen – armer, ruchloser, leichtsinniger, idealistischer Otto Katz. Er konnte lachen über ein Mißgeschick, das ihn traf, doch er fand keine Ruhe, wenn andere litten. Während der Stalin-Verfolgungen wurde er hingerichtet, angeblich weil er Juden geholfen hatte, nach Palästina auszuwandern. Später ist er rehabilitiert worden, doch das machte ihn nicht wieder lebendig.

Nun möchte ich weiter vom Ersten Weltkrieg erzählen. Lion wurde nach einer kurzen Dienstzeit, die mit seiner Magenerkrankung endete, nur jeweils auf einige Monate zurückgestellt. Er war wie immer sorglos, wenn es um ihn selbst ging. Doch ich hatte Angst. Meine Zurückhaltung wurde von Frauen, die mich nicht näher kannten, als Hochmut ausgelegt. Die Männer fanden mich undurchdringlich, rätselhaft. Sie fanden, mein Benehmen widerspreche meinem Aussehen. Eifersüchtige Frauen verbreiteten das Gerücht, ich sei krank. Die Bezeichnungen der Krankheit bewegten sich zwischen Tuberkulose und Syphilis. Daß man seinem Mann treu sein konnte, kam niemand in den Sinn.

Als der Krieg zu Ende war und der Alpdruck wich, kam die Inflation. Lion hatte große Erfolge beim Theater, seine Stücke und Bearbeitungen wurden überall gespielt. Aber bis die Abrechnungen und Auszahlungen zu uns gelangten, konnte man sich nicht einmal mehr ein Stück Brot dafür kaufen. Lion sprach von gemeinsamem Selbstmord. Die Schauspieler gingen jeden Morgen ins Theater, die tägliche Rate abzuholen. Dann rannten sie schnell in die Läden, um das Geld in Lebensmittel und Waren umzusetzen. Am Nachmittag waren die Geldscheine schon wieder wertlos. Ich war so unterernährt, daß der Polizeiarzt, dessen Erlaubnis man brauchte, um aufs Land zu gehen, bei mir eine beginnende Lungenschwindsucht feststellte. Er sagte, das beste Mittel sei eine Mastkur, und riet uns, in den Bayerischen Wald zu fahren. Dort gäbe es wahrscheinlich noch etwas zu essen.

Ich buk nachts um drei, da tagsüber das Gas klein gestellt war, von unseren Mehlmarken und von geschenktem Salatöl einen Dauerkuchen, den wir im Rucksack mitnahmen. In Eisenstein im Böhmerwald fanden wir, was wir suchten. Es gab Eier, es gab Himbeermarmelade, sogar den einzigen Urwald in Europa, den Kubany. Doch die Zeit der Ruhe dauerte nicht lange. Ein Telegramm traf ein. Bruno Frank bat dringlich, Lion möchte die Regie seines neuen Schauspiels »Die treue Magd« übernehmen.

Bruno Frank war mir ja schon viel früher aufgefallen, und nicht nur mir. Wenn er während des Krieges in die Torgelstube trat und sich an den Stammtisch setzte, wachte alles auf. Die Frauen sahen schöner aus, die Unterhaltung wurde angeregter, die Streitfragen vielfältiger. So, dachte ich mir, muß Lord Byron gewesen sein. Er war stattlich und breitschultrig, mit buschigen Brauen über grauen Augen. Der große Mund lächelte gern, und wie konnte der

1 *Als Kind . . .*

2 *. . . als junges Mädchen . . .*

3 *. . . und als junge Frau*

4 *München 1920 . . .*

5 *. . . und Paris, Montmartre, in den zwanziger Jahren*

6 *In unserer Schwabinger Wohnung, ca. 1921*

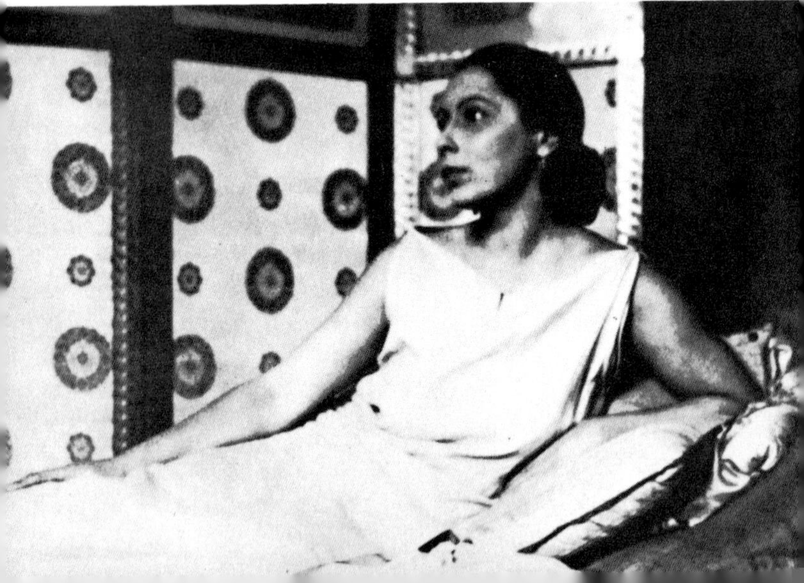

8 *Lion Feuchtwanger, Aufnahme um 1930*

7 *München, St. Annaplatz: Gedenktafel an dem Haus, in dem Lion seine Kindheit verbrachte.*

9 *Berlin, Mahlerstraße 8: unsere Villa im Grunewald. Lion wäre am liebsten gar nicht mehr ausgegangen.*

10 Die bestrickende, exotisch wirkende Sybille Binder spielte 1918 in der Münchner Erstaufführung von Lions Nachdichtung der »Vasantasena« die Titelrolle.

11 »Können Sie mir verzeihen? Ich bin schuld an dem Mißerfolg«: Der kurz darauf so berühmten Elisabeth Bergner gelang es 1922 nicht, Lions Schauspiel »Der Frauenverkäufer« in den Münchener Kammerspielen zu einem Uraufführungstriumph zu verhelfen.

12/13 Sudraka/Feuchtwangers »Vasantasena« war eines der erfolgreichsten Dramen seiner Zeit. In München gab es innerhalb weniger Jahre zwei Inszenierungen: 1918 an den Kammerspielen (12, Ausdrucksstudie mit Richard Kellerhals) und 1925 am Staatstheater (13, Szenenfoto mit, v. l. n. r., Carola Wagner, Charlotte Krüger und Albert Fischel, Bühnenbild: Leo Pasetti).

14 *Lions »Wird Hill amnestiert?« wurde am 24. April 1930 am Staatlichen Schauspielhaus Berlin uraufgeführt. Hauptrollen spielten Lucie Mannheim und Aribert Wäscher.*

15 *27. März 1931: Feierstunde zum 60. Geburtstag von Heinrich Mann. Festredner war Lion, mein Tischnachbar der Jubilar. Rechts außen im Bild der Kritiker Herbert Jhering.*

16 *1932 begleitete ich Lion nach London. Wir eilten von Empfang zu Empfang.*

17 *Nicht nur in unserem Grunewalder Garten, wie hier auf dem Foto, betätigte ich mich sportlich. Auch während unseres Englandaufenthaltes vollführte ich im Landhaus von Lord Melchett, sehr zur Verwunderung der Gäste, mitten im Salon einen Handstand.*

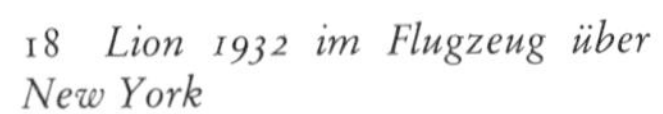

18 *Lion 1932 im Flugzeug über New York*

19 *Im südfranzösischen Exil Sanary: Lion bei der Arbeit*

20/21 Besucher in Sanary, Villa Lazare 1933: Arnold Zweig (20) und Heinrich Mann (21), zwei Schnappschüsse von mir.

22 Berthold Viertel, Albert Einstein und Charles Chaplin (v. l. n. r.) bei der Premiere des englischen Films »Jud Süß« (Regie: Lothar Mendes) in New York 1934

Mann lachen! Seine Haare waren trotz seiner Jugend schon spärlich, doch das machte ihn nur männlicher. Er sah aus wie ein junger, stürmischer Cäsar. Und er sah nicht nur aus wie ein Römer, er war erfüllt von der Kultur des Mittelmeers. Er sprach ein elegantes Französisch, auch spanisch, hatte alles gelesen und wußte enthusiastisch über alles, was er gelesen hatte, zu sprechen. Dieser große, kraftvolle Mann schrieb zarte, formvollendete Gedichte. Er schickte sie aus dem Krieg an den »Simplicissimus«, und Gulbransson illustrierte sie in leichtem Licht.
Direkt von der Front kam er in die Torggelstube. Er erzählte, als der Krieg ausbrach, sei er sofort aus Spanien zurückgeeilt, um sich bei seinem Freund, dem Herzog von Urach-Württemberg, zu melden. Dieser schickte ihn auf seinen Wunsch ohne jegliche Ausbildung sogleich ins Feld. Er, der nie vorher auf einem Pferd gesessen hatte, zog als Meldereiter gegen den Feind. Durch das Reiten in dem rauhen belgischen Wind zog er sich ein schweres Asthmaleiden zu und wurde in die Heimat zurückversetzt. Er wohnte meist am Starnberger See, wo ihn eine Haushälterin namens Schwalbe mit tyrannischer Ergebenheit versorgte. Wenn er dann nach München kam, tanzte und schwatzte und liebte er die Nächte durch und fuhr am Morgen in seine Festung zurück. Dort schrieb er mit großer Sorgfalt und unter vielem Feilen seine Gedichte und Novellen. Er bewunderte Stefan George, Rilke und Hofmannsthal. Doch alle überragte in seinen Augen Thomas Mann, und er fand glühende Worte der Dankbarkeit und Verehrung für Frau Katia, die ihm beistand, als er durch den Tod einer geliebten Freundin schwer getroffen wurde. Für Lion, der so grundverschieden von ihm war, faßte er sogleich eine stürmische Zuneigung. Das hinderte ihn jedoch nicht, mir, wie allen Frauen, die ihm gefielen, seine

ebenso stürmische Bewunderung zu beteuern. Er zeigte sich gern mit schönen Frauen. Sie fielen ihm zu ohne jeden Widerstand, oft schon in den ersten Stunden einer Begegnung. Ich wollte nicht, daß durch mich eine so gute Freundschaft wie die zwischen Lion und Frank, eine in unseren Kreisen so seltene Freundschaft, wegen einer vielleicht nur vorübergehenden Episode zu Ende ging. So sagte Frank halb im Scherz: »Sie werden wohl immer ein Stachel in meinem Fleisch bleiben.«

Noch während des Krieges mußte Lion sich einer Operation unterziehen. Er hatte sich beim Niederwerfen auf den gefrorenen Boden einen Leistenbruch zugezogen. Die Operation war kompliziert, weil während des Krieges aus Amerika kein Catgut eingeführt werden konnte. Die Seidenfäden verursachten eine Infektion. Doch dieser Umstand hat Lion vielleicht das Leben gerettet; denn, wie die Patrioten sagten, es brach inzwischen der Friede aus. Wir litten im Krieg großen Hunger. Die Preise der Lebensmittelschieber waren unerschwinglich. Das Brot war aus Kleie und Sägespänen gebacken. Ohne Krankenmarken für weißes Mehl hätte Lion mit seinem Magen nicht durchhalten können. Holz und Kohle waren strikt rationiert, das Gas tagsüber gesperrt. So verbrachte ich viele Nächte mit dem Backen von Weißbrot. Kranke bekamen extra Fleischmarken, doch so wenige, daß man eine ganze Woche sparen mußte, um am Sonntag ein kleines Stückchen Fleisch auf den Teller legen zu können. Man hatte auch keine Wahl, was die Qualität betraf.

Für Lions kranken Magen mußte ich etwas zarteres Fleisch auftreiben. Ich gab meiner groben Metzgerin Freikarten für Lions Stücke. Doch man braucht jede Woche Fleisch, und auch die fruchtbarste Schaffenskraft konnte den Theaterhunger der strengen Frau nicht stillen. So mußte ich mir

von befreundeten Theaterdirektoren Karten für andere Stücke erbitten. Einmal, als Lion Gorkis »Nachtasyl« inszenierte, gab ich der Metzgerin wieder Freikarten. Doch ich hatte wenig Dank davon. Am nächsten Samstag sagte sie: »Wann S' mich wieder in ein so trauriges Stück reinschicken, nachher gibt's kein Filet nicht. Arm sind wir selber. Ich will was sehen, wo Grafen vorkommen!«
Eines Abends fuhr ich von der Klinik, in der Lion operiert worden war, mit der Elektrischen nach Hause. Eine große Menschenmenge kam uns entgegen. Die Straßenbahn konnte nicht weiterfahren. Ich stieg aus und ließ den schweigenden, finsteren Zug an mir vorbei. Es waren Männer und Frauen, auch einige Soldaten. Sie trugen Schilder: »Nieder mit dem Krieg«. Unter den Männern, die meist Arbeiter waren, sah ich einen schmächtigen, blassen Mann mit einem schütteren roten Spitzbart. Er trug einen langen, schwarzen Gehrock, grünlich vom Alter. Auf dem Rücken hing schlapp ein fast leerer Rucksack. Es war Kurt Eisner. Er war Redakteur und Kritiker der sozialistischen Zeitung »Münchner Post«, die Lion das »Margarinebarönchen« genannt hatte.

Kurze Zeit darauf – der Krieg war durch die Flucht des Kaisers beendet – wurde die Republik ausgerufen und Kurt Eisner in Bayern zum Ministerpräsidenten ernannt. Die Bevölkerung jubelte: »Nun können die Soldaten heimkehren.«
Unsere Hausfrau, die Mutter des Generals, dessen Wohnung wir gemietet hatten, bat Lion um einen Besuch. Sie war die Frau eines hohen Regierungsbeamten, doch jetzt hatte sie nur Worte der Verachtung für den Kaiser, für die Regierung, für den bayerischen König. »Wir sind belogen worden«, ereiferte sie sich, »bis zuletzt haben wir alle an

den deutschen Sieg geglaubt. Ihr Eisner ist der einzige Mann, der uns retten kann.«

Es wurde Nacht. Das Volk ging auf die Straße. Soldaten, trunken vor Freude und von Bier, sausten in offenen Lastwagen herum und schossen mit wildem Geschrei ihre Gewehre in die Luft. Sonst benahmen sich alle ordentlich und gesittet. Wir kamen an die königliche Residenz. Die Schildwachen waren verschwunden, Leute gingen in der Hauptwache aus und ein. Drinnen wurde Karten gespielt. Wir aber gingen um das Gebäude. Da sahen wir auf der Rückseite eine Equipage warten. In diesem Augenblick trat der alte König mit seiner Frau und seinen Töchtern aus einer kleinen Hintertür ins Dunkel. Er war auf der Flucht.

Im Triumph zog Eisner, der Führer der Unabhängigen Sozialisten, mit den Arbeitern zu Fuß durch die Stadt. Alles jubelte ihm zu. Die Zeitungen waren voll von modernistischen Zeichnungen. Wahlen wurden angekündigt und die Pressefreiheit eingeführt. Das war die Einhaltung der Versprechungen, die die Sozialisten gemacht hatten. Es war aber auch das Ende der sozialistischen Revolution.

Die meisten Künstler und Schriftsteller waren Kriegsgegner. Sie waren aber ganz unpolitisch, zumindest in München. Nur Heinrich Mann wußte, worauf es ankam.

Bei einer Sitzung des Staatstheaters, zu der Kurt Eisner Heinrich Mann, Lion und Georg Kaiser einberufen hatte, erklärte Georg Kaiser, daß es an der Zeit sei, nun endlich mit den Klassikern Schluß zu machen. Als Albert Steinrück, der großartige Schauspieler, nun zum Intendanten des Staatstheaters ernannt, Georg Kaiser fragte, was man seiner Meinung nach spielen solle, fiel diesem außer seinen eigenen Stücken nichts ein. Doch soll das nichts gegen die Qualität seiner Stücke sagen. Sie waren für die damalige Zeit wichtig. Sie gaben dem Theater neues Leben. Der

Mensch Georg Kaiser war verwirrt und undurchsichtig, ein pathologischer Fall.
Es war seltsam. Wir trafen niemand, der etwas anderes gespürt hätte als Erleichterung. Es gab keine Verzweiflung über den verlorenen Krieg. Das Volk war hungrig. Da endete der Patriotismus. Ich weiß nur von einem einzigen Menschen, der aus Gram über die Niederlage Selbstmord verübte. Es war der große Reeder Albert Ballin, der Inhaber der Hamburg-Amerika-Linie. Des Kaisers Leibjude wurde er genannt, als der Kaiser – sonst kein Judenfreund – ihn als Berater in seinen engeren Kreis aufgenommen hatte. Kein Offizier hatte sich gewehrt oder auch nur protestiert, wenn ihm bei der Rückkehr von der Front am Bahnhof die Epauletten abgerissen wurden. Die Revolution nahm einen geregelten Lauf. So wenigstens war es in München.
Da, eines Tages, hielt Ministerpräsident Eisner eine Rede. Er sagte, sein Gewissen dränge ihn dazu, er müsse das deutsche Volk auffordern zu bekennen: es trage allein die Schuld an dem Krieg. Er rechnete wohl auch damit, daß, wenn das Volk sich von der Gewaltpolitik des Kaisers distanziere, die Friedensbedingungen in Versailles milder sein würden. Auf einmal war alles vergessen: die Empörung über die Lügen, die ungezählten Toten, die Verstümmelten, all das Elend und die Angst der vier Kriegsjahre. Eisner wurde ein Verräter genannt. Eine wüste Hetze begann gegen ihn in den Zeitungen. Eisner bezahlte mit seinem Leben die loyale Einhaltung seines Versprechens, die Pressezensur aufzuheben. Ein junger, irregeleiteter Mensch, Anton Graf von Arco-Valley, erschoß Eisner, der auf dem Wege zum Parlament war, um seinen Rücktritt zu verkünden und Neuwahlen anzusetzen. Dieselben Leute, die ihm zujubelten, als er die Regierung übernommen hatte, jubelten nun bei seinem Tod.

Es folgte, von den Anhängern Eisners ausgerufen, die kurze Zeit der Räteregierung und ihre blutige Niederwerfung.
Ich möchte versuchen, die Einstellung der Intellektuellen zu erklären. Fast alle unsere Freunde und Bekannten waren Anhänger des sozialen Umsturzes. Einige wenige hielten sich snobistisch fern von aller Politik, doch auch sie schenkten der sozialistischen Regierung mehr Vertrauen als dem abgewirtschafteten Kaiserreich. Manche freilich beklagten die neue proletarische Richtung. Auch die Leute um Max Halbe, aber sie waren mehr bedrückt als aggressiv. In diesem Kreis gab es einen noch jungen, gelehrten Literaturwissenschaftler, einen Herrn von Maassen, sehr konservativ, ein guter Trinker und ein guter Gesellschafter. Er tat sich viel zugute auf seinen grimmigen deutschen Humor. Wenn er reichlich von seiner selbstgebrauten Feuerzangenbowle getrunken hatte, sagte er zu seinem Freund, dem Anarchisten Mühsam: »Erich, du wirst gehängt.« Er wiederholte diese Worte pedantisch, wie es die Art der Betrunkenen ist. Mühsam lächelte freundlich und nachsichtig. Er wußte, daß sein guter Freund es nie zulassen würde. Mühsam wurde im Nachspiel der Räteregierung ebenso wie Ernst Toller viele Jahre eingesperrt. Unter den Nazis fand man ihn erhängt in seiner Zelle. Seine Frau, die urwüchsige Zenzi, von Bauern abstammend, von ihm rührend geliebt, erzählte uns, Mühsam habe ihr gesagt, wenn ihm etwas zustoße im Gefängnis, solle sie nicht glauben, er habe sich umgebracht.
Der Schriftsteller Erich Mühsam, einer der Anführer der Revolution, ein gutmütiger Mann mit rotem Bart und Haarschopf, forderte mit wilden Reden und Gesten die wenigen noch zögernden Soldaten auf, die Revolution zu unterstützen. Er wurde von den kriegsharten Soldaten mit

fast zärtlichen Zurufen begrüßt. Sie trugen ihn auf den Schultern und riefen: »Ja, unser Mühsam«, »Hoch, Mühsam« und »Der gehört zu uns.« Man zog singend hinter ihm her. Es war eine Art Karneval. Doch um allen Möglichkeiten vorzubeugen – es war immerhin Revolution –, gab er einem Soldaten die Weisung, zu Rainer Maria Rilke nach Schwabing zu gehen und an seiner Tür einen Zettel zu befestigen: »Bei dem Dichter Rilke darf nicht geplündert werden.« Unterschrift: »Die Revolution.«

Am andern Ende der Stadt vereinigten sich die Schriftsteller, an ihrer Spitze Bruno Frank und Ernst Toller, um zur Theresienwiese zu ziehen, einem riesigen Gelände am Fuß der drallen Bavaria, das sonst nur der Feier des alljährlichen bierseligen Oktoberfestes diente. Sie ermahnten das Volk, die Revolution ruhig und gesittet durchzuführen, keine Gewaltakte zu verüben im Namen des Volkes. Der bekannte Theater- und Kabarettbesitzer Walterspiel, der verhaftet wurde, erhielt seine Freiheit durch Fürsprache der berühmten Schauspielerin Tilla Durieux und ihres Mannes, des großen und kunstführenden Verlegers Paul Cassirer.

In die Stadt zurückgekehrt, half Bruno Frank eine kurze Zeit im Ernährungsamt aus. Er saß im Wittelsbacher Palais an einem Schreibtisch, als, nach Franks Worten, ein großartig aussehender Prälat hereintrat und ihn mit leiser Stimme fragte, ob er auch weiterhin seine Butterration bekommen könne. Frank sagte, er wolle sein Möglichstes tun. Der Prälat war Nuntius Pacelli, der spätere Papst Pius XII.

Obwohl keinerlei Widerstand gegen die Revolution geleistet wurde, gab es immer noch aus Sicherheitsgründen eine Art Ausnahmezustand. Man mußte eine spezielle Erlaubnis haben, um abends auf die Straße zu gehen. Wir hatten das Glück, bei einem Ehepaar eingeladen zu sein, das

immer sehr gut mit Lebensmitteln versorgt war. Sie hatten teure und geheimnisvolle Quellen, die uns nicht zugänglich waren. Wir waren nicht so gewissenhaft wie einer meiner Onkel, ein hoher Regierungsbeamter, der strikt von den Lebensmittelkarten lebte und dann auch an Unterernährung schwer erkrankte. So gingen wir denn aus, um uns einen Erlaubnisschein zu besorgen. Auch diese Amtsstelle war im Wittelsbacher Palais. Ohne weiteres erhielten wir den Paß, doch mußte er einen ordnungsgemäßen Stempel tragen. Man fand ihn nicht. Endlich sagte einer der Revolutionäre: »Da ist ja ein Stempel.« Als wir auf der Straße waren, lasen wir das Papier. Darauf stand geschrieben: »Inhaber dieses hat das Recht auf freien Verkehr.« Gestempelt: »Die Käsestelle.«
Nach der Ermordung Eisners drang der Matrose Lindner in den Landtag, schoß auf den sozialistischen Landtagspräsidenten Erhard Auer und verwundete ihn schwer. Verhaftungen wurden von allen Seiten vorgenommen. Zu uns flohen Freunde und Bekannte jeglicher Parteirichtung. Es kam Graf Coudenhove-Kalergi mit seiner Frau, der bekannten Schauspielerin Ida Roland. Er selbst, ein halber Japaner – sein Vater war österreichischer Botschafter in Japan –, war der Gründer der paneuropäischen Bewegung. Es kamen Beamte der früheren königlichen Regierung mit Frau und Kindern. Es kam ein Freund des ermordeten Eisner, ein angesehener Anwalt, der Lion fragte, ob er das Justizministerium in der neuen Räteregierung übernehmen solle. Dazwischen hörte man Kanonendonner der heranziehenden weißen Befreiungsarmee. Einige als Geiseln gehaltene Angehörige der rechtsradikalen Thule-Gesellschaft wurden, zum Entsetzen der Regierung, erschossen. Junge Mitglieder eines katholischen Gesangvereins wurden von der Gegenrevolution erschla-

gen. Man hielt sie, die sich vor der Revolution in einem Keller am Karolinenplatz versteckt hatten, für Kommunisten. Pardon wurde nicht gegeben. In einem Blutrausch tanzten die mörderischen Soldaten auf den verstümmelten Leichen der jungen Katholiken.

Später verteidigte derselbe Anwalt, dem die Räteregierung das Justizministerium angetragen hatte, der Freund Eisners, die Mörder. Er bezeichnete sie als Opfer der wilden Verhetzung und war recht erfolgreich damit. Er sagte zu Lion, man müsse, auch wenn man auf seiten der Linken stehe, Objektivität zeigen. Er nahm kein Geld für die Verteidigung.

Graf Arco, der Mörder Eisners, wurde sehr bald und mit großen Ehrungen begnadigt.

5

Das Café Stefanie am Rande von Schwabing war der Treffpunkt der Bohème: Schriftsteller, Schauspieler und bildende Künstler kamen hier zusammen. Auch ein junger Medizinstudent fand sich dort ein. Er war auf der Suche nach dem Schauspieler Arnold Marlé, den er vor allem in seinen Wedekind-Rollen bewunderte. Schüchtern näherte er sich dem Schauspieler und sagte: »Ich habe ein Stück geschrieben. Können Sie mir sagen, was ich damit tun soll?« Marlé, in seine Zeitung vertieft, antwortete ohne aufzuschauen: »Das ist sehr einfach. Da gehen Sie zu Lion Feuchtwanger.«
Der junge Mediziner rief Lion an und fragte, ob er ihn aufsuchen dürfe. Es kam ein dünner, scheuer Mensch, unter den Jochbogen in dem langen Schädel lagen tiefliegende, brennende Augen. Die Nase war schmal und gebogen, das Haar auf seltsame Art in die Stirn gewachsen. Er sah aus wie die holzgeschnittene Figur eines gotischen Heiligen. Es war Bertolt Brecht.
Er sagte, er halte nichts von dem Stück, das er da bringe, er habe es nur geschrieben, um Geld zu verdienen. Lion las das Drama sofort – es trug den Titel »Spartakus« –, ließ den jungen Menschen kommen und sagte: »Warum haben Sie mich angelogen? Das ist ein ausgezeichnetes Stück, ich werde es den Kammerspielen empfehlen.« Brecht ereiferte sich: »Das Stück ist wirklich nicht gut. Ich habe ein viel besseres geschrieben.« Er brachte dieses Stück, es war in der Tat viel besser. Es war »Baal«.

Brechts Vater kam aus Augsburg zu Lion, um ihn um Rat zu bitten. Sein Sohn habe jetzt vor, das Medizinstudium aufzugeben, um Schriftsteller zu werden. Und da wollte er Lion fragen, der doch schließlich schon ein bekannter Autor sei, ob er glaube, daß sein Sohn genügend Talent habe, um es zu etwas zu bringen. Feuchtwanger antwortete: »Ich bin sonst nicht der Ansicht, daß man einem jungen Menschen anraten soll, Schriftsteller zu werden. Aber wenn Brecht nicht schreibt – der ist nämlich ein Genie –, wäre es eine Sünde.« Da hat der Vater gesagt: »Schön, ich werde Ihren Rat befolgen und ihm auch weiter seinen Scheck schicken.« Als er an der Türe war, drehte er sich noch einmal um und sagte: »Sehen Sie, ich bin Fabrikant, ich fabriziere wunderbares weißes Papier, und dann bedrucken Sie es.«

Als vom Norden die sogenannte Weiße Garde gegen München zog, versuchte der Dichter Ernst Toller verzweifelt, die Räterevolution zu retten. Er wollte eine Verteidigung der Stadt organisieren. In der Ludwigstraße vor der Universität traf er den jüngsten Bruder Lions, Berthold, von allen Bubi genannt. Dieser Bruder war ein schwieriger Sohn. Nicht so begabt wie die älteren Brüder, war er auch gar nicht lerneifrig. Dafür war er ein guter Fußballspieler und von praktischem Verstand. Während des Krieges hatte er sich mit siebzehn Jahren freiwillig gemeldet und im Feld durch wilde Heldentaten ausgezeichnet – man konnte es lesen: an den Häusern angeschlagen, in Telegrammen der Heeresberichte. Er erzählte uns später, daß er wegen einer Wette mit seinem vorgesetzten Offizier einen feindlichen Schützengraben ganz allein erobert habe. Er sagte, er hätte es aus purer Langeweile getan.

Auf einer unserer Alpentouren trafen wir einmal in einer Schutzhütte einen Bergsteiger, der Lion ansprach. Nicht weil er den bekannten Dramatiker erkannte, sondern wegen der Ähnlichkeit mit seinem Bruder. Er war Major, der Vorgesetzte von Bubi, und er erzählte von dessen Heldentaten, aber auch von seinem ungebärdigen Wesen und wie er und die anderen Vorgesetzten oft nicht wußten: Sollte man ihn wegen Insubordination erschießen oder wegen seiner Tapferkeit befördern. Er wurde mit dem Eisernen Kreuz Erster Klasse, dem höchsten Orden, den ein gewöhnlicher Soldat erwerben konnte, ausgezeichnet. Sein unmittelbarer Vorgesetzter jedoch erhielt den Maximilian-Ritterorden, den er, Bubi, als Jude nicht erhalten konnte. »Das müssen Sie doch verstehen«, sagte ein Abgesandter des Heeres zu Berthold Feuchtwangers Mutter. Bubi weigerte sich, eine Beförderung zum Offiziersstellvertreter anzunehmen. Er zog es vor, ein gemeiner Soldat unter den Gemeinen zu bleiben.
Diesen erfahrenen Krieger nun forderte Toller auf, als General die Verteidigung Münchens zu übernehmen. Bubi ließ sich die aufgeworfenen Schützengräben und Waffenlager zeigen und lehnte hohnlachend ab. In dieses dilettantische Unternehmen wollte er nicht verwickelt werden.
Die Weiße Garde zog ohne viel Widerstand in München ein. Wir sahen die Truppen durch das Siegestor marschieren, an ihrer Spitze hoch zu Roß ein Schauspieler. Der hatte in der Aufführung des »Frühlingsopfer« von Eduard Graf von Keyserling, das Lion inszeniert hatte, den jugendlichen Liebhaber gespielt und war als Unabkömmlicher während des Krieges vom Militärdienst befreit. Lion sagte: »Vier Jahre führten sie Krieg, und jetzt haben sie München erobert.«
Gegen den Rat Bubis gingen wir durch die Stadt. Er sagte:

»Ich weiß, was schießen ist.« Man hörte Maschinengewehre. Wir trafen Bekannte, den Dichter Alfred Wolfenstein und den Essayisten Friedrich Burschell. Ein Mann neben uns wurde getroffen. Die Kugel war von einer Mauer abgeprallt. Der Mann war bleich, doch unverletzt. Die Kugel blieb in seiner Taschenuhr stecken. Gleich darauf sahen wir einen dicklichen Mann aschgrau an uns vorbeilaufen, hinter ihm Soldaten. Sie schlugen ihm mit dem Gewehrkolben den Schädel ein. Wir hatten genug gesehen, trennten uns von unseren Bekannten und gingen nach Hause.

Auf dem Rückweg wurden wir von Bürgern mit Gewehren angehalten und aufgefordert, uns in das nahe gelegene Kriegsministerium zu begeben, um uns Gewehre geben zu lassen. Einer nahm Lion freundschaftlich am Rockaufschlag: »Na, Herr Nachbar, sehen Sie vielleicht heute einen Juden auf der Straße?« Sie begleiteten uns in das Gebäude. Doch gelang es uns, ohne Gewehre wieder herauszukommen. Wir stellten sie beim Ausgang hinter die Türe.

Am Abend klingelte es. Ein Offizier in Reichswehruniform bat um Einlaß. Wir waren mißtrauisch. Die Reichswehr hatten wir schon am Werk gesehen. Doch er sagte, er sei unser Nachbar und ein Freund der Literatur. Er war ebenso erschüttert wie wir und erzählte, was sich abgespielt hatte: Auf der Wache in der Alten Residenz, dem Hauptquartier der Befreiungsarmee, sah er, wie Soldaten Alfred Wolfenstein, den er vom Café Stefanie her kannte, hereinstießen. Wolfenstein war groß, mit blassem, gutgeschnittenem Gesicht, glattem, schwarzem Haar und dunkelgerahmter Brille. Er sah aus, wie ein Dichter aussieht. Gleich nachdem wir uns von ihm getrennt hatten, hatte eine Frau einigen Soldaten zugeschrien: »Den müßt's verhaften. Das ist der Oberkommunist.« Und das taten die Soldaten. In der Residenz berieten sie sich, was man mit Wolfenstein anstellen solle. Der junge Reichswehroffizier erkannte die Gefahr. Er schrie den Soldaten zu: »Der gehört mir, der Schlawiner. Den lasse ich gleich an die Wand stellen«, packte Wolfenstein am Kragen und zerrte ihn heraus. Auf der Straße gab er ihm den Rat, so schnell wie möglich zu verschwinden.

Als der junge Reichswehroffizier uns verlassen hatte, konnte ich endlich daran gehen, das Abendessen zu bereiten. Unsere Waschfrau – streng katholisch, ihre Schwester war Äbtissin – hatte bei einer beschwerlichen und nicht ungefährlichen Hamsterfahrt auf dem Land ein paar Eier aufgetrieben. Sie lief oft Gefahr, verhaftet zu werden. Manchmal wurde ihr das mühsam erlaufene Gut bei der Durchsuchung am Bahnhof abgenommen. Dann pflegte sie zu sagen: »Und da soll man nicht kommunistisch werden.« Sie teilte mit uns die Beute, so daß wir nicht ganz vom Fleisch fielen. Ich wollte aus den Eiern möglichst viel herausholen und beschloß, einen Eierkuchen zu bereiten. Damit er größer auflaufen sollte, schlug ich das Weiße zu Schnee. Ich tat dies auf dem Küchenbalkon, wo es kühl war.

Auf einmal stiegen Leuchtraketen in die Luft. Kurz darauf klingelte es. Eine Reihe Soldaten stand vor der Türe. Sie sagten, sie kämen, um nach dem Maschinengewehr zu suchen. Die nervösen Soldaten hatten den Lärm meines Schneebesens gehört. Sie stöberten alles durch, sahen in die Kachelöfen, in den Herd, unter die Betten, aber sie fanden nichts. Ärgerlich geworden, gingen sie daran, Lions Schreibtisch zu durchsuchen. Das erste, was sie entdeckten, war Brechts Stück »Spartakus«. Spartakus war aber auch der Name einer kommunistischen Gruppe, die terroristischer Akte in Berlin beschuldigt wurde.

Bis dahin schien uns alles eher komisch, aber nun hatten wir Angst. Einer der Soldaten trat vor und blätterte im Manuskript. »Ist das ein Stück?« fragte er. Lion bejahte. Da rief der Soldat aus: »Ja, natürlich, Feuchtwanger. Jetzt weiß ich. Sie haben ›Warren Hastings‹ geschrieben. Ich habe das Stück in Düsseldorf gesehen. Großartig! Wird dieses Stück auch bald aufgeführt?« Lion antwortete: »Ich hoffe.« – »Na dann wollen wir Ihnen viel Glück wünschen.« Und die Soldaten verließen die Wohnung.

Das war nun der »Spartakus«, und Lion hat es auf sich genommen, das Stück als seines auszugeben, um Brecht zu schützen. Wenn Lion gesagt hätte, nein, das ist von Brecht, dann wären sie zu ihm gegangen und hätten ihn womöglich verhaftet.

Das Werk wurde auf Lions Anraten aber erst später, nämlich am 29. September 1922, von den Kammerspielen mit gutem Erfolg uraufgeführt. Doch war der Titel zu gefährlich. Ich war ungemein stolz, als Brecht meinen Vorschlag annahm, das Stück »Trommeln in der Nacht« zu nennen.

Am nächsten Tag kam meine frühere Zugehfrau und erzählte von ihrem Nachbarn. Sie wohnte mit ihrer elfköpfigen Familie in einem kleinen, verfallenen Haus am Rande der Stadt. Durch ihre vielen Kinder hatte sie auch mehrere Lebensmittelkarten. So war es ihr möglich, uns manchmal Zucker oder Mehl zu bringen. Lachend sagte die saftige, rothaarige Frau, sie könne es nicht mit ansehen, wie wir hungerten.

Diesmal war die sonst so gutgelaunte Marie vollkommen verstört. Der Hausherr wollte für seine Tochter das Hinterhäuschen auf demselben Grundstück freihaben. Das

Mietgesetz erlaubte ihm aber nicht, den Bewohner hinauszusetzen. Nun hatte das Militär Befehl gegeben, bei Todesstrafe alle Waffen abzuliefern. So vergrub der Hausherr ein Gewehr in dem kleinen Vorgarten und denunzierte den Nachbarn. Das Gewehr wurde gefunden und der Mann auf der Stelle erschossen. Die Tochter konnte in die Wohnung einziehen.

Während all dieser Geschehnisse kamen wir immer wieder in Schwabing zu einem abendlichen Butterbrot zusammen. An diesem Tag hatte die Freundin des verstorbenen Verlegers Georg Müller, eine exotisch aussehende Frau von großer Anziehungskraft, eingeladen. Viel Geld besaßen wir alle nicht. Manche hatten gar keines. Aber zu ein paar belegten Brötchen und einer Bowle reichte es immer. Meist brachten auch die Gäste etwas mit. Stets wurden viele erwartet, aber fast immer kamen mehr als geladen. Wenn nicht genügend Stühle da waren, legte man Matratzen aus, man saß halb, man lag halb, es wurde etwas getanzt, es wurde etwas geküßt, man hockte eng beieinander. Die Räume waren halb dunkel, beleuchtet durch Lampions und verhängte Lampen. Doch war alles harmlos und vergnügt. Man sprach über Premieren, über schauspielerische Leistungen, über literarischen Klatsch, die bildende Kunst spielte eine große Rolle. Aus vielen Lagern fanden sich viele Leute ein. Die Bohème übte eine große Anziehungskraft auf alle Kreise aus, von links bis rechts, und die Schwabinger duldeten die Außenseiter mit ironischem Wohlwollen. Die Bohèmiens spekulierten natürlich auf eine generöse Gastfreundschaft von der anderen Seite. Doch war man auch zufrieden, wenn sie sich nicht verwirklichte.

Diesmal war die Gesellschaft wieder recht bunt. Ein paar kleine Schauspielerinnen waren da, Tänzerinnen und der neue Intendant des Staatstheaters, Albert Steinrück. Er war ein herrlicher Schauspieler, um den es viel zu schade war, daß er sich nun mit der Spielplangestaltung abplagen mußte. Der Dichter Karl Wolfskehl fand sich ein und ein dunkler Geschäftsmann, der viel Geld verdiente während des Krieges; der zarte Literaturprofessor Fritz Strich mit seiner Freundin, der verworfen und verlockend aussehenden Wachspuppenbildnerin Lotte Pritzel: beide wie immer leicht spöttisch, leicht versnobt, aber von größtem Reiz für jede Gesellschaft. Eine ostpreußische Aristokratin aus konservativem Hause, sehr elegant und vollkommen sicher in diesem ungewohnten Milieu, war da mit ihrer großgewachsenen, männlich wirkenden Freundin, die Ärztin war und ein Monokel trug. Dann der Freund der Hausfrau, auch ein junger Adliger, doch Anhänger der Linken. Er beschränkte sich darauf, seine politische Überzeugung in Literatur einzubetten. Es ging leicht gedämpft zu, ohne Turbulenz, doch es herrschte gute Stimmung.

Da plötzlich drangen Soldaten ein. Wir dachten an einen Überfall, denn alte Uniformen wurden auch von den entlassenen Soldaten getragen. Sie hatten oft nichts anderes. Doch die Soldaten erklärten, diese kapitalistischen Verschwörungen würden von der Regierung des Volkes nicht mehr geduldet, und wenn wir nicht sofort Schluß machten, würden wir verhaftet und auf die Wache gebracht. Einer der Anwesenden rief Erich Mühsam an, der ein Amt bei der Polizei bekleidete, und dieser gab Weisung, man solle uns ungeschoren lassen, wir seien harmlose Künstler. Doch die Stimmung war verdorben. Wir gingen nach Hause.

Einige Monate später – die Räteregierung war blutig niedergeschlagen – wurden Lion Feuchtwanger und Bruno Frank, der auch anwesend gewesen war, als Zeugen vor

Gericht geladen. Sie sollten aussagen gegen die Gastgeberin, die wegen Unsittlichkeit und kommunistischer Umtriebe angeklagt war. Lion wurde gefragt, ob er der Meinung sei, daß es sich um eine politische Versammlung gehandelt habe. Der Richter hob die Brauen, als Lion aussagte, zwar sei Frau von Böhn, die Gattin eines hohen preußischen Beamten, anwesend gewesen, aber er habe nicht den Eindruck einer reaktionären Versammlung gehabt. Dann sagte der Richter, im Protokoll stehe, daß sich Personen beiderlei Geschlechts eingefunden hätten. Auch seien Matratzen ausgelegt gewesen, offenbar zur Ausübung des Beischlafs. Lion erklärte hochmütig, seine Frau sei anwesend gewesen, und er empfinde diese Frage als beleidigend.
Das Verfahren wurde in den Punkten kommunistische Umtriebe und Unsittlichkeit niedergeschlagen, die Gastgeberin aber wegen Übertretung des Kohlengesetzes – es habe in mehr als einem Raum Licht gebrannt – zu einem Monat Gefängnis verurteilt. Später ist sie dann als Österreicherin ausgewiesen worden.
Lion und Bruno Frank wurden darauf aufmerksam gemacht, daß sie Anrecht auf Zeugengebühr hätten. Lion errechnete den entgangenen Arbeitsverdienst; doch seine Schätzung wurde als viel zu hoch bezeichnet. Der Beamte erklärte, das Höchste, was er bewilligen könne, sei die Entschädigung, die einem Arzt zustünde, und die betrage zwei Reichsmark. Bruno Frank, der infolge seines Kriegsdienstes an Asthma litt, erklärte, sie hätten ja auch ein Taxi nehmen müssen. Der Beamte darauf: »Das derfen S' net. Sie kriegen nur ein Zehnerl für die Elektrische.«
Mira Deutsch wurde streng bewacht. Ein Gendarm begleitete sie sogar dahin, wohin der Mensch allein zu

gehen pflegt. Als sie zögerte, sagte dieser gutmütig: »Setzen S' Eahna nur hin, i bin a verheirateter Mann.« Gelegentlich machten wir Ausflüge mit der Elektrischen. So kamen wir auch zum Nymphenburger Schloßgarten. Es war unter der Woche, der Park vollkommen menschenleer. Wir saßen eine Weile auf einer Bank in der Nähe des Teichs. Ein Mann näherte sich dem Wasser. Er hatte einen Papiersack bei sich und fütterte die Schwäne mit altem Brot. Wir wunderten uns, daß es jemand gab, der Brot für Tiere übrig hatte. Da plötzlich griff der Mann nach einem Schwan und versteckte ihn unter seinem Mantel. Er ging nah an uns vorbei, als er dem Ausgang zueilte. Es war der Prinz Ludwig Ferdinand. Er stahl einen der Schwäne, die ihm früher gehört hatten. Ihm war erlaubt worden, in einem Flügel seines ehemaligen Schlosses wohnen zu bleiben, und nun holte er sich seinen Sonntagsbraten.

Ich möchte ganz kurz von der Wirkung erzählen, die der Umsturz auf Künstler und Schriftsteller, auf Gelehrte und Schauspieler, auf die Intellektuellen und auf Lion Feuchtwanger hatte. Sicher ist eines: keiner wollte rückständig wirken. Ich erinnere mich an einen konservativen Kunstkritiker und Korrespondenten einer großen Berliner Zeitung. Er war bereits ein älterer Herr, als er ganz unerwartet ein junges Mädel heiratete. Aus diesem Mädchen, das eine unscheinbare Büroangestellte war, machte er in ganz kurzer Zeit eine reizvolle junge Frau, die wie eine Südseeinsulanerin aussah. Als dieses junge Ding ihrem Mann ein Kind schenkte, wurde es »das Regenschirmkind« genannt – nach der Geschichte jenes Mannes, der in der Wüste mit einem Regenschirm spazierenging: Plötzlich erschien ein Löwe. In seiner Angst öffnete der Mann den Schirm; als

Waffe, und siehe da, der Löwe fiel tot um. Ein anderer hatte auf den Löwen geschossen. Daher der Name Regenschirmkind.

Dieser Mann wurde, wie man aus der kleinen Anekdote ersehen kann, nicht sehr ernst genommen. Um nun zu zeigen, wie jugendlich fortschrittlich er war, gab er sich besonders radikal. Er konnte Lion nicht recht leiden. Viele seiner ehemaligen Kollegen verdachten es Lion Feuchtwanger, daß er, früher einer der ihren, nun Schriftsteller und nicht mehr Kritiker war. So mußte ich mit anhören, wie sich dieser ehemalige Kollege über Lion äußerte. Er sagte, er begreife nicht, wie Feuchtwanger so unberührt durch diese umwälzende Periode der Menschheit gehen könne. Er sagte es mit einem heuchlerisch-schmerzlichen, bedauernden Lächeln.

Wie war es nun in Wirklichkeit? Lion sprach nur wenig über das, was ihn damals beschäftigte. Doch wußte ich, daß er tief aufgerührt war. Er konnte keinen großen Unterschied sehen zwischen dieser Periode und dem, was vorausgegangen war. Zugegeben, es gab keine Zensur mehr, es gab das versprochene Wahlrecht für Frauen. Aber war das gut? Die Frauen waren meist von der Kirche beeinflußt. Auch die Arbeiterfrauen, auch die Ärmsten der Armen, sie wählten die Totengräber der sozialen Revolution. Und da schrieb Lion den »Thomas Wendt«. Er gab seiner Idee eine neue Form. Er nannte sie den »dramatischen Roman«. Er sprach zu Brecht darüber. Der Eindruck, den Brecht von dieser Form hatte, war so stark, daß er nach einiger Zeit den konventionellen Aufbau seiner Dramen verwarf und so zu seiner eigenen Form, dem epischen Drama, fand. Lion hatte sich durch die Rücksicht auf den herkömmlichen dramatischen Aufbau eingeengt gefühlt. Er wollte nicht darauf verzichten zu sagen, was

ihm wichtig war, und drückte seine Verzweiflung darüber aus, daß es immer einen Herrn Schulz geben würde. War das das Ende der Revolution, jeder Revolution? Die Antwort wurde nicht gegeben.
Gustav Landauer war ein Mitglied der Räteregierung. Er war Shakespeare-Forscher, seine Frau, Hedwig Lachmann, Oscar Wildes und Rabindranath Tagores Übersetzerin. Er war ein Idealist, Utopist, ein Unabhängiger Sozialist – kein Kommunist. Bei der Niederschlagung der Räteregierung wurde er verhaftet und durch die Stadt geführt. In den Isaranlagen sprach er zu den Soldaten, die ihn ins Gefängnis bringen sollten. Er wollte sie davon überzeugen, daß der Mensch gut sei. Die Soldaten waren ungeduldig über den langen Weg. Sie wollten nach Hause. So erschlugen sie ihn. Am nächsten Tag traf Lion bei einem Tee einen Offizier der Weißen Garde. Amann hieß er. Er war hocherfreut über den raschen Ausgang der militärischen Aktion. Dann sagte er: »Nur die Sache mit diesem Gustav Landauer! Ich habe meinen Soldaten gleich gesagt, man soll keine Literaten umbringen. Da hat man nur Scherereien mit den Zeitungen.«
In unserer Nähe wohnte Lions Bruder Ludwig, Ludschi genannt, der zweitälteste Sohn und Leiter des wissenschaftlichen Verlags Duncker & Humblot. Er war groß gewachsen und sah gut aus, wirkte konservativ, Vertrauen einflößend. Mir gegenüber machte er oft Andeutungen, wieviel wertvoller doch die Tätigkeit des Wissenschaftlers sei als die unordentliche Geistigkeit eines Schriftstellers. Als wir eines Tages bei ihm zum Tee waren, erfuhren wir, daß er schon vor Jahren, ohne daß die Familie davon wußte, eine Christin geheiratet hatte, und er hatte auch ein Kind von ihr, das er bis dahin vor uns im Kleiderschrank versteckt hielt.

Jetzt rief er an und lud uns ein, wir möchten doch kommen, einige Freunde wären bei ihm. So trafen wir den Kultusminister der Räteregierung, Klingelhöfer, der sich vor der Weißen Garde zu Ludschi geflüchtet hatte. Klingelhöfer war ein Bauernsohn mit einem kindlich strahlenden Gesicht und einem blonden Bart. Er sah viel eher wie ein Christus aus als wie ein Revolutionär.

Es waren noch andere wild begeisterte und zum Märtyrertum bereite Revolutionäre da, so eine schöne Frau aus wohlhabender bürgerlicher Familie. Außerdem der katholische Philosoph Max Scheler. Seine Mutter war eine Feuchtwanger. Sie heiratete ihren Hauslehrer, der zum Judentum übertrat. Lions orthodoxer Vater war der Vormund des Kindes. Dann wurde das Mündelkind katholisch. Scheler sollte gerade eine Professur in München antreten, da hatte er ein Duell wegen einer Frauenaffäre. Der Skandal zwang ihn, nach Frankfurt zu gehen, wo er dann eine Professur erhielt. Der spätere Papst Johannes Paul hat in einem Interview erklärt, daß der Mann, der den größten Einfluß auf ihn ausübte, der Philosoph Max Scheler war.

An den Türrahmen gelehnt stand ein junger, hübscher Mensch, blond, blauäugig und etwas süffisant, ein moderner expressionistischer Poet. Sein Hauptwerk »Ekrasit« war damals in einer futuristisch-expressionistischen Gedichtsammlung zu finden, und er war der Sohn eines hohen Richters in München. Dieser gutaussehende junge Mann, ein glühender Kommunist, war Johannes R. Becher. Er flüchtete vor Hitler nach Rußland und war nach 1945 Kultusminister der DDR. Becher war es, der Brecht nach Ostberlin rief und ihm half, das »Berliner Ensemble« zu begründen. Es wurde das führende Theater Europas.

6

Bei den kleinen Maskenfesten, die im Hinterraum der Buchhandlung Steinicke am Rande von Schwabing wöchentlich stattfanden, trafen sich die große und die kleine Bohème. Ich begegnete dort dem Maler Julius Hüther, der in seiner treuherzig bayerischen Art – es war auch ein gut Teil Verschlagenheit dabei – sofort erklärte, er müsse mich malen. Er kenne mich schon viele Jahre, noch aus der Zeit während des Krieges, allerdings nur vom Sehen, und ich hätte so unnahbar ausgeschaut, daß er sich nicht an mich herantraute. Jetzt habe er mich lachen gehört und den Eindruck gewonnen, ich sei gar keine eingebildete Trutschen. Und so wolle er mich malen.

Die Schauspieler und Künstler, die sich im Fasching bei Steinickes Maskerade trafen, nannten sich »die Nachtwandler«. Man kam in selbstgefertigten oder improvisierten Kostümen. Luxus wäre unangenehm aufgefallen. Ich war an jenem Abend als Pferdedieb verkleidet. An ein Paar brauner Hosen von Lion hatte ich der Länge nach Fransen angenäht. Ich trug einen weichen alten Schlapphut, unter dem ich meine langen Haare versteckte, und hängte an einen abgewetzten Gürtel mehrere Werkzeuge wie Hammer, Zangen, ein griffestes Messer und einige Haken. Manche konnten mein Kostüm sogar erraten. Hüther allerdings machte mir schwere Vorwürfe, daß ich mich so entstellte. Er war für das Kostüm der vorherigen Woche. Da hatte ich einen schwarzen Schal, den ich aus Tunis mitgebracht hatte, um mich gewickelt. Er war ganz mit

Silberplättchen bedeckt, und ich hatte einen Schleier über meine Augen gebunden. Jenes Kostüm brachte mir den Spitznamen »Königin der Nacht« ein. Ich aber war des Dämonischseins müde und fühlte mich viel wohler in dem zusammengestückelten Diebskostüm. Ich erinnerte mich an eine Stelle in Andersens Märchen »Die kleine Seejungfrau«, da die alte Meerhexe Perlen in das Haar der kleinen Seejungfrau flicht; wenn das arme Ding sich über das Rupfen und Zupfen beklagt, erwidert die alte Frau: »Hoffart muß Zwang leiden.«
Bei der nächsten Nachtwandler-Maskerade aber war ich wieder im Silberschal. Für mich wurde es ein denkwürdiger Abend, denn es waren so viele da, die ich sonst nur aus der Ferne beobachten konnte. Ich sah die herrliche Schriftstellerin Ricarda Huch und die kapriziöse französisch-deutsche Dichterin Annette Kolb, und dann war da noch der große bayerische Schriftsteller Oskar Maria Graf. Als ich mit ihm tanzte, drückte er mich in dem Gedränge so heftig mit seinen gewaltigen Armen an sich, daß mir der Atem ausging.
Aber vor allem war da Arnold Zweig. Die Studenten machten mich auf ihn aufmerksam. Sie waren höchst belustigt und begeistert über seinen Einfall, einen schwarzen Kittel, einen Domino, mit den Personen seiner Romane zu bemalen. Zweig bemerkte mich gar nicht. Er war umringt von seinen Jüngern. Als wir später mit der üblichen Bande wieder nach Hause zogen, kam eine andere Gruppe Arm in Arm hinter uns her. Ich drehte mich um und rief: »Ist da hinten der Mann mit der Bestie?«
»Die Bestie« war eine Kurzgeschichte von Arnold Zweig, die während des Krieges in der »Schaubühne« erschienen war. Lion schätzte sie besonders, mehr als alles, was in

diesen Jahren veröffentlicht wurde. So begann eine Freundschaft, die ein Leben lang dauerte.
Am nächsten Tag rief Zweig an, er müsse Lion unbedingt sehen, bevor er abfahre. Er brachte mir als Zeichen der neuen Freundschaft etwas mit, von dem er sich offensichtlich nur ungern trennte. Es war eine kleine Tabakstasche, nicht größer als meine Handfläche, und ich sah zum erstenmal einen Reißverschluß. Ein Freund von Zweig hatte sie vor kurzem, mit Tabak gefüllt, aus Amerika geschickt. Diese kleine Tasche begleitete mich durch alle Fährnisse. Ich hob meine Ohrringe und Broschen darin auf. Sie ging mit mir, auf der Flucht vor Hitler, im Rucksack über die Pyrenäen. Und heute bewahre ich sie in einer Schublade auf.
Aber zurück zu Hüther. Als er bei mir nicht weiterkam, wandte er sich in seiner bauernschlauen Art an Lion, und der erwiderte liebenswürdig und ein klein wenig ironisch: »Wenn Marta sich den Strapazen unterziehen will, ich habe nichts dagegen.«
So fand ich mich also eines Tages in Hüthers Atelier in der Akademie ein. Hüther hatte es verstanden, sich in dem feierlich schönen Gebäude ganz oben einen Arbeitsraum zu schaffen, der mit seiner Naturburschenart übereinstimmte. Man sah die Armut nicht, war von seinen Farben überwältigt. Da gab es hohe Bilder von überlebensgroßen Negerinnen, viele Selbstporträts, die die Ähnlichkeit des ausgemergelten Hüther mit van Gogh unterstrichen. Nichts war gefällig, wie es die Art der bayerischen Maler sonst war. Kein Wunder, daß er von ihnen halb wohlwollend, halb verächtlich als Außenseiter betrachtet wurde.
Hüther fing sofort an zu malen und nahm auf mich keine Rücksicht. Als ich steif zu werden begann – auch die prächtigsten Negerinnen kann man nicht immer anstar-

ren –, öffnete Hüther eine versteckte Tür zu einem Nebengelaß, rief seine Frau und bat sie, Kaffee zu kochen oder, wie er sagte, »was sich so nennt«. Die Frau war eine reizende kleine Italienerin, lustig wie ihr Mann und vollkommen mit ihm einverstanden. Während wir den Kaffee tranken, erzählte Hüther, wie er einmal durch den Bayerischen Wald wanderte und bei einem Bauernhof anklopfte, weil er hungrig und durstig war. Eine barsche Frauenstimme schrie heraus: »Was wollen S'?« Er antwortete: »Ich bin bloß a Maler und hätt halt gern a Glas Milch.« Da öffnete sich die Tür, und auf der Schwelle stand eine große, wilde Negerin. Sie sagte auf niederbayrisch, sie sei ein Waisenkind und von Missionaren aus Afrika herübergebracht worden. Und Hüther erzählte weiter: »Da hab ich schnell meine Milch getrunken und zu malen angefangen. So ein Prachtstück von einer Negerin.«
Als dann nach der Pause Hüther weitermalte, kochte seine Frau in der Ecke auf einem Spirituskocher einen Selleriereis und lud mich dazu ein. Es war das Abendessen. Der Reis hatte ein Aroma, das ich nie wieder einfangen konnte, und ich bin keine schlechte Köchin. Wenn ich an diese Stunden zurückdenke, hab ich noch jenes Aroma in der Nase und das Gefühl von unendlicher Zufriedenheit.
Diese Sitzungen wiederholten sich oft. Einmal sagte Hüther in Gegenwart seiner Frau: »Wissen Sie was, ich male Sie nackt.« Ich traute meinen Ohren nicht und blieb stumm. Doch die kleine Italienerin fiel gleich ein: »Ja, das ist eine gute Idee.« Und Hüther: »Ich bin ein Maler, ich find da gar nichts dabei.«
Hüther malte mich dann in Lebensgröße in einem tabakfarbenen, rohseidenen Kleid. Es war sehr eng anliegend und an der Seite gerafft. Das Bild war hart und kantig. Wenn ich jetzt zurückdenke, würde ich es als ein Mittel-

ding zwischen Hodler und Modigliani bezeichnen. Hüther hat Ferdinand Hodler, den Schweizer Maler, der damals in Europa bahnbrechend war, wahrscheinlich gekannt, nicht aber Amedeo Modigliani. Er malte noch ein kleineres Porträt, nur Kopf und Oberkörper, und ich war überrascht, als ich später hörte, daß ein Holzschnitt des Kopfes in der Gutenberg-Galerie im Schaufenster ausgestellt wäre. Ein Gönner und Bewunderer Hüthers hatte das kostspielige Verfahren des Holzschnittdruckes bezahlt. Der Mann war Anwalt, er hieß Maximilian Fleischmann und galt als das uneheliche Kind des Prinzregenten Luitpold.
Einige Zeit später traf ich Hüther auf der Straße. Er beschwor mich, ich müsse unbedingt kommen und seine neuen Sachen anschauen. Er habe vieles gemalt, was mich interessieren würde. Ich besuchte ihn, und mein erster Blick fiel auf ein Bild, das in der Mitte des Ateliers auf einer Staffelei stand. Es war das große Gemälde einer nackten, langgestreckten Frauenfigur. Sie lag mit dem Rücken zum Beschauer, mit dem schwarzen, glattgestrichenen Haar, wie ich es trug, auch mit dem Knoten im Nacken. Vom Gesicht sah man nur den Ansatz der Wange. Ich ging an dem Bild vorbei, wissend, daß Hüther mit seinen verschmitzten Augen mich genau beobachtete. Ich betrachtete die neuen Gemälde an den Wänden und hielt dann wie von ungefähr vor dem nackten Bild. Ich sagte nur: »Merkwürdig.« Hüther schwieg.
Die beiden großen Porträts wurden, wie ich hörte, von Museen angekauft. Ich glaube, eines hängt in Nürnberg, das andere in Amerika. Das bekleidete entging später der Nazi-Zerstörung, weil es nur die Unterschrift »Bildnis der Frau M. F.« trug.

Durch die Kammerspiele hatte sich unser Kreis von der Torggelstube weg nach Schwabing verzogen. Da gab es viele kleine Restaurants. Sie waren billig, außerdem achtete man nicht so sehr auf gute Küche als auf die Erschwinglichkeit der Preise. Auch die Verwöhntesten zogen die Gesellschaft der Kollegen – Schauspieler, Schriftsteller, bildende Künstler – den exquisitesten Weinen und Delikatessen vor. Manche freilich aßen vorher in ihren Luxusgaststätten, um danach noch ein Glas sauren Weins zu trinken und dann in Rudeln mit dem einen oder andern in dessen Wohnung zu ziehen. Man verbrachte die Nächte mit Gesprächen, mit Flirten, und man tanzte auch ein bißchen. Es wurde aber auch Theaterpolitik getrieben. An einem dieser Abende traf man sich bei dem Regisseur Erich Engel. Er war gerade im Begriff berühmt zu werden und beschäftigt mit einer geplanten Aufführung des »Thomas Wendt«. Zwischen ihm und Brecht bahnten sich sogleich wechselseitige fruchtbare Beziehungen an. Gäste aus allen Teilen Deutschlands waren anwesend. Im Mittelpunkt stand die hinreißende Schauspielerin Gerda Müller. Brecht hatte seine Laute mitgebracht und sang mit krächzender Stimme. Er trug, alle hypnotisierend, seine Balladen vor. Gerda Müller saß am Boden zu Füßen Brechts, die Hände um die Knie, den Kopf zurückgelehnt. Brecht sang »Die wahre Ballade vom Apfelböck«. Dabei sah er mich an. Als er zu der Stelle kam: »Die Milchfrau aber sprach am Tag danach / ob wohl das Kind einmal früh oder spät / ob Jakob Apfelböck wohl einmal noch / zum Grabe seiner alten Eltern geht«, lächelte er. Ich lächelte zurück. Gerda Müller sprang auf mit sprühenden Augen, fuhr mich an: »Lachen Sie nicht, wenn Brecht singt.« Sie konnte nicht wissen, daß Brecht die Ballade nach einer Zeitungsnotiz gedichtet hatte, auf die ich gestoßen war,

und die Stelle, die uns einander zulächeln ließ, war die Frage, die meine Zugehfrau an mich richtete, als sie, erfüllt von der Schreckenstat des Apfelböck, zu uns gekommen war. Später tanzten Brecht und ich miteinander, und er sagte: »So gewalttätige Frauen wie die Gerda sind schon manchmal recht anstrengend.« Aber er wie ich und alle waren verzaubert von ihr.
Brecht hat mir die Handschrift des »Apfelböck« gewidmet. Das Original ist verlorengegangen. Doch das Brecht-Archiv hat mich mit der Kopie seiner eigenhändigen Maschinenabschrift überrascht. Darunter steht: »Frau Dr. Feuchtwanger in Dankbarkeit gewidmet.«

Die gute Freundschaft zwischen Lion und Bruno Frank wurde nach einiger Zeit auf eine harte Probe gestellt. Der junge Brecht, der dem Manuskript seines »Baal« die Worte »Gegen Frank Wedekind, gegen Georg Kaiser und gegen Hanns Johst« voranstellte, hatte zahlreiche Freunde in Augsburg, die rebellisch eingestellt waren wie er, und er hatte auch unter den jungen Schauspielern der Kammerspiele viele gefunden, die ihm staunend und gebannt zuhörten. Es konnte nicht ausbleiben, daß er, der Attakken gegen alles Hergebrachte ritt, glaubte, sich verteidigen zu müssen gegen manche, die sich wunderten über seine Freundschaft mit dem soviel älteren und schon arrivierten Lion Feuchtwanger. Erfolg machte sie mißtrauisch.
So kam eines Tages unser Freund Joachim Friedenthal, damals Korrespondent des »Berliner Tageblatts« und der wichtigste Kritiker in München, mit einem feierlichen Gesicht zu uns. Er erzählte, da gehe ein junger Mensch herum, sein Name sei Brecht, und in vorgerückter Stunde habe er erklärt, er betrachte seine Freundschaft zu Feuchtwanger nur als ein Sprungbrett. Er nütze ihn einfach aus,

sein Werk sei ihm völlig gleichgültig. Lion glaubte es nicht. Er wollte es nicht glauben. Er sagte, das sei wohl ein Mißverständnis. Und der geschäftige, aber gutmütige Friedenthal zuckte die Achseln.
Da kam Bruno Frank. Er erklärte Lion kurz und bündig: »Nach allem, was ich von diesem Brecht gehört habe – ich kann übrigens seinen Sachen keinen Geschmack abgewinnen, mir scheinen sie hilfloses Gestammel –, will ich dir eines sagen: Du mußt wählen zwischen Brecht und mir.«
Das war nun ganz verkehrt. Obwohl Lion allmählich glaubte, daß an dem Gerede etwas dran war, hatte er auch seinen Eigensinn. Vorschreiben ließ er sich nichts, auch nicht von seinem besten Freund. Er stellte Brecht zur Rede. Dieser leugnete nicht. Bald jedoch waren beide wieder vertieft in ihre Debatten und Pläne. Am Schluß des Nachmittags hatten sie vergessen, was sie zusammengebracht hatte. Und dabei blieb es. Es gab noch viel ironisches Gerede in den literarischen Kreisen, bis auch dies verebbte. Lion hatte die Freundschaft mit Frank nicht verloren.
Eines Tages kam der Verleger Aschenbach nach München. Er suchte den neuen Korrespondenten des »Berliner Tageblatts«, Leonhard Adelt, auf. Dieser hatte für ihn, den Gründer des Volksverbands der Bücherfreunde, »Main Street« von Sinclair Lewis übersetzt. Lewis war damals in Deutschland noch völlig unbekannt. Aschenbach fragte Adelt, ob er einen Schriftsteller in diesem an Schriftstellern so reichen München kenne, der ein noch unveröffentlichtes Romanmanuskript habe. Adelt schickte ihn zu Bruno Frank. Frank hatte kein Manuskript fertig, aber er erzählte dem Verleger von Lion, der gerade am Schluß seines Romans »Jud Süß« arbeitete. Und diese schöne Geste gab dem Wirken Lion Feuchtwangers eine neue Richtung.

Lion hatte mit seinem Theaterstück »Jud Süß«, das er gegen Ende des Krieges, 1917, schrieb, einen unerwarteten Erfolg erzielt. Glückliche Umstände hatten das bewirkt: die Wahl des Stoffs, ein neuer Schauspieler, der Sensation erregte, die rühmende Kritik Heinrich Manns im »Berliner Tageblatt«. Nach dem stürmischen Beifall hätte Lion allen Grund gehabt, glücklich zu sein. Aber er – wir – waren tief enttäuscht. Der Erfolg war nur den äußeren Umständen zu verdanken – nichts, was Lion veranlaßt hatte, das Stück zu schreiben, nichts, was sein Anliegen war, wurde durch die Aufführung verwirklicht. Es war ein leeres, farbiges Schaustück. Da wir den Schauspielern und dem Theaterdirektor die Stimmung nicht verderben wollten, zogen wir mit allen in die Torggelstube. Doch auf dem Nachhauseweg – wir brauchten keine Worte – überkam uns beide dieselbe Niedergeschlagenheit. Das Stück hatte unzählige Wiederholungen, Lion hat es sich kein zweites Mal angesehen. Schon am Tag nach der Premiere sagte ich zu Lion: »Ich glaube, was du zu sagen hast, eignet sich nicht für die Bühne. Ich kann mir vorstellen, daß du Zeit brauchst, um alles zu überdenken – aber ich finde, du solltest einen Roman schreiben über das Schicksal des Jud Süß.« Lion wollte nichts davon hören – zu dieser Zeit war er noch total dem Theater verschrieben, ein leidenschaftlicher Theaterbesucher. Am Ende schrieb er den Roman dann doch. Er arbeitete daran Tag und Nacht – und sprach zu niemand darüber. Aber Bruno Frank drängte, Lion möchte ihm aus seinem neuesten Manuskript vorlesen, und lud ihn in sein Haus am Starnberger See ein. So war er der einzige, der von diesem Roman wußte.

Herr Aschenbach sagte sich an. Wir waren sehr gespannt, denn er war kein gewöhnlicher Verleger, sondern ein Großindustrieller, der seinen Verlag als Hobby betrieb.

Wir machten uns keine Illusionen: Was soll schon ein Großindustrieller von Literatur verstehen? Das hinderte nicht, daß wir voll Erwartung waren.
Herr Aschenbach erschien. Er sah aus wie ein Rittmeister mit stramm gewichstem Schnurrbart und versuchte, sehr leutselig zu sein. Es schien uns sogar, als sei er etwas gehemmt. Wir tranken Tee, dann verabschiedete er sich mit dem Manuskript unterm Arm. Schon nach wenigen Tagen bat er um eine neue Unterredung. Sein Lektor Ernst Federn hatte den Roman gelesen und war begeistert. Aber der Stoff, ein jüdisches Thema, sei für ein so neues Unternehmen zu riskant. Immerhin, Herr Federn sei ein kunstverständiger Mann, und er selbst, Aschenbach, habe das Manuskript ebenfalls in einem Zug gelesen; er sei nicht losgekommen davon. So mache er einen ungewöhnlichen Vorschlag: Er wolle einen Roman bei Lion bestellen, und zwar solle es, wie »Jud Süß«, ein historischer Roman sein, Thema und Länge stünden Lion frei. Auch die Zeit bis zur Ablieferung des Manuskripts solle nicht allzu knapp bemessen sein.
Lion hatte sich schon lange mit der Figur der Tiroler Herzogin Margarete Maultasch beschäftigt. Dieser Plan war verlockend, er sagte zu. Lion arbeitete angespannt, aber manchmal brauchte er Ablenkung. Wir wählten wieder den Chiemsee. Die weite Wasserfläche beruhigte ihn. Sie wurde durchbrochen von drei Inseln, der Fraueninsel mit dem Nonnenkloster, einst von den Hunnen zerstört, einer kleinen grünen Insel, auf der die Nonnen ihr Gemüse anbauten, und Herrenchiemsee. In dessen Mitte, durch Bäume verdeckt, stand das von dem geistesgestörten König Ludwig II. nach dem Muster von Versailles erbaute Schloß. Es war infolge des Krieges leicht verwittert und gefiel uns viel besser als sein Vorbild. Wir erinnerten uns an einen frühe-

ren Aufenthalt während des Krieges. Damals wohnten wir am Seeufer in dem alten Gasthaus Westernacher. Die betagte Wirtin saß königlich streng und weise am Fenster, und ihre altjüngferlichen Nichten besorgten Haus und Küche. Man aß ausgezeichnet, sie freuten sich an unserem Appetit und gaben mir Einblick in ihre alten Rezepte. Darunter war ihr berühmt gewordenes für Salzburger Nockerln, eine Nachspeise, mit der ich mir viele Freunde gewann. Herr Westernacher, der ein alter Bauer geblieben war, tat nichts anderes als Holz hacken und sägen.

Manchmal bekam die Westernacherin Besuch. Dann erschien eine andere alte Frau mit ihren ältlichen, unschönen Töchtern. Es war wie eine Familienzusammenkunft. Die alte Besucherin war die Königin von Bayern. Da saßen sie nun zusammen und unterhielten sich über ihre Haushaltssorgen. Die Königin erzählte, wie ihre Töchter jetzt, nachdem der Winter vorüber sei, daran gegangen seien, die Fenster zu putzen, denn die Lakaien seien ja zu nichts gut. Und daß sie immer warte, zum Zahnarzt zu gehen, bis sie auf ihrem Schloß hier den Frühling verbringe – der Zahnarzt in Prien sei soviel billiger als der in München. Dann saßen die beiden Alten zusammen und schwiegen. Ihre Gedanken gingen zurück in die Zeit, als König Ludwig II., der Onkel des jetzigen Königs, und sein Freund Richard Wagner sich zum Schloß hinüberrudern ließen. Sie dachten wohl auch an den Tag, an dem der König wegen eines Regensturms mit seiner vierspännigen Kutsche nicht nach München zurückfuhr, und wie »infolge dessen« die Frau Westernacher, damals ein sehr junges Ding, einen Sohn gebar. Er war, im Gegensatz zu dem großgewachsenen König, ein kleiner Mann, jetzt etwa dreißig, und er trug den schwarzen Knebelbart seines erlauchten »Vaters«. Leider kam seine Karriere als Bankbeamter zu einem

plötzlichen Ende. Er mußte wegen eines Gesetzesverstoßes ins Gefängnis.
Diesmal wollten wir endlich einmal auf den Hochgern steigen. Das ist ein mittelhoher Berg, umgeben von Gletschern. Man sieht weit über das Land, tief unten das moosig grüne Tal und der glatte, schimmernde See. Wir blieben ein paar Tage, um herumzuklettern, und kamen an einer Almhütte vorbei, um die ein Haufen rothaariger Kinder spielte. Es waren wohl ein Dutzend. Die Sennerin kam heraus, um uns mit Milch aufzuwarten. Auch sie war rothaarig. Wir fragten, ob sie ganz allein da hause und ob ihr Mann im Tal arbeite. Sie erwiderte seelenruhig: »Ich hab keinen Mann net.« Wir glaubten, er sei vielleicht im Krieg gefallen. Doch sie erklärte: »Ich weiß net einmal, wer der Vater zu den Bankerten ist. Wenn ein Bursch bei der Nacht zum Fensterln kommt, ist's alleweil so finster.« Das Fensterln war damals allgemein üblich. Da half auch das Wettern des Herrn Pfarrer nicht. Es war sogar gang und gäbe, daß ein heiratsfähiger Bauernsohn seine Braut erst einmal ausprobierte: Man will ja keine Katz im Sack kaufen. So wartete man ab, ob die Zukünftige auch ein gesundes, arbeitsfähiges Kind zur Welt brachte. Kinder waren Kapital, billiger als Knechte und Mägde. Bei der Trauung trugen die außerehelichen Kinder oft die Schleppe. Nur der Myrtenkranz war einer solchen Braut nicht gestattet.
Ein Herr aus Köln, der in der Schutzhütte mit uns ins Gespräch kam, regte sich sehr auf über diese Sittenlosigkeit. Am meisten empörte ihn die Schamlosigkeit, mit der man darüber sprach. Am Abend beim Essen führte er das große Wort. Er unterhielt sich mit den Bergsteigern am nächsten Tisch über die traurigen Zeitläufte und bemerkte, daß daran nur die Juden schuld seien. Ich bat ihn, etwas

leiser zu schimpfen, wir seien nämlich Juden und wollten gern in Ruhe essen. Der Herr wurde rot, stand auf und stellte sich vor. Er sagte, er meine natürlich nicht alle Juden, wir seien bestimmt eine Ausnahme. Darauf stellte er sich einem anderen Gast vor, der einen bekannten Adelstitel trug. Dieser sagte nebenbei, er verstehe solche Reden nicht, seine Schwester sei mit einem Juden verheiratet, und er finde ihn sehr nett. In diesem Augenblick kam der Wirt herein. Er schnappte noch einige Brocken auf und wollte auch sein Teil beitragen. »Ist es nicht schrecklich mit diesen Juden? Erst haben sie den Krieg gemacht, und dann haben wir ihn durch ihren Dolchstoß von hinten verloren.« Der einzelne Herr mit dem adeligen Namen fragte den Wirt, ob er schon mal einen Juden gesehen habe. Der Wirt bekreuzigte sich und sagte: »Das fehlt mir gerade noch.«

Am nächsten Morgen war ein besonders klarer Tag. Es war Sonntag, und eine Menge junger Leute traf ein. Sie waren stramm mit ihrem militärischen Gehabe, genossen durch einen ausgezeichneten Feldstecher die Aussicht und zählten die umliegenden Berggipfel auf. Unser Herr aus Köln bat die jungen Leute, ihm das Fernglas zu leihen. Sie drehten ihm verächtlich den Rücken zu. Einer murrte: »Judenpack.« Der Kölner wandte sich an uns, bleich vor Zorn, und sprach davon, wie der Krieg die Sitten verwildert habe. Ich konnte mich nicht enthalten, ihm zu sagen, daß der junge Rüpel ihn wegen seiner schwarzen Haare offenbar für einen Juden gehalten habe. Denn der Bursche fragte Lion, getäuscht durch dessen blaue Augen und seine von Wind und Sonne gebleichten Haare, überaus höflich, ob er nicht auch einmal durch den Feldstecher schauen wolle.

Wir hatten Gelegenheit, sonstige Merkwürdigkeiten zu beobachten. Einige Bauern kamen laut singend und grölend, offenbar betrunken, den Berg herauf. Einer wollte sich eine Zigarre anzünden. Der Wind löschte das Streichholz aus. Kurz entschlossen nahm er eine hohe Banknote und zündete sich damit die Zigarre an. Er gehörte also zu den Bauern, die sich durch den Schwarzhandel mit Lebensmitteln auf Kosten der hungernden Städter bereicherten. Einer von ihnen protzte, er habe gerade eine Nähmaschine gekauft, und weil er nun einmal beim Geldausgeben gewesen sei, habe er sich auch ein Klavier angeschafft. Das stehe jetzt in seiner Scheune. Es sei ein sehr schönes, glänzendes Instrument, habe sogar einen geschnitzten Deckel. Inzwischen habe er aber ein noch schöneres gesehen, das weiß und golden sei. Er würde es das nächste Mal aus der Stadt mitbringen. Unter schallendem Gelächter schlug er Lion auf den Schenkel. Betrunken wie er war, faßte er für Lion eine besondere Zuneigung und ließ mich ungeschoren.

Zurück in München, fand sich unter den vielen Freunden und Bekannten, die nachmittags regelmäßig zum Tee kamen, auch eine sehr junge Schauspielerin ein. Hermann Sinsheimer, der damalige Direktor der Kammerspiele, später Theaterkritiker in München und in Berlin, brachte sie einmal mit. Man versprach sich sehr viel von ihrer Begabung. Mit den blassen Lippen, der blutarmen Haut, den hellen blauen Augen und dem dünnen blonden Haar sah sie aus wie ein verdorbenes Kind. Ihre Begabung entsprach den Anforderungen, die man damals an eine junge Schauspielerin stellte. Man spielte viel Strindberg, und die großen Sprechkünstlerinnen der Hoftheater mit den runden Gesten und den klangvollen Stimmen waren für seine Dramen vollkommen unbrauchbar. Die jugendlichen Schauspielerinnen des neuen Theaterstils waren eckig, nervös, erschienen oft verkrampft. Sie waren schrill, und ihre dekadente Art wirkte aufreizend. Die kleine Schauspielerin Anneliese war ein amüsantes Luder. Sie war gutbürgerlicher Herkunft und lebte mit ihrer verwitweten Mutter und einer alten Tante ganz in unserer Nähe in einem Haus, in dem auch Wilhelm Furtwängler mit seiner Mutter wohnte. In München hatte der Name Furtwängler einen guten Klang. Man dachte dabei an den berühmten Archäologen Adolf Furtwängler. Von seinem Sohn Wilhelm, dem Musiker, machte man damals nicht viel her. Die kleine Anneliese erzählte, Furtwängler würde wütend, wenn man ihn mit Feuchtwanger verwechselte.

In diesen Tagen waren Lion und ich eigentlich immer hungrig, denn die Lebensmittel reichten nie aus. Anneliese brachte stets etwas zum Tee mit. Sie sagte, ihre beiden alten Damen äßen so wenig, könnten es aber nicht lassen, immer noch Kuchen zu backen. Sie allein könne das nicht bewältigen, und so wolle sie den Kuchen mit uns teilen. Sie hegte eine große Verehrung für Lion, aber sie gab sich eher respektlos und keck. Sie war ein lustiges, zynisches Großstadtmädel aus Berlin. Wenn ich erschöpft und halb erfroren vom Anstehen vor den Lebensmittelgeschäften nach Hause kam, fand ich vor der Tür oft große Pakete, die sie in meiner Abwesenheit gebracht hatte. Sie enthielten Zukker, Mehl, Eier, manchmal sogar Butter. Wenn sie dann zum Tee kam und ich die Kostbarkeiten bezahlen wollte, leugnete sie alles ab. Sie war voll lustiger Geschichten aus der Nachbarschaft. So erzählte sie von dem Kind ihrer Zugehfrau, die es manchmal zur Arbeit mitbrachte. Als Anneliese das Mädel einmal fragte, woher es denn das schöne Kleid habe, antwortete es mit laut piepsender Stimme: »Das hat meine Mami gestohlen.«

Anneliese pflegte eine merkwürdige Freundschaft mit einer alten, verwitweten und verwahrlosten Blumenfrau.

Diese alte Frau, bitter und bissig, leuchtete auf, wenn Anneliese zu ihr kam, und es war nicht nur wegen der Lebensmittel, die sie wie das Mädchen aus der Fremde gern verteilte. Die alte Frau gab Anneliese von ihren Blumen, begann mich aber zu hassen, als sie beobachtete, daß Anneliese die Blumen sogleich zu mir brachte. So hatte ich gute Gründe zu glauben, daß die Frau es war, die uns bei der Steuerbehörde anzeigte wegen des unerhörten Luxus, in dem wir lebten. Es vergingen Tage, und Anneliese erschien nicht mehr zum Tee. Ich fragte die Blumenfrau nach ihr. Diese sagte nur mit großer Gehässigkeit: »Gehen Sie zum Kaufmann an der Ecke. Dann werden Sie es erfahren.«

Ich ging sehr ungern zum Kaufmann an der Ecke. Er war bekannt dafür, daß er die rationierten Lebensmittel zu teuren Preisen an diejenigen Kunden verkaufte, die viel Geld für Schnäpse ausgaben. Den anderen Kunden erklärte er grob, die Zuteilung sei zu gering gewesen. Ich hatte kaum den Namen Anneliese ausgesprochen, als der Kaufmann, bleich vor Wut, in ungeheure Beschimpfungen ausbrach. Es stellte sich heraus, daß Anneliese sich auch mit ihm angefreundet hatte und daß er oft den Laden ihr überließ, wenn er seinen kleinen Schiebergeschäften nachging. Sie hatte ihm erklärt, es mache ihr Spaß, Kaufladen zu spielen. Er brauche sich nicht zu beeilen. Und Anneliese hatte die Gelegenheit benutzt, sein wertvolles Lager an gehamsterten Lebensmitteln beträchtlich zu verringern. Nun wußte ich, woher die Gaben kamen. Der Kaufmann konnte Anneliese natürlich nicht anzeigen, ohne seine Schiebungen aufzudecken. Anneliese blieb verschwunden, bis viele Jahre später ein Brief von ihr eintraf, hier in Los Angeles, der ihre Verheiratung mit einem hohen Justizbeamten anzeigte. Wir nannten sie den weiblichen

Rinaldo Rinaldini, der von den Reichen nahm, um die Armen zu beschenken.

Auch Brecht war verschwunden. Er war, wie wir später hörten, nach Wiesbaden zu Marianne Zoff gefahren. Sie war Sängerin an der Wiesbadener Oper. Marianne hatte ein schönes, stilles Gesicht, breite Backenknochen und braune Augen. Ihre dunklen Haare waren glatt und in der Mitte gescheitelt. Im Gegensatz zu den sanften Zügen ihres Gesichtes waren ihre Augen lustig und unbekümmert.

Ein reicher Mann aus München fuhr ebenfalls des öfteren nach Wiesbaden, auch er, um Marianne zu sehen. Brecht gelang es, Marianne zu überreden, ihre Karriere als Sängerin aufzugeben. Durch ihn erschien ihr plötzlich das Opernsingen als etwas ungemein Lächerliches, ebenso lächerlich, wie einen reichen Mann zu heiraten. Sie heiratete Brecht, der damals noch ein ziemlich unbekannter Stückeschreiber war. Sie hatten ein Kind, Hanne, und lebten in unserer Nähe.

Brecht kam täglich zu Lion, so war er selten zu Hause. Marianne langweilte sich. Mit Brechts Augsburger Freunden konnte sie nichts anfangen, sie spürte ihre Ablehnung. Marianne und ich sprachen oft über Brecht. Sie verstand sein Wesen und sein Talent. Doch ich konnte merken, daß sie sich die Ehe mit ihm anders vorgestellt hatte. Ich sagte zu ihr: »Wenn man mit einem Genie verheiratet ist, muß man auf manches verzichten können.« – »Ich will kein Genie«, brach es aus ihr heraus. »Ich will einfach einen Mann, der mich liebt.«

Die Ehe wurde geschieden. Später fand sie in Theo Lingen einen Mann, der sie liebte und außerdem ein ausgezeichneter Schauspieler war. Ihre und Brechts Tochter ist

Schauspielerin geworden, die unter dem Namen Hanne Hiob auftritt. Sie spielte in Brechts »Mutter Courage« die stumme Kattrin, und ihre Darstellung erregte Aufsehen, fast soviel wie Brechts Frau Helene Weigel in der Titelrolle. Brecht fuhr nach Berlin. Er inszenierte für Moriz Seelers »Junge Bühne«, die bei Max Reinhardt im Deutschen Theater spielte, seinen »Baal«. Premiere war am 14. Februar 1926. Das Stück hatte Erfolg nur bei wenigen, aber auf die kam es an. Man wurde neugierig auf Brecht. Es entbrannten Fehden zwischen den Kritikern, die berühmteste zwischen den wichtigsten Kritikern der Theaterstadt Berlin, Alfred Kerr und Herbert Ihering.
Zwei Jahre zuvor, am 18. März 1924, war an den Kammerspielen die Uraufführung von »Eduard II.« Sie gab der Theaterstadt München einen neuen Aufschwung. Direktoren, Kritiker und Theaterfreunde kamen aus allen Teilen Deutschlands.
Zuerst ein kleines Vorspiel. Der Berliner Kritiker vom »Börsen-Courier«, Herbert Ihering, schrieb an Lion, er möchte doch seinen Namen als Mitarbeiter an »Eduard II.« zurückziehen. Lion hatte sofort sein Einverständnis gegeben. Im Buch steht auf der zweiten Seite: »Dieses Stück schrieb ich mit Lion Feuchtwanger.«
Die Besetzung der Kammerspiele war ausgezeichnet: Oskar Homolka spielte den Mortimer, Erwin Faber den Eduard, Maria Koppenhöfer war die Königin. Nach der Pause entstand auf der Bühne eine gefährliche Situation. Oskar Homolka hatte in seiner Erregung – man kann es auch Lampenfieber nennen – aus einer von Brecht mitgebrachten Flasche Kognak zu oft und zuviel getrunken. Er saß meist unbeteiligt da, dann schwankte er lallend hin und her, nachdem man ihm schnell schwarzen Kaffee eingeflößt hatte.

Ich war mit Otto Falckenberg in der Direktionsloge. Er fragte mich aufgeregt, ob er den Vorhang fallen lassen solle. Ich riet ihm ab und sagte: »Das Publikum glaubt, es gehört zum Stück.« Es wurde zu Ende gespielt, die Eingeweihten wußten Bescheid, das Publikum war ohnedies befremdet von dem merkwürdig krassen, grausamen Stück.

Nach der Vorstellung traf man sich, wie es bei besonderen Theaterereignissen üblich war, in der Odeonbar. Da saß man in Nischen und sah die Gäste vorbeiziehen. Wir hörten: »Gehen Sie hernach auch zu Feuchtwangers in die Georgenstraße?« Als wir nach Hause kamen, war die Straße voll von Bekannten und Unbekannten. Viele hatten Getränke und Eßwaren mitgebracht. Alfred Kantorowicz und andere junge Leute rollten den großen Teppich beiseite, um Platz zum Tanzen zu machen. Die Räume füllten sich zusehends, und die Klingel meldete immer neue Ankömmlinge. Ich sah den Berliner Generalintendanten Leopold Jessner und äußerte: »Jetzt fehlt nur noch Ihering« – die beiden waren verfeindet. In dem Moment ging die Türe auf, und Ihering stand auf der Schwelle.

Dann öffnete ich wieder die Haustür, draußen stand ein Herr und sagte: »Ich bin der Herzog von Meiningen.« Er war der berühmte »Theaterherzog«. Alle wurden eingelassen. Arnolt Bronnen kam und alle Freunde Brechts aus Augsburg. Auch Caspar Neher, der die Dekorationen geschaffen hatte. Neher hatte ein bißchen zuviel Weißwein getrunken. Er glaubte zu hören, daß Bronnen eine abfällige Bemerkung über Brecht machte, und stürzte sich mit der Weinflasche auf ihn, um ihm den Schädel einzuschlagen. Ich warf mich dazwischen und drehte dem Hünen Neher die Nase um, wobei der Inhalt der Weinflasche sich

in meinen Ausschnitt ergoß. Ich hatte ein schwarzes Samtkleid an.
Im Nebenzimmer zog sich eine hübsche blonde Frau aus und wurde von Caspar Neher rüde abgewiesen. Kurz, es war eine angeregte Gesellschaft. Als endlich alle gegangen waren, kehrte ich die Böden sauber und entdeckte in einer Ecke zusammengerollt Joachim Ringelnatz.

Eines Nachts, es war vielleicht drei Uhr, weckte uns das Telefon. Lion nahm den Hörer ab, und ich konnte deutlich eine aufgeregte Stimme hören: »Hitler hat einen Putsch gemacht.« Es war Leonhard Adelt, der Korrespondent des »Berliner Tageblatts«. Er fuhr fort: »Sie müssen fliehen. Man verhaftet prominente Juden. Der Bahnhof ist besetzt. Nehmen Sie unsere Räder und verlassen Sie die Stadt von der anderen Seite.« Lion antwortete nur: »Ich bin viel zu müde. Danke schön, lieber Adelt.« Wir schliefen sofort wieder ein.
Am nächsten Tag war der Spuk zu Ende. Hitler und der General Ludendorff zogen mit großem Gefolge zur Feldherrnhalle, wurden aber vom Militär aufgehalten. Ludendorff warf sich zu Boden, als nach vorheriger unbeachteter Warnung geschossen wurde, und alle wurden verhaftet. Doch Hitler entfloh. Ludendorff brachte man in die nahegelegene Residenz, wo in dem riesigen Thronsaal der Parfümhändler Talmessinger, klein und verschüchtert, als prominenter Jude eingesperrt war. Ludendorff kommandierte: »Scheren Sie sich hinaus, hier bin ich verhaftet.« Und so ging der erste Hitler-Putsch zu Ende. Doch Lächerlichkeit tötet nicht, wenigstens nicht in dem Deutschland von damals.
Leonhard Adelt war ein hervorragender Zeitungsmann. Wir waren eng befreundet mit ihm und seiner Frau, einer

temperamentvollen und ungeheuer gastlichen Ungarin. Sie stammte aus altem Adel. Doch hielt sie das nicht davon ab, für ihre Freunde während der Kriegszeit und in den folgenden schweren Jahren zu schuften und zu kochen. Uns allen war es ein Rätsel, woher sie die Kraft und die Findigkeit nahm, immer wieder Lebensmittel aufzutreiben, um sie mit ihren Freunden zu teilen. Eines Abends – wir waren wieder in größerer Anzahl bei einem solchen »Einverleibungsfest« – erzählte Adelt von seinem Eindruck, den er bei einer Hitler-Versammlung gewonnen hatte. Er sagte, er halte Hitler für gefährlich, war beeindruckt von seiner hypnotischen Rednergabe und außerordentlichen Wirkungskraft. Uns, die als Juden ihn nicht hören konnten, sondern sein überdimensionales Geschimpfe in grammatikalisch schlechtem Deutsch nur aus der Zeitung kannten, schien diese Einschätzung unbegreiflich. Ich war so wütend, daß ich erklärte: »Sie scheinen ja auch unter die Antisemiten gegangen zu sein«, aufstand und das Haus verließ. Lion, objektiv und höflich, blieb noch eine Weile. Es schien, daß er mein schlechtes Benehmen billigte.
Am nächsten Morgen rief Frau Adelt an. Leonhard hätte die ganze Nacht nicht schlafen können vor Kummer über unser Zerwürfnis. Er sei niedergeschmettert. Wie könnten wir ihn für einen Antisemiten halten! Dieser Anruf war besonders erstaunlich, da die mir so liebe Frau von Natur aus sehr eifersüchtig war. Und sie richtete brav die Botschaft aus, ich müsse doch wissen, wie gern Adelt mich habe.
Später, es war längst Gras über diesen Vorfall gewachsen, erzählte mir Adelt, er komme soeben aus Salzburg zurück, wo er Stefan Zweig und dessen Frau besucht habe. Er berichtete, seine Frau sei ihm nachgereist und als sich

Friederike Zweig bei ihm im Hotel befand, mit einer Reitpeitsche bei ihm eingedrungen. Natürlich sei zwischen ihm und Frau Zweig nichts vorgefallen. Übrigens habe Stefan Zweig sich wunderbar benommen, er sei doch der gescheiteste Mann, den er kenne.

7

Ich hatte damals ständig Husten, weil ich so unterernährt war. So beschlossen wir, in ein südlicheres Klima zu gehen, und fanden heraus, daß es am schönsten und am wärmsten um diese Jahreszeit in Jugoslawien ist. Besonders der milde Süden von Kroatien lockte uns.

Voll Erwartung zogen wir los, zuerst nach dem italienischen Portorosa, um noch etwas im Meer zu baden. Dort gab es einen Zwischenfall: Ich fuhr mit einem kleinen Kajak und seinem einzigen Ruder, das zerbrochen war, aufs Meer hinaus. Als ich ziemlich entfernt vom Ufer war – ich ruderte auf eine Insel zu –, hörte ich einen Mann um Hilfe rufen. So schnell ich mit dem zerbrochenen Ruder konnte, folgte ich den Rufen. Ein Arbeiter, der in der Nähe an einem Schiffsbau beschäftigt war, hatte keinen Grund mehr gefunden und war weit weggetragen worden vom Ufer. Als ich ihn erreichte, rief ich ihm zu, er solle sich bei mir hinten am Kajak anhängen, denn innen gab es keinen Platz mehr. Mit ungeheurer Anstrengung brachte ich ihn an Land.

Ich hatte das Ganze sofort vergessen; doch am nächsten Tag erschien ein Marineoffizier im Hotel. An der Zimmertür fragte er mich, ob er nicht meinen Mann sprechen könne. Zu Lion sagte er, er möchte sich im Namen der italienischen Regierung und der Marine bedanken dafür, daß einem italienischen Arbeiter das Leben gerettet worden sei. Mein Mann sagte: »Ja, was hab ich damit zu tun?« Die Antwort: »Es war Ihre Frau.« Das war

typisch für die Rolle, die damals die Frauen in Italien spielten.
Von Portorosa ging es dann weiter südlich, zuerst nach Triest. In dessen Schwesterstadt Fiume, die schon jugoslawisch ist – das ganze Gebiet war durch den Putsch des Dichters Gabriele d'Annunzio geteilt worden –, nahmen wir ein Schiff. Es war ein schlankes, weißes jugoslawisches Schiff, mit dem wir die Küste entlangfuhren.
Zunächst kamen wir nach Zara, das berühmt war wegen seines Maraschino-Likörs, aber auch durch »Die Göttinnen oder Die drei Romane der Herzogin von Assy« von Heinrich Mann. Beides zog uns in diese Stadt. Leider gab es dort aber keinen Sandstrand.
So sind wir weitergefahren nach Drâu, dem heutigen Dragor, das damals völlig unbekannt war. Vom Meer aus mußte man mit einem Wagen fahren, da das Schiff nicht durch den Felsspalt konnte, die Einfahrt war zu eng. Man gelangte zu einer Art Binnensee, eigentlich einem Meeresarm, und es sah aus wie ein kleines Venedig. Es gab Kanäle statt Straßen wie dort, auch die Häuser waren alle ins Meer gebaut, nur waren sie einfacher und sehr alt. Römische Ruinen standen neben Häusern im venezianischen Stil. Es war einzigartig und aufregend.
Das nächste Ziel war Salona – heute heißt die Stadt Solin –, und da entdeckten wir, daß die alten Römer schon die Dampfheizung gekannt haben: Wir kamen zu einem Haus, in dem nur die Grundmauern noch standen und eine Treppe, die hinunter zum Keller führte. Dort befand sich ein großes Wasserbassin, ein viereckiges Becken, und in einer Ecke abgetrennt eine Art Feuerstelle, wo man früher große Steine erhitzte. Die heißen Steine warf man mit Zangen in das Wasserbecken, so daß sich ungeheurer Dampf entwickelte. Dieser Dampf stieg durch die Röhren

hinauf, und so wurde das Haus geheizt. Das war die erste Dampfheizung der Welt.
Unsere nächste Station war Cattaro. Das ist wie ein »Sesam, öffne dich«. Vor einem liegt eine Spalte in der steilen Küste, man fährt mit dem Schiff hindurch und hat vorher gar nicht wahrgenommen, daß da eine wirkliche Öffnung ist. Dann befindet man sich plötzlich in einem großen Tal, das Wasser sieht aus wie ein See, ist aber ein Teil des Meeres. Von da aus gelangt man auf einen hohen Berg, den Lovčen. Man hatte eine Straße gebaut, gefährlich, weil eng und schlecht, so daß Autos oft in den Abgrund stürzten. Wir fuhren mit dem Autobus und sahen unten die Autoleichen. Aber man hatte eine wunderbare Aussicht.
Dann kamen wir endlich nach Ragusa, das heute Dubrovnik heißt. Für mich ist es der schönste Ort Europas. Die Stadt ist noch von alten, teils römischen, teils mittelalterlichen Mauern umgeben, mit Wachtürmen an den Ecken. Herrliche Renaissancegebäude beherbergen das Postamt und das Rathaus. Durch die Hauptstraße, die noch mit Kopfsteinpflaster belegt ist, gingen wir zu Fuß, sie war nicht zu befahren, weder mit Wagen noch mit Autos. Auf beiden Seiten der Hauptstraße befinden sich offene Tore, und innen sieht man die alten Höfe mit den Bogengängen, es ist wie im Mittelalter. Man geht weiter und gelangt durch ein großes Tor ans Meer. Baden kann man zwischen mächtigen Felsen, aber es gibt keinen Strand, nur Steinplatten. Hier sind auch die Hotels – nein, die eigentlichen Hotels liegen vor dem Ort. Aber es gab noch ein ganz altes Hotel, das Odak, und da haben wir uns eingemietet. Es war ziemlich primitiv, aber schön; auf den glatten Steinplatten konnte man in der Sonne liegen, sie führten terrassenartig bis hinunter ans Meer.

Wir sind jeden Tag nach Lacroma hinübergeschwommen. Das ist eine große Insel. Dort haben wir uns ausgeruht und sind wieder zurückgeschwommen. Eines Tages kam ein Fischer auf uns zu mitten im Meer und sagte auf italienisch: »Kommen Sie schnell in mein Boot, hier wimmelt es von Haifischen.« Lion antwortete: »Jetzt sind wir schon seit zwei Wochen jeden Tag hier geschwommen, und bis jetzt hat uns noch keiner gefressen. Offenbar schmecken wir ihnen nicht.« Wir sind nicht ins Schiff gestiegen und haben auch weiter jeden Tag geschwommen. Einmal beteiligten wir uns an einem Wettkampf mit ein paar guten Schwimmern, und ich habe gewonnen.

Auf unseren Reisen hat Lion nie gearbeitet. Dazu sind wir ja auch immer zu kurz an einem Ort gewesen. Doch die Landschaft hat sich ihm eingeprägt, und sie ist dann wahrscheinlich im »Falschen Nero« wiedererstanden. In der Nähe von Ragusa liegt die Stadt Mostar, ein islamisch geprägter Ort. Wir waren nicht dort, aber der Begriff der Fremdheit und des Orients spielte wohl im Unterbewußtsein mit, als Lion den »Falschen Nero« schrieb.

Die Fahrt nach Montenegro führte steil hinauf durch eine grandiose Landschaft. Man gelangte auf einen Platz, auf dem die Einheimischen saßen. Das Ganze wirkte wie eine Operettendekoration. Die Männer trugen ihre alten Trachten. Wir fühlten uns in einer fremden, versunkenen Welt.

Dann machten wir uns auf die Rückreise. In Dubrovnik hatte Lion seinen Regenmantel verloren, und als wir dorthin zurückkamen, wußten wir nicht, wie wir ihn suchen sollten, da wir nicht jugoslawisch sprachen. Eines allerdings war uns klar: er mußte auf dem Schiff sein.

Auf dem Postamt hat man uns schließlich geholfen, nachdem mein Mann gefragt hatte, was Regenmantel auf kroatisch heißt. Die Auskunft lautete: »Jedan Regenmantel.«

Unsere nächste Fahrt ging nach Fasano am Gardasee. Dort erreichte uns ein Telegramm von Leopold Jessner. Der Generalintendant des Berliner Staatstheaters bat Lion sofort zu kommen. Sie steckten mitten in den Proben zu »Eduard II.«, und es sei absolut keine Möglichkeit, sich mit Brecht zu einigen. Brecht teile nicht die Auffassung des Regisseurs, und Lion sei die einzige Hoffnung.
Wir fuhren schnell zurück. Ich blieb in München, und Lion reiste weiter nach Berlin. Als er zum Theater kam, hörte er schon von außen großen Lärm. Ein sehr alter, ganz in Schwarz gekleideter Hofschauspieler, der Jessner vertrat, kam auf Lion zu und sagte: »Dieser Herr Brecht, der tanzt einem auf dem Kopf herum. Vielleicht können Sie mit ihm fertigwerden.« Lion hörte das Wort Scheiße, das war ihm sehr vertraut. Als er hineinkam, standen die Schauspieler verstört auf der Bühne, und Brecht saß unten mit dem Regisseur Jürgen Fehling. »Das ist ganz unmöglich«, erklärte Brecht gerade, »so kann es nicht weitergehen.« Fehling bat Lion zu vermitteln. Brecht: »Ja also, das ist vollkommen anders als unsere Auffassung.« Lion wandte sich an Brecht: »Müssen Sie denn immer Scheiße sagen? Können Sie nicht vielleicht sagen: Das ist zu sehr stilisiert.« Darauf Brecht: »Schön, lassen wir's dabei, wenn Sie das für so wichtig halten.«
Die Probe ging weiter, aber plötzlich schrie Brecht: »Das ist schon wieder stilisiert!« Natürlich brach ein großes Gelächter aus. Jürgen Fehling ging totenbleich an die Rampe und sagte: »Meine Herren Brecht und Feuchtwanger, so schwer es mir fällt, wenn ich zwei große deutsche Schrift-

steller aus dem Haus weisen muß – aber es bleibt mir nichts anderes übrig. Bitte verlassen Sie das Theater.«
Da konnten die beiden nichts anderes tun als zu gehen. Lion sagte zu Brecht: »Wollen wir nicht wenigstens zu Werner Krauß in die Garderobe, um uns zu verabschieden? Der ist doch wirklich sehr gut.« – »Ja«, sagte Brecht, »natürlich.«
Im »Eduard« hat der König, den Krauß spielte, ein lateinisches Sprichwort zu zitieren. Lion lobte Krauß: »Ihre Leistung ist ganz ausgezeichnet, nur die Skandierung des lateinischen Verses müßte anders klingen.« Krauß reagierte einsichtig: »Aber natürlich, bitte, sagen Sie mir, wie es sein muß. Ich möchte es doch richtig sprechen.« Und Lion hat es ihm vorgesagt. Dann verließen beide das Theater. Auf der Straße fragte Brecht Lion: »Warum haben Sie denn dem Krauß die falsche Betonung gesagt?« Lion antwortete: »Wenn alles falsch ist, soll auch das Latein falsch sein.«
Sie gingen nicht in die Premiere, die am 4. Dezember 1924 stattfand, aus Protest gegen die Regie, sondern besuchten einen amerikanischen Film, »Zsa Zsa« mit Gloria Swanson. Aber wenigstens eine Aufführung wollten sie sehen, schon wegen der Schauspieler. So saßen sie am zweiten Abend im Theater. Als nun Werner Krauß bei dem lateinischen Sprichwort anlangte, fingen beide an zu kichern. Darauf drehte sich ein Herr um und zischte: »Wenn Sie schon das Stück nicht verstehen, halten Sie wenigstens den Mund.«
Da erinnere ich mich an eine Szene mit Georg Kaiser. Es war viel früher, anläßlich einer seiner Premieren bei Viktor Barnowsky. Das Lessing-Theater lag nah an der Hochbahn, und man hörte die Züge vorbeischeppern. Georg Kaiser war schrecklich nervös und ist um das Haus herumgelaufen. Immer wenn die Hochbahn kam, hob er beschwörend die Hände und machte: »Schsch«.

Kurze Zeit nach dem Berliner »Eduard« gingen wir mit Brecht und Marianne nach Rügen. Das war ein guter Einfall. Wenn es auch nicht viel zu essen gab, so gab es genügend Fische. Marianne und ich gingen auf die Bauernhöfe zum Hamstern, um etwas Butter zu bekommen. Einmal wurden wir von einer wilden Gänseschar angefallen. Wenn Gänse einen angreifen, erheben sie sich auf die Zehenspitzen, und mit ausgebreiteten Flügeln schlagen sie um sich – das ist dann gar nicht mehr komisch. Die Marianne, gescheit wie sie war, ist sofort weggelaufen. Und ich war plötzlich von wütenden Gänsen umringt. Ich hatte Angst, die Augen würden mir ausgeschlagen. Mit Mühe konnte ich mich befreien. Ein anderes Mal bin ich von einem großen Hund ins Bein gebissen worden. Zwar verheilte die Wunde schnell, aber der gute Strumpf war zerrissen. Wie einst in Rom.
Wir aßen jeden Tag Fisch. Es waren immer die gleichen: Heringe. Aber was für Heringe. Man macht sich keine Vorstellung, wie gut sie schmecken, wenn sie frisch aus dem Meer kommen und jeden Tag anders zubereitet werden. Einmal hieß die Zubereitung grün, einmal hieß sie blau, oder sie wurden mariniert mit Zwiebeln, Essig und Öl. Es war immer köstlich. Sogar Brecht, der stets sagte: »Das gibt's in Augsburg nicht«, sogar dem hat es geschmeckt. Einmal sind wir mit zum Fischen gefahren, und da sind wir beide, Brecht und ich, seekrank geworden. Lion passierte das nie. Er saß ungerührt da, und wir haben ihn gehaßt, weil uns so schlecht war. Wir kamen gerade noch rechtzeitig ans Ufer. Der Brecht war schon ganz grün, und ich sah auch nicht besser aus.
Jeden Tag gingen wir zum Bahnhof. Es war die große Sensation des Ortes, wenn der Zug mit der Post kam. Alles fand sich ein, die Einheimischen und auch die wenigen

Fremden. Uns fiel auf, daß ein Herr ungeheuer viele Zeitungen mit der Post bekam. Er steckte sie sich in alle Taschen: die beiden Rocktaschen, die Brusttaschen, überall standen sie heraus. Brecht meinte lachend: »Dieser Herr überschätzt die Zeitungen wie Karl Kraus.«
Als Brecht früher wegfahren mußte und wir noch einige Tage blieben, sahen wir wieder den Herrn mit den vielen Zeitungen. Ich erkundigte mich heimlich: »Wer ist denn dieser Herr?« Und erhielt die Antwort: »Das ist Karl Kraus.«
Später hörten wir, daß er in seiner »Fackel« geschrieben hat: »Ich war auf der Insel Rügen, wo es sehr schön ist, und da sah ich immer die Schriftsteller Brecht und Feuchtwanger spazierengehen mit ihren Frauen. Ich muß schon sagen, die Frauen sind viel zu gut für diese beiden.«
Auch zwischen Karl Kraus und Herbert Ihering gab es eine große Fehde, und wieder ging es um Brecht. Da Ihering für Brecht eintrat, war Kraus gegen ihn. Genau wie Alfred Kerr in Berlin. Kerr hatte, in Anspielung auf Arnolt Bronnen, geschrieben: »Der Brecht geht so lange zum Bronnen, bis er bricht.« Brecht las dann aber »Die Chinesische Mauer« von Karl Kraus. Er war sehr beeindruckt, ist nach Wien gefahren, hat sich mit Karl Kraus angefreundet und auch etwas von ihm aufgeführt. Von da an ist Karl Kraus sehr für Brecht gewesen.
Wir sahen uns noch die großartigen Kreidefelsen auf Rügen an, dann fuhren auch wir zurück.

Als wir in München ankamen, erwartete uns viel Post, vor allem ein Brief von Brecht, der ungeheuer drängte, wir sollten doch endlich nach Berlin ziehen. In München sei die Atmosphäre zu bedrückend; die Stadt sei ein Provinznest. Auch Heinrich Mann war nach Berlin gegangen und

dort geblieben. Er hatte sich scheiden lassen und mit der großen Hesterberg angefreundet.
Der Entschluß fiel uns schwer. Aber es gab noch andere Gründe, die uns beeinflußten, tatsächlich nach Berlin zu übersiedeln. Da war erstens die Sache mit der Steuer. Während der Inflation sollten wir Steuern bezahlen von den Einnahmen, die Lion von den Theatern hatte. Es handelte sich dabei um beträchtliche Summen, aber bis sie in unsere Hände gelangten, waren die Geldscheine wertlos. Denn die Tantiemen gingen ja erst an den Verlag und von da an die Bank, die uns dann erst benachrichtigte. Wenn wir das Geld abholten, war es nichts mehr wert. Wir aber sollten die Steuern von dem Wertbetrag zahlen, der ursprünglich eingegangen war. Lion sagte: »Das ist nicht möglich. Da würden wir verhungern.« Die Beamten stellten sich stur und erklärten, das sei gleichgültig. »Mark ist Mark, und so und so viel Geld haben Sie eingenommen.« Das war natürlich reine Schikane, und das haben sie dann auch zugegeben. »Jedermann ist jetzt mit einem Fuß im Zuchthaus«, bekamen wir zu hören. »Und überhaupt sind Sie hier sehr unbeliebt. Wir hätten Sie schon längst ausgewiesen, wenn Sie nicht beide hier geboren wären.«
Wir wußten von einem Österreicher, der in München ein großes Wäsche- und Spitzengeschäft besaß. Er war sehr angesehen und sehr vermögend. Darüber hinaus galt er als großer Wohltäter, weil nämlich die Ware, die er verkaufte, im Kloster zum Guten Hirten angefertigt wurde. In diesem Kloster fanden die Prostituierten Aufnahme, die krank waren und keine Unterkunft hatten. Damit war allen gedient. Da er aber österreichischer Jude war, wurde er, zusammen mit seinen schönen und eleganten Töchtern, ausgewiesen. Das Kloster hatte keine Arbeit

mehr, und die kranken Mädchen mußten wieder auf die Straße. So war die Stimmung in München.

Aber da war noch etwas. Renato von Hollander – der Mann von Mira Deutsch, bei der seinerzeit das Fest mit dem Nachspiel bei Gericht stattfand – kam, um sich bei uns zu verabschieden, weil er auch endgültig nach Berlin ziehen wollte. Zwar war er Aristokrat, aber sehr links. Als er eintrat, sagte er: »Schauen Sie mal aus dem Fenster.« Unten erblickten wir zwei Männer, die wie typische Detektive aussahen – auf der ganzen Welt haben sie meistens Regenmäntel an und tragen steife Hüte. Die standen da und paßten auf, was der Renato bei uns tat. Der verabschiedete sich nur, aber das war schon verdächtig.

Es war ungemütlich, unten immer Leute stehen zu sehen, die auf einen aufpaßten. Einmal kamen sie wieder wegen dieser Steuerangelegenheit und warfen uns unser »ungeheuer luxuriöses Leben« vor. Das sah aber nur so aus. So hatten wir zum Beispiel eine große Einladung, bei der sogar Schinken serviert wurde. Anlaß für das Fest war Sybille Binders Engagement zu Reinhardt nach Berlin, und die Kammerspiele wollten ihr ein Abschiedsfest geben. Wir waren die einzigen mit einer Wohnung, die groß genug war, um alle Schauspieler des Ensembles unterzubringen. Das Theater hatte alles geliefert, auch das sogenannte Luxusessen mit Schinken. Wir hatten also überhaupt nichts damit zu tun, nur die Wohnung zur Verfügung gestellt, und ich habe sie, wie üblich, hinterher gesäubert.

Dieser Vorfall gab den letzten Anstoß. Wir beschlossen, nach Berlin zu gehen. Die Entscheidung fiel uns recht schwer, denn wir hatten die bayerische Umgebung sehr gern, die nahen Berge, die Nähe Italiens, das Isartal. Es war ein großer Entschluß für uns.

Aber dann gab es in der Münchner Staatsoper Demonstrationen gegen Bruno Walter, einen Mann, der als Generalmusikdirektor ungeheuer beliebt war. Man warf faule Eier und Tomaten auf ihn. Auch er hatte genug, und auch er ging nach Berlin. Dort wurde er sogleich wieder musikalischer Leiter der Staatsoper und ist eigentlich »die Treppe hinaufgefallen«.

Lion fuhr nach Berlin voraus und wohnte bei seiner Schwester. Ich hatte die Münchner Wohnung aufzulösen. Koffer und Kisten stellte ich bei meinen Eltern auf dem Speicher unter. Vor der Übersiedlung fuhr ich schnell noch zum Skilaufen auf die Ulmer Hütte bei Sankt Anton in Österreich. Dann ging es direkt nach Berlin.
Dort mußten wir am Fehrbelliner Platz eine Etagenwohnung nehmen, weil wir keine geborenen Berliner waren. Damals, 1927, gab es eine Verordnung. Es durfte nicht gebaut werden; wir konnten also nur in Neubauten einziehen oder in aufgestockte Häuser. Eigentlich hatten wir nur ein und ein halbes Zimmer mit Küche, und das für sehr viel Geld. Dafür gab es eine weite Sicht, und unten entdeckte ich Tennisplätze, die im Winter in Eislaufflächen verwandelt wurden. Das war etwas für mich.
Und wir stellten fest, daß Berlin eine aufregende Stadt war.

8

Es wurde Zeit, meine amerikanische Reise vorzubereiten. Ein Freund, mit dem ich in der Schweiz zum Skilaufen gewesen war, hatte mich nach New York eingeladen.
Als wir in den Hafen einliefen, war ich überwältigt von der Wolkenkratzer-Silhouette. Zuerst besuchten wir die Vororttheater, wo manchmal sehr derbe Späße gemacht wurden. Mir fiel sofort auf, daß das Publikum dieser Theater in erster Linie aus Matrosen aus aller Herren Länder bestand, und auf der Bühne waren es meistens jiddische Schauspieler, die jiddische Witze erzählten oder als knock-about herumturnten. Die Matrosen amüsierten sich königlich. Ich habe das meiste nicht verstanden, aber die lustige Stimmung war ansteckend.
Auch eine Art Folies-Bergères entdeckte ich in New York. Dort bestand das große Ereignis des Abends darin, daß der damalige Bürgermeister sowohl in der Loge als auch auf der Bühne anwesend war, um dem Boxer Jack Dempsey den Goldenen Schlüssel der Stadt zu überreichen. In der Loge saß der wirkliche Jimmy Walker, der beliebteste Bürgermeister von New York; obwohl er später in Schwierigkeiten geriet und zurücktreten mußte, blieb er immer »our Jimmy Walker«. In der Show wurde er von einem Schauspieler verkörpert – sehr elegant, sehr liebenswürdig und sehr humorvoll. Zwar war Jack Dempsey gerade von Tunney besiegt worden, trotzdem erhielt er die Auszeichnung. Die Leute klatschten, jubelten, schrien und trampelten, schließlich kam auch der wirkliche Bür-

germeister auf die Bühne und schüttelte Dempsey die Hand. Die Boxtechnik des Siegers Tunney galt als intellektuell, während Dempsey mit seinem indianischen Blut und seinem Draufgängertum die New Yorker begeisterte. Dann folgte noch eine leicht sentimentale Szene. Es erschien ein junger Grieche, der eher jüdisch aussah und später der berühmte Komiker Eddie Kantor wurde. Er führte eine Schafherde auf die Bühne und sang ein Lied, ich glaube, es war Jerome Kerns »Smoke gets in your eyes«. All das an ein und demselben Abend.

Am nächsten Tag gingen wir nach Harlem. Das Negerviertel war völlig abgesondert vom übrigen Leben in Manhattan, und die Schwarzen blieben ziemlich unter sich. »Small's« war ein berühmtes Restaurant, das von den Bewohnern Harlems bevorzugt wurde.

Als wir dort ankamen, waren nur Neger da und zwei irische Polizisten. Wir nahmen Platz, bestellten und warteten auf das Essen. Einige Zeit geschah überhaupt nichts. Plötzlich kam ein Kellner herein, er trug hoch überm Kopf ein Tablett, auf dem Flaschen, Teller und Gläser standen. Mit einem Satz sprang er auf den Tisch und begann zu singen und mit dem Tablett zu tanzen. Die Musik fiel ein, es war Jazz. Und zwar echter Jazz, improvisiert, wirklich heiter, lustig, schrill, und ich verstand, was das bedeutet: Jazz. Daß das ein Überschwang an Lebensfreude ist und vielleicht sogar erinnert an afrikanische Lieder, von denen ich nur wenig wußte. Was ich später an Jazz hörte, klang in meinen Ohren immer verfälscht. Es war künstlich, verschnörkelt, verschönt und viel lauter.

Wir waren völlig unbeobachtet. Niemand kümmerte sich um uns, und so konnten wir alles besonders genießen. Diese unbeschreibliche Heiterkeit war deswegen so merkwürdig, weil ja eigentlich ganz Harlem sehr arm ist. Aber

wie diese Menschen unter sich so vergnügt sein und ihren tristen Alltag vollkommen ignorieren konnten, das war unvergeßlich.
Am nächsten Abend hatten wir Karten für eine Broadway-Premiere. Auch das Stück hieß, glaube ich, »Broadway«, und es war etwas ganz Neues für mich; denn ich war gewohnt, Theater als eine feierliche Angelegenheit zu empfinden. Hier aber geschahen Dinge auf der Bühne, die man selber nie machen würde oder erleben wollte, es war wie das Leben selbst in Amerika, und vor allem in New York.
»Broadway« war eigentlich ein Verbrecherstück. Der Obergangster hatte in seiner Rolle einäugig zu sein, er trug aber nicht etwa eine Binde, um so zu erscheinen, er hatte wirklich nur ein Auge. Und so echt wie dieses Detail war die ganze Aufführung. Nichts war nur gespielt. Das war alles gelebtes Leben, und auch das Publikum lebte mit. Ich hatte so etwas noch nie gesehen. Später, als ich zurückkam nach Berlin, habe ich Brecht davon erzählt, der sich ungeheuer dafür interessierte. Vielleicht hat es sogar auf ihn gewirkt.

Nachdem wir alles gesehen hatten, was sehenswert war, beschlossen wir eine Reise zu machen. Cuba erschien uns am verlockendsten. Mit einem Schiff der United Fruit Company, einer englischen Gesellschaft, fuhren wir direkt von New York nach Cuba. Auf dem Weg dorthin erlebten wir einen Taifun. Wir lagen in unseren Liegestühlen auf Deck, und plötzlich wurde es dunkel, der Himmel verfärbte sich schwarz, dann grünlich gelb, und das Wasser sah aus wie Blei. Überall auf dem Meer tanzten Wasserhosen, die dem Schiff immer näher kamen. Der Kapitän wurde blaß, es schien also ziemlich gefährlich zu sein

Aber niemand war eigentlich sehr aufgeregt, und die Erscheinung dauerte auch nur kurze Zeit. Die Wasserhosen lösten sich in furchtbaren Regenschauern auf, man blieb in den Liegestühlen und stand gar nicht erst auf, so schnell war der Spuk vorbei. Die Sonne schien wieder, und im Nu war man trocken.

In Cuba war unsere erste Station Havanna, eine alte Stadt mit zahlreichen barocken Kirchen. Aber das Schönste war die Umgebung, und dort, in Marianao, haben wir gewohnt. Marianao ist ein großer Badeort, der direkt am Meer liegt. Mein Begleiter hatte eine berufliche Verabredung andernorts, so blieb ich allein da. Es war glühend heiß, mein erster Gang führte mich an den Strand. Dort mußte man Eintritt zahlen, sonst hätte man nicht ans Meer gekonnt. Cuba war ja noch eine Diktatur. Keiner durfte an den Strand, der nicht gezahlt hatte, alles war Privatbesitz.

Marianao hatte einen sehr schönen Sandstrand, und ein riesiger Sprungturm, vier Stock hoch, stand mitten im Meer. Es zog mich magisch auf den Turm, und beim Hochklettern malte ich mir aus, wie schön es sein müßte, beim Herunterspringen so durch die Luft zu segeln. Ich kletterte ganz hinauf. Das oberste Sprungbrett war sehr lang und schmal, und ich bedachte nicht, daß es schwingen würde, wenn man es betrat. Als ich auf das Brett hinausging, schwankte es so, daß mir schwindlig wurde. Tief unter mir war das Wasser, es flimmerte in der Sonne und blendete mich.

Ich bekam Angst und wußte nicht, ob ich zurück oder vorwärts sollte. Ich hatte nicht den Mut, mich auf dem Brett, das außerdem sehr glitschig war, umzudrehen. So bin ich aus lauter Angst endlich gesprungen. Vorher konnte ich noch schnell rekapitulieren, was ich in Berlin im Lunabad von meinem Schwimmlehrer gelernt hatte, nämlich wie man den Kopf halten muß. Denn wehe, es gelingt einem beim Kopfsprung nicht, richtig ins Wasser einzutauchen. Ich bin senkrecht im Wasser gelandet, aber ich sank sehr tief. Ich habe geglaubt, ich ersticke, weil mir der Atem ausging; aber dann kam ich doch endlich an die Oberfläche.

Als ich ans Ufer schwamm, sah ich viele aufgeregte Menschen. Sie gestikulierten und riefen auf spanisch: »Von der Höhe springt man doch nicht. Das ist ja heller Wahnsinn.« Ich verstand nur sehr wenig, aber ich merkte, daß man mein Verhalten mißbilligte. Und hinterher habe ich mich auch geschimpft, daß ich so unüberlegt gewesen war.

Am nächsten Tag fuhren wir mit einem offenen Auto auf eine Zuckerplantage. Da gab es wieder eine Situation, die ganz ähnlich der auf dem Schiff war. Wir hatten strahlend blauen Himmel, und plötzlich fing es an zu schütten. Ganz schmerzhaft hat man den Regen auf der Haut gespürt, und man war vollkommen durchnäßt. Aber wir sind ruhig weitergefahren und waren auch gleich wieder trocken. Hauptsache, daß wir weiß angezogen waren, sonst wären wir zerflossen in allen möglichen Schattierungen, denn damals kannte man ja noch keine farbechten Stoffe.

Auf der Plantage war es sehr schön, üppig grün und fruchtbar. Zuckerrohr aß man roh. Das war neu für mich. Männer mit breitrandigen Hüten, wie man sie jetzt in Filmen sehen kann, hieben mit großen Messern – Macheten oder Urwaldmessern – auf das Zuckerrohr ein und schnitten es auf diese Weise. Wir hörten von einer neuen Art der Zuckeraufbereitung. Ich habe brav zugehört, aber nicht viel verstanden.

Merkwürdige Früchte gab es in Hülle und Fülle, aber wir

sehnten uns manchmal nach einem richtigen Apfel. Am häufigsten bekamen wir Ananas, die wir auf bayrisch-österreichisch »Negerruabn« nannten, weil sie so alltäglich waren wie Rüben.
Auf dem Rückweg kamen wir an einem kleinen See vorbei, wo es ungeheuer viele Schildkröten gab, riesengroße und winzige. Das ganze Wasser bewegte sich. Viele der Tiere waren sehr schön mit ihren schillernden Panzern; aber es gab keine Fische. Dafür sahen wir eine Gruppe großer, storchartiger Vögel: Flamingos, von denen ich vorher oft geträumt hatte, rosa Märchenvögel. Sie standen wie Silhouetten gegen den Himmel, unbeweglich.
Als wir abfuhren, sahen wir auf dem Weg zum Schiff viele Betrunkene auf beiden Seiten der Straße liegen. Junge Cubaner faßten sie unter den Schultern und an den Füßen und trugen sie aufs Schiff; es waren Amerikaner, die nach Cuba kamen, weil sie zu Hause während der Prohibition nicht trinken durften. Das war der erste Eindruck, den junge Cubaner von Amerikanern hatten.
Die Cubaner, zumindest die in Havanna, sind feingliedrig, und die jungen Leute sind sehr schön. Sie wirken wie eine Mischung aus Asiaten und Spaniern oder Negern.

Nach New York zurückgekehrt, trafen wir Kollegen meines Freundes, die ebenfalls im Rockefeller Institut arbeiteten, und spielten mit ihnen Tennis. Man erzählte mir, daß die jungen Leute in Amerika keine Freundinnen oder gar Geliebte hatten. Manche waren dreißig, vierzig Jahre alt und noch nie mit einem Mädchen zusammengewesen. Es herrschte eine merkwürdige Stimmung; im Gegensatz zu den Negern, die so leicht und lustig waren, schienen mir die jungen Amerikaner immer niedergeschlagen zu sein. Mein Freund, der ein leichtblütiger Wiener war und

auf diesem Gebiet sehr aufgeschlossen, sagte mir, daß er das allgemein beobachtet habe. Er erzählte mir auch, daß ein Mann in eine gefährliche Lage geraten könne, wenn er den Versuch mache, sich einem Mädchen auf der Straße zu nähern: Die Mädchen kokettieren erst mit den jungen Männern, und wenn sie angesprochen werden, schreien sie um Hilfe. Sofort ist die Polizei zur Stelle, und die Mädchen behaupten, der Mann habe sie belästigt. Die Polizisten, die mit den Mädchen unter einer Decke stecken, verhaften den jungen Mann und verlangen ein hohes Bußgeld. Die Beute teilen sie sich dann mit den Mädchen. In diesem Punkt hat sich in Amerika seit den zwanziger Jahren in jeder Hinsicht sehr viel geändert.
In Cuba war mir übrigens etwas sehr Ärgerliches passiert. Als ich angekommen war, hatte ich Lion ein Telegramm geschickt, das ihn aber nie erreichte. Später sagte man mir, in Cuba müsse man ein Telegramm einschreiben, um sicher zu sein, daß es überhaupt abgeschickt wird. Lion hat lange nicht gewußt, wo ich war, bis ich dann von Amerika aus wieder telegrafierte, daß ich zurückkäme. Luftpost gab es noch nicht.

Zur Rückfahrt nach Europa startete ich in der für eine Schiffsreise schlechtesten Zeit, im November. Wir gerieten in einen furchtbaren Sturm, Windstärke 9, glaube ich, und die Wellen schlugen über das Schiff. Man konnte gar nicht auf Deck gehen. Alle wurden seekrank, auch die Drucker der Zeitung und die Musiker. Aber ich war durch die Hinfahrt von Deutschland seefest geworden. So waren ein Rabbiner aus Polen, ein winziger alter Mann, und ich die einzigen Gäste im Speisesaal, und ich wurde oft vom Kapitän eingeladen zu Austern, Kaviar und Sekt.
Auf dem Schiff konnte man Tennis spielen. Das war Deck-

Tennis, mit etwas anderen Regeln; wenn Gefahr bestand, daß auch mir flau wurde, und das Schiff nicht allzusehr schlingerte, spielte ich es oft mit den Schiffsangestellten. Einmal kam ein sehr vornehm aussehender, eleganter Herr herauf und fragte mich: »Hören Sie mal, Frau Feuchtwanger, wie stellen Sie es an, daß Sie nicht seekrank werden?« – »Da brauchen Sie nur Tennis zu spielen«, antwortete ich. Bewegung gleicht offenbar den Wellengang aus.

Er spielte dann tatsächlich mit mir, sogar sehr gut. Es war Dr. Goldwater, der Direktor des größten Krankenhauses in New York, und er sagte, von nun an würde er allen seinen Patienten raten, als Mittel gegen Seekrankheit Deck-Tennis zu spielen.

Als sich der Sturm gelegt hatte, machte ich täglich in aller Frühe einen Dauerlauf. Man sitzt oder liegt auf einem Schiff doch immer nur herum und hat zu wenig Bewegung. Eines Morgens hatte ich bei meinem Frühsport eine merkwürdige Begegnung. Auf Deck stand irgendso ein runder, faßartiger Behälter, sehr groß, ich hatte ihn nie weiter beachtet. Doch als ich diesmal daran vorbeilaufen wollte, öffnete sich der Deckel, eine riesige Schildkröte streckte ihren Kopf heraus und hängte sich mit den mächtigen Beinen über den Rand des Fasses. Es sah so aus, als ob sie beten würde. Sie schöpfte etwas Luft, dann zog sie sich wieder in ihr Verlies zurück, und der Deckel schloß sich von selbst.

9

In Berlin erwartete mich mein erstes Auto, ein kleines Fiat-Kabriolett – ein Sportwagen, und ich habe mich natürlich gleich draufgestürzt. Doch obwohl ich schon den Führerschein hatte, mußte ich einsehen, daß ich gar nicht fahren konnte, denn ich fürchtete mich vor dem großen Verkehr in Berlin. Außerdem war das Pflaster als glitschig berüchtigt, wenn es geregnet hatte.
Ein anderes Problem war die fehlende Garage, man konnte den Wagen auch nicht auf der Straße stehen lassen, weil man die ganze Nacht das Licht anlassen mußte; am nächsten Tag war die Batterie leer. Unser Mietshaus hatte keine Garage, so mußte ich in der Nähe eine mieten. Aber es gab keine einzelne, sondern nur eine für drei Wagen, und jedesmal, wenn ich am Abend nach dem Theater hineinfahren wollte, ist ein Wagen so gestanden, daß er den Eingang verstellte.
Einmal bei Tag war es wieder so, als ich aus der Garage heraus wollte. Die beiden anderen Wagen wurden von Männern gefahren – ich war die einzige Frau –, und die dachten, sie könnten sich alles erlauben. Zufällig beobachtete ein Privatchauffeur, der den Wagen seines Chefs wusch, die Szene. Er sagte: »Det Kind werden wa schon schaukeln«, und schob den anderen Wagen weiter nach innen. Ich erzählte ihm, daß ich mich nicht traute, in der Stadt zu fahren, wo großer Verkehr herrschte. Er antwortete wieder: »Na, det Kind werden wa schon schaukeln. Sie ham doch den Führerschein, da fahr ick ’n paarmal mit

Ihnen, det macht Ihnen Mut.« Und nach einer kurzen Pause: »Meen Chef wartet jetzt uff mich. Den ruf ick an und sag ihm, det Auto ist kaputt, es muß zerlegt werden, und ick muß es erst reparieren.«
So ist er mit mir in der Stadt im dicksten Verkehr herumgefahren. Aber es fing an zu regnen, und da war es wirklich, wie ich schon sagte, sehr glitschig. Vor uns kam ein Autobus ins Rutschen und kippte um. Es ist niemand was passiert, denn der Bus war leer; aber der Unfall hatte mich so erschreckt – ich beobachtete auch noch, wie ein Radfahrer stürzte –, daß ich meinen Kopf zwischen die Knie steckte und nichts mehr sah. Der Chauffeur aber war ganz unbekümmert und sagte: »Sie brauchen jar nich nervös werden. Jetzt fahren Se da ruhig raus aus det Jedränge, und dann kommen wa schon nach Hause.«
Das hat genützt. Als ich glücklich zurück war, fing ich wirklich an zu üben, und in den Nebenstraßen bin ich geradeaus und rückwärts gefahren und habe auch gewendet, und so hab ich's allmählich gelernt.
Eines Tages fuhr ich mit Lion zum Augenarzt. Als wir zurückkamen, mußten wir an einer Kreuzung halten. Ampeln gab es ja noch keine, ein Schutzmann stand da mit ausgebreiteten Armen, und man mußte warten, bis die anderen Wagen aus Querstraßen durchgefahren waren. Ich stand also und wartete. Da kam von der rechten Seite ein riesiger Mercedes. Plötzlich glitt sein Kotflügel über meinen, und ich konnte mich nicht mehr rühren. Der Chauffeur – es war auch ein Privatchauffeur – stieg aus und fing an zu schimpfen: »Natürlich die Weiber, müssen auch Autofahren! Sie haben mir mein Auto kaputtgemacht, und ich muß meinen Chef abholen.« Er schrie so laut, daß sich eine große Menschenmenge ansammelte.
Alle waren auf seiten des Chauffeurs. Aber dann kam der

Schutzmann, der den Verkehr geregelt hatte, und sagte zu ihm: »Sie schweigen. Ich habe das Ganze gesehen. Diese junge Frau ist überhaupt nur dagestanden und hat auf mein Signal gewartet, und Sie sind von hinten gekommen und haben das alles angerichtet.« Er nahm den Unfall zu Protokoll und erklärte dem Chauffeur: »Es wird ein Verfahren gegen Sie eingeleitet werden.« Somit war alles in Ordnung. Mein Wagen hatte nicht sehr gelitten, und die Versicherung hat's bezahlt.

Aber nach ein paar Tagen kam der Schutzmann zu uns, er habe jetzt die Sache mit mir aufzunehmen: »Sie müssen als Zeuge erscheinen.« Ich war verlegen: »Mir ist das sehr unangenehm. Dieser Chauffeur ist ein Angestellter, und wenn es herauskommt, daß er die Sache angerichtet hat, wird er womöglich entlassen. Vielleicht hat der Mann Frau und Kinder. Ich will keine Bestrafung.« Das hat dem Schutzmann sehr gefallen, er hat mir recht gegeben, obwohl er das wahrscheinlich nicht durfte: »Also schön, ich werde dafür sorgen, daß das Verfahren eingestellt wird.« Dann wandte er sich an Lion: »Wissen Sie, ich hab Ihre Frau schon lange beobachtet. Ich sehe sie oft da herumflitzen mit ihrem Auto. Sie fegt so schnell um die Ecken, daß die Hinterräder des kleinen Wagens in der Luft sind. Doch sie fährt so gut – sie kann sich das erlauben.« Es gab ja damals in Deutschland keine Geschwindigkeitsbegrenzung. »Aber«, sagte er im Gehen, »Ihre Frau müßte schon längst ein besseres Auto haben.«

Daraufhin hat mir Lion später den Buick gekauft.

Ich war der Meinung, daß Lion auch fahren lernen sollte. Er nahm also einen Kurs, aber der Lehrer verlor bald die Geduld, er erklärte den Schüler für unbegabt: »Er ist zerstreut und paßt nie auf, wo er ist und was er tut.« So empfahl er meinen Mann an einen Konkurrenten. Mit

Müh und Not hat Lion schließlich den Führerschein bekommen; eigentlich war es sehr ungerecht, und es geschah offenbar nur wegen seines Namens.

Lion setzte sich so gut wie nie ans Steuer. Manchmal, wenn wir in der Umgebung herumfuhren, meinte ich, er müsse dafür sorgen, daß er es nicht verlerne. So fuhr er gelegentlich auf leichten Strecken.
Als ich ihn wieder einmal überredet hatte, kamen wir an einer Fabrik vorbei, und unglücklicherweise war da gerade Feierabend, alles strömte heraus, es wimmelte von Menschen. Lion geriet in Panik, er wußte nicht mehr, was er tun sollte, und vergaß, daß es eine Bremse gibt, mit der man den Wagen anhalten kann. Da hab ich mit der linken Hand das Steuer genommen und uns durch die Menge hindurchgewunden. Mit dem kleinen Wagen war das nicht schwierig. Aber plötzlich standen zwei Schutzleute vor uns: »Wer von Ihnen fährt eigentlich den Wagen?« Da wir beide unsere Führerscheine hatten, konnten sie nichts machen. Aber Lion meinte dann doch: »Ich glaub, es ist besser, wenn du fährst.« Ich jonglierte uns rückwärts aus der Menge heraus, und das ging gut.
Als Lion wieder Mut gefaßt hatte, kam eine Kuhherde über die Straße, er bremste zu spät und fuhr eine Kuh von hinten an. Dem Tier hatte es nicht viel getan, am Wagen hingen ein paar Kuhhaare, das war alles. Aber man hätte den vorwurfsvollen Blick der Kuh sehen sollen!
Es gibt eine Anekdote, die Roda Roda in der »BZ am Mittag« erzählte:
Feuchtwanger hat ein neues Auto gekauft und fährt damit durch die Kronprinzenallee. Plötzlich stößt er gegen einen Baum. Er steigt aus, geht um den Wagen herum

und sagt: »Das ist ja ganz schön, aber wie bring ich den Wagen zum Halten, wenn kein Baum dasteht?«

Lion arbeitete damals gerade mit Brecht an »Kalkutta, 4. Mai«. Brecht fand, daß »Warren Hastings« zwar ein wirksames Stück sei, er meinte aber, es müsse modernisiert oder bearbeitet werden, und er wollte unbedingt, daß Lion das tat, und zwar mit ihm. Lion war lange nicht davon überzeugt, aber schließlich gab er nach, und sie gingen gemeinsam an die Arbeit an »Kalkutta«.
Eines Tages, als ich vom Markt nach Hause kam, stürzte mir meine Zugehfrau an der Tür entgegen: »Ach, ich bin so froh, daß Sie endlich gekommen sind. Der Herr Brecht bringt gerade den armen Herrn Doktor um.« Ich fragte: »Ja, woraus schließen Sie denn das?« Und sie: »Erst hat man beide sprechen hören. Jetzt redet nurmehr einer, und das ist nicht die Stimme vom Herrn Doktor.«
Also ging ich ins Zimmer, und da saßen die beiden und lachten. Offenbar hatten sie eine scharfe Diskussion gehabt, die war aber inzwischen beigelegt. Sie eröffneten mir, sie wüßten keinen rechten Übergang oder keine Lösung – und ob mir nicht was einfiele.
Mir ist auch was eingefallen. Sie haben es übernommen, und das war dann der Drehpunkt im Stück. Brecht hat gesagt: »Die Idee ist so gut, dafür sollten Sie 450 Mark bekommen.« Jedesmal, wenn er mich später sah, fragte er: »Hat Ihnen eigentlich Ihr Mann schon die 450 Mark gegeben?«
Bei meiner Idee ging es um den Schmuck. Da nimmt die Frau, die der Gouverneur Warren Hastings liebt, Schmuck an von einem Volksstamm, und das natürlich würde ihm den Hals brechen, oder er müßte die Frau, wie es ursprünglich in »Warren Hastings« geschieht, wegschik-

ken. Brecht wollte aber ein Happy-End haben. Und da ist mir eingefallen, man könnte ja sagen, sie hat den Schmuck nur angenommen, um einem anderen Stamm zu helfen, bei dem große Hungersnot herrscht. Dadurch hatten Brecht und Lion den Dreh, daß Warren Hastings vermeiden konnte, die Frau wegzuschicken, er aber trotzdem sein Amt behielt. Ich muß jedoch gestehen, mir hat eigentlich der erste Schluß besser gefallen, in dem er die Frau nach Hause schickte.

»Kalkutta, 4. Mai« wurde dann auch mit gutem Erfolg am 12. Juni 1928 am Staatstheater in der Regie von Erich Engel und im Bühnenbild von Caspar Neher aufgeführt, und zwar mit Sybille Binder als Marianne und Rudolf Forster als Hastings.

10

Bald darauf bereiteten wir uns auf eine größere Reise vor, und zwar nach Paris und Spanien. Brecht war sehr dagegen, denn er wollte weiter mit Lion arbeiten. Trotzdem hat er uns am Bahnhof Zoo zum Zug gebracht.
Als wir in Paris mit einem Taxi beim Hotel ankamen, stand ein vornehmer alter Herr am Portal und öffnete die Wagentür, um ein Trinkgeld zu bekommen. In Frankreich war Inflation, und es herrschte offensichtlich großes Elend. Einen schroffen Gegensatz dazu boten die Folies-Bergères, wo mit ungeheurem Luxus ein neues Programm aufgeführt wurde, eine Revue, in der zum erstenmal Maurice Chevalier und die Mistinguette gemeinsam auftraten. Es war ein Riesenerfolg.
Wir besuchten den Louvre und sahen die Nike von Samothrake. Diese Statue vermittelt einen ungeheuren Eindruck, sie hat weder Kopf noch Arme, aber alles ist Bewegung. Dann die Radierungen von Goya – herrlich! Wir wollten mehr von ihm sehen, und so reisten wir direkt von Paris nach Madrid, um in den Prado zu gehen, in dem sich die meisten Goya-Gemälde und auch seine Radierungen befinden. Dort faßte Lion den Entschluß, seinen Goya-Roman zu schreiben.
Von Madrid aus machten wir Ausflüge nach Toledo, wo sich in einer Kirche das berühmte, merkwürdige Altargemälde von El Greco befindet, die Grablegung eines Grafen. Es war so aufregend, weil Greco auf mich gar keinen so großen Eindruck gemacht hatte, als ich seine Gemälde

in Paris gesehen hatte, wo sie zu grell beleuchtet waren. Man muß El Greco in den Räumen erleben, für die seine Bilder gedacht waren. Da sah ich wieder, daß ein Maler nicht malt für Museen, sondern für den Raum, in dem das Bild aufgestellt wird. Jetzt erst verstand ich die Kunst El Grecos.

Wir gingen nach Granada und sahen die Alhambra. Der Eindruck war überwältigend: Die ganze Umgebung ausgetrocknet, die Vega, die große Ebene, im Hintergrund das Gebirge, sogar Schneeberge, doch alles vollkommen verödet. Plötzlich kommt man an einen Hügel, der ganz grün ist, und wenn man hinaufsteigt, fließen überall die Wasser herunter, es riecht klar und feucht, und wunderbare Pflanzen hängen in das Wasser. Dann steigt man weiter, bis man am Schloß, an der Alhambra, angelangt ist. Man betritt sie durch ein hufeisenförmiges Tor, und ich war sehr gespannt, vor allem auf den Löwenhof. Ich hatte oft Bilder davon gesehen, auf ihnen sahen die Löwen riesenhaft aus und majestätisch. Als ich nun dort hineinkam, war alles so zierlich, der Brunnen, die Löwen und die Säulchen – es war eine große Enttäuschung. Aber dann gingen wir weiter. Wir gelangten in den berühmten Myrtenhof, in dessen Mitte sich ein rechteckiges Wasserbecken befindet, keine Pflanzen darin, nur die ruhige Wasserfläche. Auf allen Seiten waren Bogengänge, und dahinter, über der Mauer, erblickte man Bäume und Berge. Das war für mich das wirkliche Spanien. Alles, was ich vorher in der Alhambra gesehen hatte, diese Hufeisenbogen und hellblauen Kacheln, war Spielerei. Was ich sonst schön fand an dem Schloß, war die Tatsache, daß es eigentlich gar kein Schloß war, sondern eine Art Festung, die sich der Form des Berges angepaßt hatte und nie zu Ende ging, weil immer wieder angebaut worden war. Die Alhambra wirkte

auf mich nicht wie ein einheitliches Bauwerk. So hat sie auch nicht die Natur unterbrochen, man sieht eigentlich immer nur Mauern und Bäume.
Ein andermal gingen wir auf einen felsigen Hügel. Es gab dort nur eine Straße, auf und in der alles weiß getüncht war. Im Felsen waren überall Grotten, von denen jede eine Zigeunerfamilie beherbergte. Wenn man durch die offene Tür hineinsah, entdeckte man zunächst eine Nähmaschine. Sonst gab es kaum Möbel. Unmengen von Kindern kamen herausgestürzt und umringten uns, weil sie Geld haben wollten, und trotz der Warnung, man solle ihnen keines geben, haben wir ihnen doch Münzen zugesteckt. Aber auf einmal konnten wir uns überhaupt nicht mehr bewegen. Die kleinsten Kinder hingen an unseren Füßen, und wir hatten Angst, Flöhe zu bekommen. Mit Mühe kamen wir ein paar Schritte voran, nachdem wir die Kinder etwas weggeschoben hatten; doch plötzlich ging eine Frau auf uns los und verfluchte mich, weil ich die Kinder beleidigt hätte.

Als nächstes fuhren wir nach Sevilla, um einen Stierkampf zu sehen. Überall war angeschlagen, daß der große Matador Jean Delmonde am Ostersonntag kämpfen würde. In der Früh sahen wir uns zunächst die Prozession an. Man trug die Heiligen durch die Straßen, schwankend auf breiten, spitzenbedeckten Brettern, riesengroße Kreuze und Fahnen; sogar das Allerheiligste wurde offen getragen. Alle knieten nieder und bekreuzigten sich, und die gleichen Leute, die hier große Frömmigkeit bewiesen, besuchten dann am Nachmittag den Stierkampf, um sich die Schlachtung der Stiere anzusehen. Ich wollte eigentlich nicht hingehen, aber dann haben wir gedacht, es gehört dazu, man darf sich das nicht ersparen.

Die Frauen in Spanien tragen im allgemeinen schwarze Schals, aber an diesem Tag hatten sie alle bunte Tücher bei sich, meist rot oder rot und gold, die hängten sie vor sich auf die Balustrade, so daß die ganze Arena in der Sonne leuchtete. Das war für mich eigentlich das Schönste.

Was ich da mit ansehen mußte, war so schlimm, wie ich es befürchtet hatte. Der Stier wurde hereingejagt, und die Bandilleros sprangen auf ihn los und stießen kleine Fähnchen in sein Rückgrat, um ihn zu reizen. Dann kamen Männer mit Speeren zu Pferde. Da war ein magerer alter Klepper, und der Stier rammte ihm seine Hörner in den Bauch – den dumpfen Klang des Stoßes werde ich nie vergessen. Er wirkte auf mich gräßlicher als das herausquellende Blut. Der Stier wurde immer wilder und stürmte mit den Fähnchen durch die Arena: er hatte Blut gerochen, und das Pferd schleifte seine Gedärme nach. Jetzt erschien der Torero mit der Muleta, dem großen, an einem Stock befestigten roten Tuch, mit dem er eine Art Tanz aufführte und sich manchmal mit dem Rücken zum Stier drehte. Die Leute schrien »Olé!«, weil diese Pose als sehr mutig galt. In der letzten Passage kniete er vor dem Stier, und zum Schluß, um den Kampf zu beenden, mußte er mit einem einzigen Degenstoß das Tier von vorne zwischen den Schulterblättern und der Wirbelsäule ins Herz treffen. Das muß beim ersten Mal gelingen, sonst wird der Torero furchtbar ausgelacht, und die Leute werfen mit ihren Hüten, Kappen, Flaschen und allem möglichen nach ihm.

Aber natürlich hat Jean Delmonde den Stier sofort besiegt. Er schnitt ihm ein Ohr ab und schritt im Triumph die ganze Arena ab. Das Publikum sprang auf und schrie. Dann warf er das Ohr irgendeiner wichtigen Persönlichkeit zu. Das galt als große Huldigung.

An der Goldküste gingen wir wieder einmal zu Fuß am Meer entlang. Es war sehr einsam, es gab nur ganz wenige Orte. Wir dachten: hier ist es nun wirklich menschenleer, da können wir endlich einmal schwimmen. Aber es war verboten, denn außerhalb der Fremdensaison durfte man nicht ins Meer. Es gab auch nirgends Möglichkeiten, sich umzuziehen, so daß wir immer schon im Hotel unsere Badeanzüge unter den Kleidern angezogen hatten. Als wir nun gerade ins Meer gehen wollten, kam ein Priester mit seinem Brevier und untersagte uns streng zu schwimmen. Es war also wieder nichts. Zu alldem gab es in den Hotels meistens keine Badezimmer, und es war recht traurig, sich immer nur in der Waschschüssel zu waschen. Auch waren wir ja leidenschaftliche Schwimmer.
Wir beschlossen nach San Sebastian weiterzufahren. Der Krieg zwischen Spanien und den Berbern in Marokko war gerade zu Ende. Die Spanier hätten nie einen Sieg davontragen können gegen Abd El Krim, jetzt endlich hatten die Franzosen sie unterstützt, und Abd El Krim ergab sich nicht den Spaniern, mit denen er jahrelang Krieg geführt hatte, sondern den Franzosen.
Vor unserem Start nach San Sebastian blieben wir in einem kleinen Ort und übernachteten da in dem Hotel »Alfonso Treze«. An zwei großen Tischen saßen hier die französischen und dort die spanischen Offiziere; an dem kleinen dazwischen saßen wir, und kein Mensch hat gesprochen. Nur eine einzige Lampe verbreitete trübes Licht, es war sehr bedrückend. Schließlich sollte der Friede etwas Feierliches und Fröhliches sein, aber davon war nichts zu spüren.
Am Tag darauf gingen wir in Malaga spazieren und fanden die großen Bergwände, die steil zum Ort abfallen, bemerkenswert. Wir beobachteten, daß oben Menschen saßen, stumme Silhouetten von Männern. Sie hielten Schnüre und

dünne Angelruten in den Händen, die den Abhang hinunterhingen. Da kein Wasser in der Nähe war, konnten wir das nicht verstehen und erkundigten uns nach ihrem Tun. Man sagte uns, die Leute angeln nach Vögeln. Sie hatten Köder an den Enden der Angeln befestigt, und wenn die Vögel daran pickten, klebten sie daran fest und waren gefangen. Die Tiere galten als Delikatesse. Außerdem fiel uns auf, daß man überall an den Straßenecken kleine Krabben in Pfannen auf offenem Feuer briet. Das ergab ein besonders gutes Gericht. Aber die Vogelfängerei hat uns deprimiert, und wir haben Malaga bald verlassen.
Dann versuchten wir unser Glück in San Sebastian. Das ist ein berühmter Badeort, aber ein richtiger Strand war nicht zu finden, und das Ganze sah nicht nach Schwimmen aus. Wir beschlossen, auf dem Rückweg nach Biarritz in Frankreich zu gehen. Vorher wollten wir nach Marokko. Wir fuhren also zurück nach Gibraltar und sahen uns den Felsen an, der vor allem von Affen bewohnt ist, die sich nicht weiter um die Menschen kümmern.
Von da aus ging's weiter nach Algeciras, und vom gegenüberliegenden Hafen schifften wir uns nach Marokko ein. Wir landeten in Ceûta, einem malerischen Ort am Mittelmeer; aber im Landesinnern sollte es etwas noch Schöneres geben: Tetuan. Damals nannte man es das marokkanische Rothenburg. Dort war noch alles wie im Mittelalter: weiße Mauern und weiße Häuser, die Männer trugen alle den Burnus, und an den Ecken saßen an einem Brunnen die Greise und erzählten den Kindern Geschichten. Es war wirklich wie im Märchen. Aber eigentlich wollten wir ja schwimmen.
Wir hörten, daß es in Tetuan einen deutschen Konsul gab, und zu dem sind wir gegangen. Als er uns nach unserem Anliegen fragte, lachte er: »Also dazu bin ich nach Afrika

als Konsul geschickt worden, um Ihnen zu erklären, wo Sie schwimmen können. Aber das kann ich Ihnen sogar wirklich sagen. Man geht auf den Marktplatz und wartet, bis mehrere Leute zusammengekommen sind, dann erscheint gewöhnlich eine alte Kalesche, und die nimmt die Leute, die Handel treiben wollen, mit nach Ceûta. Es sind meistens Frauen, die dort auf den Markt gehen, um ihre Waren zu verkaufen. Da sagen Sie einfach, Sie möchten mitfahren, so werden Sie ans Meer kommen.« So geschah es – aber schwimmen konnten wir wieder nicht.
Es sieht so aus, als ob wir in Spanien und Marokko nichts anderes taten, als fanatisch einen Strand zu suchen, von dem aus wir schwimmen konnten: unwahrscheinlich, aber es war wirklich so. Für uns war Spanien gleichbedeutend mit Sonne und Mittelmeer. Doch das soll nicht heißen, daß wir unser Hauptziel aufgegeben hatten: reisen. Reisen heißt, Dinge und Menschen sehen, die anders sind; reisen heißt, sich verlieren in Geschichte, Landschaft und Städten; sogar die fremde Sprache war Herausforderung und Triumph, wenn freundliche Gesichter auf ungeschickte Versuche der Verständigung reagierten. So haben wir natürlich unsere Irrfahrten oft unterbrochen, um von jenseits der Brücke das vieltürmige Saragossa zu bewundern oder in Cordoba staunend die Kathedrale zu betreten, die früher eine Moschee gewesen war – vollkommen unverändert seit den Tagen des spanischen Islam, mit den unzähligen schlanken Säulen, die sich wie ein Wald um uns schlossen.

Wir verließen Spanien, um wieder nach Frankreich ins nahe Biarritz zu fahren. Herrlich die großen Wellen des Atlantischen Ozeans, ganz gleichmäßig rhythmisch. Der Strand ist berühmt dafür. Man nimmt sich ein Zelt, in dem

man sich fast den ganzen Tag aufhält, obwohl die Zimmer in den Hotels sehr teuer sind.
Mitten am Sandstrand stießen wir plötzlich auf Arnolt Bronnen, den Schriftsteller, und Hans Brahm, den Regisseur, einen Neffen des berühmten Berliner Theaterdirektors Otto Brahm. Hans Brahm hatte auch in Spanien Filme gedreht. Wir machten Ausflüge zusammen, und vor allem wollte ich wieder einmal Tennis spielen. Ich hörte, daß es in der Nähe von Biarritz Tennisplätze gab und man dort vielleicht einen Trainer finden würde, mit dem man spielen konnte. Die Elektrische brachte mich hin, und Bronnen begleitete mich.
Bei dem Trainer nahm ich einige Stunden. Eigentlich war er Gymnasialprofessor, und er gab im Sommer zu seinem Vergnügen Tennisunterricht, da er sonst keinen Partner gehabt hätte. Er brachte mir den neuen Aufschlag bei, so daß ich, nach Deutschland zurückgekehrt, sogar in Turnieren mitspielen konnte. Natürlich spielte ich auch mit Bronnen, aber der wollte immer alles mit Gewalt machen. Er war für Gewalttätigkeit, ist ja auch zuerst für die Nazis gewesen.
Bronnen hat immer geglaubt, wenn man sehr stark auf den Ball schlägt, dann geht er auch in die richtige Ecke, aber das tat er natürlich meistens nicht. Entweder flog er ins Netz, oder er landete außerhalb des Tennisplatzes. Eines Tages, als ich gewonnen hatte, ärgerte er sich so, daß er den Tennisschläger hinschmiß: »Mit Ihnen spiel i nimmer, Sie woll'n immer g'winnen.« Ich wollte aber keinen Krach, denn ich kannte den Bronnen ja schon lange – er hatte mir in München das Radeln beigebracht, indem er mit Monokel neben mir hergelaufen war –, und sagte: »Na, probieren wir's noch einmal.« Da hat er dann auch gewonnen, denn ich hab halt selbst einige Male ins

Netz geschlagen. Der Tennislehrer war aber sehr böse mit mir und sagte: »Vous ne devez pas jouer avec Monsieur Bronnen, il gâte votre style.« Doch mir war das ganz Wurscht, ob ich einen Stil hatte oder nicht. Ich hab den Bronnen gern gehabt und wollte halt weiter gut mit ihm stehen und mich wegen des Tennisspielens nicht mit ihm verzanken.

Abends ging mein Lion immer ins Casino, aber in Biarritz hatte man sehr wenig Chancen zu gewinnen. In Monte Carlo war das anders gewesen, doch diese Badeküsten-Casinos sind die reinsten Räuberhöhlen. Lion hatte sich vorgenommen, eine kleine Summe zu setzen, er wollte spielen, und Bronnen war auch brennend interessiert daran.

Bronnen hat übrigens nie Französisch gesprochen, und so haben die Leute ihn natürlich nicht verstanden. Ich fragte ihn: »Warum sprechen Sie nicht Französisch, Sie haben es doch sicher in der Schule gelernt.« Er antwortete: »Nein, kein Wort Französisch. Ich will mit dem Gewelsch nichts zu tun haben.« Im Krieg war er in Italien verwundet worden und Gefangener gewesen. Er hatte einen Schuß durch den Hals bekommen, und von da an haßte er alles, was romanisch war. Wir überraschten ihn aber einmal, als er am Strand eine französische Zeitung las.

Eines Abends ging Lion also wieder einmal mit Brahm und Bronnen ins Casino, und ich wollte bei Mondlicht im Meer schwimmen, obwohl ich gehört hatte, das sei verboten. Auf jeden Fall lief ich zurück ins Hotel, zog meinen Badeanzug an, das Kleid darüber, und wollte an den Strand. Da sprach mich ein Herr an: Er sei fremd hier, was ich vorhabe, ob er mich begleiten dürfe. Ich sagte: »Ich möchte gerne im Meer schwimmen«, worauf er meinte, dann wolle er es auch. Als ich einwandte: »Ja, ich hab aber gehört, nachts ist das verboten, und man muß womöglich eine Strafe zahlen«, entgegnete er: »Oh, das macht mir nichts, ich bin zwar Schwede, aber ich komme aus Amerika und bin Filmdirektor. Ich bin mit Greta Garbo hier und habe Geld genug. Also gehen wir!« Wir sind dann im Meer geschwommen, es war sehr schön. Uns wurde auch nicht kalt, und es war sehr romantisch. Auf dem Rückweg ins Hotel sagte er: »Was haben Sie jetzt vor?« – »Ja, jetzt besuche ich meinen Mann im Casino«, entgegnete ich, und er spontan: »Geh ich auch mit.«

Gemeinsam betraten wir das Casino. Lion war ins Spiel vertieft. Wir nahmen Platz an einem anderen Tisch. Der Schwede stapelte einen Haufen Geld vor sich und fragte, warum ich nicht spiele. »Weil mich das nicht interessiert«, war meine Antwort. Darauf bot er mir an: »Sie können ja mit meinem Geld spielen.«

Das tat ich dann auch. Aber alles, was ich gewann, verlor ich wieder, und so sind wir vergnügt abgezogen.

Das war meine einzige Begegnung mit Irving Thalberg. Ich habe ihn nie wieder gesehen.

Eines Tages fanden Lion und ich am Strand große Verbotstafeln vor: Wegen des starken Wellengangs war es streng untersagt zu schwimmen. Für gewöhnlich konnte man an einem Seil ins Wasser gehen, aber wenn die Wellen zu heftig waren, bestand die Gefahr, daß man von dem Seil weggerissen wurde. Eine Engländerin hatte sich trotzdem hinausgewagt, sie war gar nicht weit draußen, aber sie wurde abgetrieben. Lion sah das und wartete nicht erst ab, ob die Rettungswache kommen würde, denn es wäre womöglich zu spät gewesen. Er ist ihr nach und hat sie wirklich so weit zurückgebracht, daß sie wieder ans Seil gelangte, und dann kamen sie langsam

zurück. Beide wurden von der Aufsicht sehr geschimpft, weil sie trotz Verbots ins Wasser gegangen waren.
Dann zogen wir nach Hendaye. Das liegt in der Nähe, etwas südlich von Biarritz, hat einen wunderbaren Strand und ist vollkommen fremdenleer. Dieses Bad war gerade nicht in Mode, und da war's natürlich besonders angenehm zu schwimmen.
Von Hendaye aus machten wir Ausflüge ins Baskenland, so nach St. Jean-de-Lutz, einem selten schönen Ort. Obwohl es so nah bei Biarritz lag, traute sich kein Mensch dahin, weil man mitten unter den Basken war.
Dort fühlten wir uns völlig unbeobachtet. Die Basken sind sehr stolz und lassen sich nicht anmerken, daß sie neugierig sind. Sie nahmen nicht die geringste Notiz von uns. So hatten wir Gelegenheit, das Volksleben ungestört auf uns wirken zu lassen.
Wir wußten, daß das Land immer nahe an einem Aufstand war. Die Basken wollten schon damals autonom werden. Man hatte das Gefühl, auf Dynamit zu gehen.

11

Als wir nach Berlin zurückkamen, erfuhren wir, daß der Roman »Jud Süß« gerade in England erschienen war. Bald darauf hörten wir von dem dortigen großen Erfolg, veranlaßt durch eine begeisterte Rezension von Arnold Bennett, der selbst ein angesehener Schriftsteller war.

Inzwischen hatte Lion seinen neuen Roman »Erfolg« begonnen, für den er recherchieren mußte. Die beste zeitgeschichtliche Quelle war die »Münchner Post«, die Kurt Eisner herausgegeben hatte. Mehrere Jahrgänge dieser Zeitung konnte man durch die Berliner Staatsbibliothek bestellen. Das war, wie man mir sagte, eine besondere Vergünstigung für den Autor von »Jud Süß«.

Lion reiste nach England. Er war als erster deutscher Schriftsteller nach dem Krieg von 1914/18 offiziell eingeladen worden. Die Labour Party, die damals an der Regierung war, veranstaltete ein Bankett; aber Lion bekam plötzlich hohes Fieber und war vollkommen heiser. So mußte das Festessen ohne ihn stattfinden.

Zwei Tage später kam Ministerpräsident Ramsey MacDonald zu Lion ins Hotel, um sich nach ihm zu erkundigen. Er blieb sehr lange, und Lion war ratlos, denn er mußte aufstehen, um seinen Frack anzuziehen; man erwartete ihn beim Baron Rothschild, der mit seiner schönen französischen Frau Lilian zu Feuchtwangers Ehren ebenfalls ein Dinner veranstaltete. So kam Lion, sehr verlegen, zu dieser, seiner zweiten Party in London viel zu spät. Die Nazis in Deutschland haben in ihren Zeitungen viel davon

hergemacht: mit Bildern von Lion und der Baronin, begleitet von dem obligaten gehässigen Text.
Auch H. G. Wells gab eine Gesellschaft, auf der Lion endlich Arnold Bennett traf. Anwesend war auch die Freundin von Wells, die Schriftstellerin Rebecca West, und es wurde vor allem, wie zu erwarten war, über Literatur gesprochen. Lion fiel auf, daß man in England überhaupt keine deutschen Schriftsteller kannte. Man hatte den Deutschen die Luftschiffe, mit denen das kaiserliche Deutschland über den Kanal nach England flog, nicht verziehen. Als Lion gefragt wurde, welche modernen englischen Schriftsteller er besonders schätze, nannte er als ersten Rudyard Kipling. Dies wurde mit eisigem Schweigen aufgenommen. Lion war es nie zu Bewußtsein gekommen, wie konservativ Kipling in seinen Schriften war. Für ihn waren »Kim« und andere seiner Romane schöne Märchen.
Auch George Bernard Shaw lud zum Essen ein. Er war Vegetarier, aber Lion und Shaws Frau aßen Fleisch. Shaw interessierte sich besonders für die Art der Bezahlung von Schriftstellern, die für Zeitungen schrieben. Und er fragte Lion ganz direkt, was er pro Zeile bekäme. Lion sagte, soviel er wisse, einen Schilling. Darauf Shaw: »Sehen Sie, ich krieg nur einen halben Schilling, weil ich zuviel schreibe.« Dann kam das Gespräch auf den Einfluß Amerikas auf Literatur und Sprache, und das war Lion ganz neu. In Deutschland bewunderte man Amerika zwar sehr wegen seiner technischen Erfindungen und aufgrund der großen Geschäftstüchtigkeit, aber von der amerikanischen Kultur hielt man nicht viel. Als Shaw, der immer von den Ansichten anderer abwich, erläuterte, wie die amerikanische Sprache die englische bereichere und daß sie ihr viele neue Ausdrücke gebracht habe, die treffender

und kürzer sind und neue Bilder schaffen, da horchte Lion auf. Er war sehr beeindruckt. Nicht nur, daß er Shaw später recht gegeben hat, es hat auch ihn beeinflußt, und er hat die Bücher der amerikanischen Schriftsteller daraufhin gelesen. Shaw erwähnte noch, er sei vor allem beeinflußt worden vom amerikanischen Film. Sein Lieblingsthema aber war die Rechtschreibung. In seinem Testament vermachte er dann auch all sein Geld für eine vereinfachte Methode der englischen Rechtschreibung. Leider hat sich aber bis heute nichts geändert. Ich glaube, das ist der Hauptgrund dafür, daß die amerikanischen Kinder so schwer lesen und schreiben lernen. Jede Sprache entwickelt sich weiter, warum soll sich nicht auch die Rechtschreibung verändern? Denn keine Orthographie ist so schwierig wie die englische und ein großes Hindernis, vor allem für die Minderheiten. Und für eine Weltsprache ist sie sowieso zu kompliziert.
Dann gab auch Lord Reading, Vizekönig von Indien, einen großen Abend für Lion. In seinem Haus herrschte noch das alte Zeremoniell. Wenn man ankam, rissen galonierte Diener oder Lakaien beide Türen auf und riefen die Namen der neuen Gäste in den Saal. Da Lion allein war, wurde nur eine Tür aufgemacht.
Natürlich waren alle Leute da, die Lion kannte und noch nicht kannte, es herrschte großer Trubel. Da nahm ihn Lord Reading, der ein kleiner und unscheinbarer Mann war, bei der Hand: »Kommen Sie mit mir.« Er führte ihn in einen großen Raum, eine Art Kronsaal, und dort hing ein riesiges Bild des Vizekönigs im vollen Ornat. Lord Reading deutete ein wenig spöttisch auf sich: »Das bin ich.«
Die englischen Zeitungen ließen sich über den schwierigen deutschen Namen Feuchtwanger aus und kamen zu

dem Ergebnis: Schließlich haben wir uns auch an den Namen Dostojewski gewöhnt.

Als John Galsworthy nach Berlin kam, fand dort eine Tagung und ein großes Dinner des PEN-Clubs statt, dessen Weltpräsident der berühmte englische Romancier damals gerade war. Gleichzeitig hielt sich der bedeutende Violinist Fritz Kreisler aus Amerika in Berlin auf, und Helene von Nostiz, die Präsidentin des Berliner PEN-Clubs, hatte zu einer Garten-Party geladen. Es wurde fotografiert, und Galsworthy, Lion, Kreisler und ich waren auf einem Bild. Am nächsten Tag brachte eine große Zeitung dieses Foto mit der Unterschrift: »Die beiden Schriftsteller John Galsworthy und Lion Feuchtwanger sowie Fritz Kreisler, der große Autofabrikant.« Außerdem wurde vermerkt: »Unter den anwesenden Schönheiten befand sich auch Frau Feuchtwanger.«
Lion hörte damals von einem Roman, der in Amerika großen Erfolg hatte: »Babbitt« von Sinclair Lewis. Von diesem Autor kannte er ja schon »Main Street« und war nun begierig, sein neuestes Buch zu lesen, das in Amerika auch viel angegriffen wurde. Es war für ihn eine Offenbarung, denn er erkannte, daß das eine ganz neue Art des Romanschreibens war, offenbar durch den Film beeinflußt: Schilderungen nebeneinander statt nacheinander. Er machte sich diese Technik bei der Niederschrift von »Erfolg« zu eigen. Außerdem glaubte er, durch Sinclair Lewis' anschauliche Schilderungen in »Babbitt« Amerika kennengelernt zu haben. Das wiederum brachte ihn auf den Gedanken, die »PEP«-Gedichte zu schreiben. So veröffentliche Lion im »Berliner Tageblatt« jeden Sonntag im Feuilletonteil ein Gedicht, eine amerikanische Ballade, geschrieben von J. L. Wetcheek, übersetzt von Lion

Feuchtwanger. Die Leute warteten die ganze Woche darauf.

Das ging lustig so weiter, bis eines Tages jemand auf die Idee kam, »Wetcheek« ins Deutsche zurückzuübersetzen, und herausfand, daß das »Feuchtwanger« hieß. Da war der Spuk zu Ende. Aber immerhin waren inzwischen die Gedichte so beliebt, daß sie unter dem Titel »PEP« gedruckt wurden. Caspar Neher hat die Ausstattung des Buches gemacht. Es ist durch seine Illustrationen eine ganz besondere Kostbarkeit. Ich habe 1971 in Deutschland noch zwei Ausgaben gefunden. Das Buch »PEP« wurde auch ins Englische übersetzt, und zwar von Sinclair Lewis und Dorothy Thompson, die damals seine Frau war. Auch diese Ausgabe ist illustriert. Und 1979 ist eine deutsche Luxusausgabe erschienen, feuerrot gebunden, handgedruckt auf wunderbarem Büttenpapier.

Lion arbeitete also an »Erfolg«, aber er wurde plötzlich unterbrochen. Eines Nachts weckte er mich und klagte über starke Magenschmerzen. Ich rief einen Arzt an, der sofort kam, ihm Morphium gab und versprach, am anderen Morgen noch einmal nachzuschauen. Er erschien aber nicht, und ich rief wieder an. Die Frau des Arztes war am Apparat: Ein Patient ihres Mannes sitze im Gefängnis, das sei am anderen Ende der Stadt, und sie wisse nicht, wann er zurückkäme. Ich mußte also noch einmal anrufen, und sie sagte, ihr Mann habe inzwischen Bescheid gegeben. Lion möchte, wenn er noch Schmerzen habe, in seine Klinik kommen.

Ich fuhr Lion auf dem schnellsten Weg hin, er hatte hohes Fieber, aber der Arzt kam und kam nicht. In meiner Angst rief ich einen Bekannten an, der mich nach einem Skiunfall behandelt hatte, den Chirurgen A. W. Meier. Ich beteuerte, ich wisse zwar, daß er kein Spezialist für

Magenkrankheiten sei, aber Lion liege in der Klinik und habe hohes Fieber; ob er nicht etwas tun könne. Der berühmte Professor kam sofort, und schon an der Tür sagte er: »Der Mann ist schwer krank.« Nach der Untersuchung erklärte er: »Das hat nichts mit dem Magen zu tun. Das ist eine Blinddarmentzündung, man muß sofort operieren.« Er ließ eine Ambulanz kommen und schaffte Lion in seine Privatklinik. Ich wartete vor der Tür des Operationssaals. Professor Meier kam mit dem, so schien es mir, rauchenden Blinddarm heraus, um mir zu zeigen, daß er schon durchgebrochen war. Er sagte: »Es war die höchste Zeit. Noch eine halbe Stunde, und es wäre zu spät gewesen.«

Als man Lion aus dem Operationssaal herausrollte – er war noch bewußtlos, totenbleich, das Blut war ihm ins Gesicht gespritzt, so groß war die Eile gewesen –, nahm ich mir vor: Ich werde alles hinnehmen, ihm alles erlauben, wenn er nur überlebt.

Am nächsten Morgen wollte ich nach Hause, um Wäsche für Lion zu holen. Als ich in meinen kleinen Fiat steigen wollte, fand ich das Verdeck geschlossen. Ein Zettel mit Brechts Handschrift lag auf dem Lenkrad: »Ich bin die ganze Nacht ums Haus gelaufen. Als das Gewitter ausbrach, hab ich das Verdeck heraufgezogen.«

Die Heilung dauerte lange, denn die Wunde durfte sich nur langsam schließen. Dann mußte Lion zur Erholung in ein Sanatorium, und dort besuchte ihn S. Fischer, damals der größte deutsche Verleger. Er machte Lion Vorwürfe: »Warum haben Sie mir nicht den ›Jud Süß‹ zur Veröffentlichung gegeben?« Lion antwortete: »Das habe ich getan, aber das Paket kam ungeöffnet zurück.«

Auch Brecht besuchte Lion im Sanatorium. Er erzählte, er habe seine Sekretärin, Elisabeth Hauptmann, gebeten, für ihn verschiedene englische Dramen zu lesen. Brecht war sehr interessiert an englischem Humor, der so ganz anders ist als der deutsche, und die Hauptmann, die halbe Amerikanerin war, stieß auf ein englisches Stück, »Die Bettleroper« von John Gay. Brecht glaubte, daß es sich sehr eigne für eine Bearbeitung. Er berichtete, er habe auch schon den Titel: »Die Ludenoper«. Lion fand: »Das klingt nicht gut. Was halten Sie von ›Die Dreigroschenoper‹?« Brecht war begeistert und hat sofort diesen Titel angenommen.

Im Sanatorium gab es noch eine Begegnung, die sehr wichtig wurde, für Lion und für mich. Der behandelnde Arzt fand, Lion habe zu wenig Bewegung, er müsse einen Trainer haben. So hat man das damals genannt, also eine Art Turnlehrer, der mit ihm Übungen machen sollte. Und von da an hat sich Lions Leben geändert. Denn dieser Trainer war ganz ausgezeichnet und hat, als wir im Grunewald lebten, Lion zum Dauerlauf um den kleinen, mit Wasserrosen bedeckten See gebracht und ihn gelehrt, Turnübungen zu machen, die sich besonders für ihn eigneten. Außerdem entwickelte sich zwischen den beiden eine große Freundschaft. Herr Schröder wurde auch mein Turnlehrer, und durch ihn lernte ich radschlagen und Handstand. Um den See lief ich immer allein. Im Sommer bin ich dort geritten, Boot gefahren und geschwommen und im Winter Schlittschuh gelaufen. Es war mein Privatsee.

•

Später im Jahr – Lion war gerade verreist – kam Ben Huebsch von Viking Press, Lions amerikanischer Verleger, nach Berlin und erzählte mir, im Hotel Adlon seien Sinclair Lewis, Dorothy Thompson und Theodore Dreiser abgestiegen; er habe vor, sie zu besuchen, ob ich mit ihm kommen würde. Als wir ankamen, lag Dreiser mit Influenza im Bett. Doch er war sehr vergnügt und freute sich über den Besuch. Er sagte zu mir, ich müsse mit ihm nach Rußland gehen. Ich war verblüfft über das Angebot; aber er meinte, Sinclair Lewis habe die Dorothy, und da wolle er gern auch Gesellschaft haben. Ich sagte nicht gleich nein, weil ich ihn nicht kränken wollte, und lachte nur. Er schreibt in seinem Tagebuch darüber und berichtet, es habe so ausgesehen, als ob ich sehr gern mit ihm gegangen wäre.

Lion wurde nach Skandinavien eingeladen. Er fuhr 1927 zuerst nach Dänemark, wo der deutsche Botschafter ein Bankett für ihn gab. Als Lion die Frau des Botschafters zu Tisch führte, machte sie ihm große Komplimente über den »Jud Süß«-Roman und fragte: »Sagen Sie, sind eigentlich alle Juden so sinnlich?«

In Schweden traf er einen Professor Magnus, der mit einer Nichte von Sigmund Freud verheiratet war. Magnus hatte seinerzeit in Berlin den »Jud Süß« gelesen und war als Dozent an die Universität Stockholm gegangen. Dort hatte er von diesem Roman erzählt, auch dem New Yorker Verleger Ben Huebsch, der sich gerade zufällig mit seiner Frau in Schweden aufhielt, wo sie ihre Eltern auf dem Landgut besuchte. Huebsch, der deutsch las, bat Professor Magnus um das Buch. So war es gekommen, daß »Jud Süß« gleichzeitig in Amerika bei Viking Press und in England bei Secker erschien. Es war etwas ganz Ungewöhnliches für Deutschland um diese Zeit.

Als Lion sich vor seiner Abreise aus Schweden bei Professor Niels Bohr verabschiedete, sagte dieser: »Auf Wiedersehen. Denn wir werden Sie ja bald hier begrüßen, wenn wir Ihnen den Nobelpreis verleihen.«

Auch in späteren Jahren wurde Lion mehrmals mitgeteilt,

daß er für den Nobelpreis für Literatur vorgeschlagen sei. Beim erstenmal hatten wir erfahren, daß eine deutsche Offiziersgruppe Protest eingelegt hatte, und in Schweden wollte man den Preis nicht mit Politik belasten. Ein andermal hörten wir, daß bei Thomas Mann angefragt worden sei.

Lion kam sehr krank aus Schweden zurück. Sein Magen hatte offenbar die fremde Kost nicht vertragen. Der Arzt war bedenklich und erklärte, er dürfe nicht mehr arbeiten und müsse in ein wärmeres Klima. So fuhren wir an den Gardasee nach Fasano, einen stillen Ort in der Nähe von Gardone, den wir von unserer ersten Reise her kannten. Lion erholte sich in kürzester Zeit überraschend gut. Es war noch früh im Jahr, aber ich bin sogleich geschwommen. Ich fand das Wasser warm. Vor allem lockte mich ein Sprungbrett, und ich machte meine Kopfsprünge. Jeden Morgen, wenn ich zum Baden ging, versammelte sich das ganze Hotel, um mir zuzuschauen – ich war *die* Sensation.

Eines Tages hatte es über Nacht geregnet, und der Monte Baldo gegenüber trug eine Schneekappe. Ich beachtete das nicht weiter und sprang ins Wasser. Da verschlug es mir den Atem, so kalt war es durch den geschmolzenen Schnee geworden. Aber ich habe es überlebt.

Aus Mailand reiste Signore Giandauli an, der Direktor von Lions italienischem Verlag; auch die Übersetzerin traf aus Venedig ein. Ihr Mann war ein bekannter Musiker namens Giachetti. Sie forderten Lion auf, nach Rom zu kommen und Mussolini zu besuchen. Lion erklärte ihnen, er täte das sehr ungern, er sei ja, wie sie wüßten, nicht für die jetzige italienische Regierung: »Ich kann doch nicht zu Mussolini sagen, ich bin gegen den Faschismus.«

Gemeinsam gingen wir zu dem schloßartigen Haus von Gabriele d'Annunzio. Dort befand sich ein halbes Kriegs-

schiff. Er hatte es von Mussolini geschenkt bekommen, nachdem er Fiume für Italien erobert hatte. D'Annunzio war nicht da, so war alles für Fremde zugänglich.
Auf einmal war auch Brecht da. Er hatte das Manuskript von »Erfolg« gelesen und war sehr unglücklich über die eine Figur, den Pröckl, weil er sich in ihr erkannt hatte. Lion tat das damals schon leid; der Pröckl war eine kleine Rache für den Verrat, den Brecht in München an ihm begangen hatte. Er hatte aber nicht damit gerechnet, es könnte jemand herausfinden, daß hinter Pröckl Brecht stand. Denn Brecht war ja noch ziemlich unbekannt, und außerdem hatte er ihn nicht beim Namen genannt. Und nun war Brecht gekommen und versuchte, Lion zu einer Änderung zu bewegen. Doch selbst wenn Lion es gewollt hätte, es war zu spät, das Manuskript war bereits im Druck. Zu mir sagte Brecht: »Wissen Sie, wir machen so große Märsche. Ihr Mann will doch immer spazierengehen, und das tut er nur, um mich zu ermüden, damit meine Argumente abgeschwächt werden.«
Er reiste dann in alter Freundschaft ab. Von der kleinen Rache hat er wohl etwas geahnt, und die beiden waren nun quitt. Überdies hat Lion immer, wenn man ihn gefragt hat, erklärt, daß der Pröckl nicht Brecht sei, nur eine Seite von ihm. Er habe keineswegs Brecht schildern wollen als ganzen Menschen.

12

Als wir wieder in Berlin waren, kam es zu zwei Ereignissen, die Geschichte machten. Das erste, das allerdings nur Theatergeschichte machte, war die Uraufführung der »Dreigroschenoper« am 31.8.1928 im Theater am Schiffbauerdamm. Die Aufführung, von Erich Engel inszeniert, war ebenso merkwürdig und aufsehenerregend wie das Stück selbst. Als nämlich der Vorhang aufging, sah man den Schnürboden und die Züge, an denen sonst die Soffitten hingen; nichts war abgedeckt, bis hoch hinauf. Und an diesen Zügen hing die Ausstattung der Bettler, ihre Kleider, Krücken, falschen Gliedmaßen, sogar für die beinlosen Männer die Roller, die Peachum an seine Leute verteilte. Es war so erstaunlich, daß die Zuschauer bei offener Bühne zu klatschen begannen. Und von da an war der Erfolg gesichert.
Das zweite Ereignis war Ende 1929 und erschütterte die Welt: der Zusammenbruch der New Yorker Börse. Er hatte eine schreckliche Auswirkung in Deutschland, aber das erfuhr ich erst viel später. Amerika hatte damals viele Kredite an Deutschland gegeben. Aber wie mir Georg Bernhard, der Chefredakteur der »Vossischen Zeitung«, nach Jahren in Paris erklärte, waren sie alle kurzfristig. Er hatte in seiner Zeitung rechtzeitig gewarnt, daß das eine falsche Finanzpolitik sei. Aber Hjalmar Schacht, der damalige Reichsbankpräsident, glaubte es besser zu wissen. Als nun in Amerika der Börsenkrach kam, wurden die Kredite gekündigt, die Fabriken in Deutschland mußten

schließen und die Arbeiter standen auf der Straße. Das war der eigentliche Beginn der Nazizeit, denn ohne die ungeheure Arbeitslosigkeit wäre es nie zu diesem furchtbaren Unglück gekommen.

Wie jeden Winter ging ich auch in diesem Jahr wieder zum Skilaufen nach Sankt Anton. Dort war ich Schülerin von Hannes Schneider, der die erste bahnbrechende Skimethode erfunden hatte. Ursprünglich war er Wasserträger für die Skihütte gewesen, fiel aber durch seine ungewöhnliche Intelligenz auf. Er wurde von dem Amerikaner Walter Bernays entdeckt, der in Österreich geboren und ein Schwager von Sigmund Freud war. Obwohl schon ein älterer Mann, war Bernays ein leidenschaftlicher Skiläufer, eigentlich ein Pionier. Er hatte sich mit Schneider angefreundet und ihn bei seinen Plänen ermutigt.

Bisher hatte man sich beim Skilaufen einfach auf die Bretter gestellt und ist die Abhänge gerade hinuntergefahren. Die meiste Zeit fiel man, außer man beherrschte den »Telemark« und konnte mit dieser eleganten, aber etwas umständlichen Skifigur abbremsen. Hannes Schneider hat eine völlig neue Technik entwickelt, die sogenannte Arlberg-Schule. Das Skifahren mit Stemmbogen wurde damit sicherer und leichter für Anfänger und Fortgeschrittene, bei gutem oder schlechtem Schnee. Sogar die Schweizer Skilehrer kamen nach Sankt Anton, um Schneiders revolutionäre Methode abzuschauen. Ursprünglich waren sie, stark und stämmig, die besseren Skifahrer. Aber ihre Technik war im wesentlichen nur für die Einheimischen geeignet. Bernays finanzierte eine Skischule und rief eine Industrie ins Leben, deren Programm das Anfertigen von speziellen Skischuhen oder -stiefeln für die neue Methode

war. So wurde aus dem kleinen verschlafenen Sankt Anton der weltberühmte Skiort.
Es galt als große Auszeichnung, wenn man am Stammtisch von diesem Herrn Bernays sitzen durfte. Hier wurden keine Privilegien anerkannt, es war uninteressant, ob man ein Adliger war, ob sehr reich oder berühmt. Als einziges Kriterium galt, daß man gut Skilaufen konnte. Und ich wurde aufgefordert, an den Stammtisch zu kommen. Das war einer der größten Erfolge in meinem Leben.
Auch der junge Graf Bernstorff mit seiner Schwester wurde zugelassen, er war ein Sohn des deutschen Botschafters in England. Unter der Naziherrschaft war er in den Putsch gegen Hitler verwickelt. Er wurde vor den gefürchteten Volksrichter Freisler gebracht. In dem Buch »20. Juli 1944« steht über Freisler: »Wie durch Gottesgericht traf ihn während eines seiner Schandprozesse bei einem Fliegerangriff tödlich ein niederstürzender Balken. Die Diakonissin, die ihn in seinen letzten Minuten im Krankenhaus pflegte, war eine Schwester des von Freisler dem Henker überantworteten Grafen Bernstorff.«
Auch Leni Riefenstahl gesellte sich zu uns. Sie hatte mit Hannes Schneider Skifilme gemacht. Am Abend saßen wir alle zusammen am Stammtisch und tranken Wein.
Bei meinem nächsten Sankt-Anton-Aufenthalt erschien ich nicht am Stammtisch, und das trug mir einen schlechten Ruf ein. Der Grund lag aber darin, daß Lion gerade den zweiten Teil von »Erfolg« beendet hatte, doch seine Sekretärin hatte sich als nicht geeignet zum Korrekturlesen erwiesen. So schickte er mir die Fahnen, und ich mußte sie korrigieren. Es war eine langwierige Arbeit. Sehr viel Zeit war bereits durch das Hin- und Herschicken zwischen Berlin und Sankt Anton verlorengegangen, und ich mußte deshalb nachts arbeiten, um am nächsten Morgen immer

alles abschicken zu können. Niemand konnte erklären, warum ich auf einmal nicht mehr zu den geselligen Abenden kam, man munkelte alles mögliche, und mein entschiedenes Ableugnen nutzte nichts. Im Gegenteil. So hat mich der »Erfolg« in Verruf gebracht.

Im Mai 1930 erschien »Erfolg«. Wir schmiedeten Pläne für eine größere Reise und entschlossen uns, so ungefähr im Juni nach Italien zu fahren. Wir machten die Reise mit dem Auto, dem neu erstandenen Buick, und fuhren über Bergstraßen in die Schweiz. Dort war überall angeschlagen, daß man nur ganz langsam fahren dürfe, eigentlich so, daß man das gar nicht Auto fahren nennen konnte. Lion hatte es sehr eilig, er wollte nach Italien. »Ja, wenn wir schneller fahren«, gab ich zu bedenken, »werden wir bestimmt bestraft.« Aber Lion meinte, das mache überhaupt nichts. In der Schweiz seien die Hotels soviel teurer, eine Strafe zu zahlen sei immer noch billiger.
Also sind wir so schnell wie möglich durch die Schweiz nach Sarnen gefahren. Das ist ein wunderbarer Bergort, der aussieht wie von Hodler gemalt. Er liegt am Fuß des Simplon, über den wir nach Italien fahren wollten. Unten führt der Eisenbahntunnel durch.
Wir standen sehr früh auf und starteten. Es war vollkommen menschenleer, kein einziges Gefährt, kein Wagen, kein Auto. Da fragte ich Lion, ob er nicht auch einmal wieder fahren wolle. Das hat er dann auch getan, aber als die Straße kurvenreicher wurde und ein bißchen anstieg, sagte er: »Jetzt nimmst du wieder das Steuer.« Ich tat das für eine Weile, doch bevor die eigentliche Steigung begann, fiel mir ein Vieh-Brunnentrog in die Augen. Ich hielt an, um Wasser zu fassen, da wir ja sicher keine Tankstelle auf dem Berg finden würden. Ich war gerade

dabei, mit meiner Gießkanne den Kühler aufzufüllen, als hinter uns ein Motorradfahrer zum Stehen kam. Er war uns schon eine ganze Weile gefolgt, hatte immer gehupt, und ich hatte Lion gesagt: »Der Arme kann nicht vorbei, weil die Straße so eng ist, und es ist wahrscheinlich schwer, mit dem Motorrad langsam zu fahren.« So war ich seinetwegen schneller gefahren, als ich eigentlich wollte.
Aber als ich dann bei dem Brunnen stand, stieg der Mann ab und sagte auf schweizerisch: »S'ischt gut, daß Sie endlich gehalten haben, ich hätt Sie nie einholen können. Sie fahren ja wie eine Wahnsinnige.« Ich antwortete: »Wieso Wahnsinnige? Sie haben doch immer gehupt, und ich dachte, wir sind Ihnen im Weg.« Darauf er: »Ich bin die Polizei, das kostet zehn Fränkli.« – »Was kostet zehn Fränkli?« staunte ich. Er: »Weil Sie zu schnell gefahren sind. Überhaupt, wie Sie fahren, so fährt man nicht in der Schweiz. Der Herr da, der ist anständig gefahren. Ich hab Sie genau beobachtet.« Ich weigerte mich, die zehn Fränkli zu zahlen, worauf er drohte: »Dann zeig ich Sie an.« Ich gab ihm unsere Adresse in Berlin, und wir fuhren weiter. Es war ein schwieriger Anstieg; vor allem, wenn uns ein Autobus entgegenkam, mußte man immer eine Ausweichstelle suchen. Und an einer Haarnadelkurve rückwärts zu fahren, ist keine Kleinigkeit. Aber wir kamen glücklich drüben an.

Als wir in Rom eintrafen, war Post von der Sekretärin aus Berlin da. Sie schrieb Lion: »Um Gottes willen, was ist denn passiert? Ihre Frau ist angezeigt worden. Hat sie denn jemanden totgefahren?« Das Gericht verurteilte mich lediglich zu zwei Fränkli.
Wir blieben nur kurz in der italienischen Hauptstadt und fuhren gleich weiter nach Terracina, einem kleinen

Küstenort ungefähr in der Mitte zwischen Rom und Neapel. Die Reise dorthin war merkwürdig. Es herrschte trübes Wetter, und der Himmel war schwefelgelb, ebenso das Gras, und in dieser trüben Stimmung standen auf einer großen Ebene unbeweglich riesige Büffel. Die Luft war schwer. Es sah urweltlich aus.
Wir übernachteten in Terracina, vor allem, weil der Motor durchgesehen und das Öl gewechselt werden mußte. Der Buick war ja noch neu und verlangte daher viel Pflege.
Am nächsten Vormittag wollten wir uns die Umgebung ansehen, und ich brachte den Wagen in eine Werkstatt. Als ich zurückkam, prüfte ich nach, ob der Ölwechsel vorgenommen worden war. Das Öl war ganz schwarz. Ich sprach den Mechaniker an: »Sie haben wahrscheinlich vergessen, das Öl zu wechseln.« – »Nein, nein, ganz und gar nicht, hier steht das alte.« Sie zeigten mir einen großen Eimer mit ganz dickem Öl, das nur von einem Lastwagen stammen konnte. »Das muß ein Irrtum sein«, sagte ich, »so was fahre ich nicht.« Nach einigem Hin und Her gaben sie schließlich zu, vergessen zu haben, das Öl zu wechseln, und holten es nach. So wurde es spät, und wir mußten nochmals übernachten. Am nächsten Morgen waren alle vier Reifen angestochen, und es dauerte lange, bis sie repariert waren.
Dann konnten wir endlich in Richtung Neapel starten. Vorher rasteten wir in einem kleinen Ort, dessen Name mir entfallen ist. Doch mir blieb in Erinnerung, daß in der Nacht unzählige Leuchtkäfer flogen und in meinem Haar landeten. Wir fuhren weiter um die Halbinsel von Sorrent nach Amalfi und konnten endlich in dem Hotel einkehren, das uns damals bei unserer langen Wanderung wie ein Traum erschienen war: Hotel Cappuccini, das frühere Kloster, hoch oben auf dem Berg.

Eines Tages bekamen wir Besuch von Eva Boy, einer jungen Tänzerin, die später die Frau von Anthony van Hoboken wurde, dem Herausgeber des berühmten Haydn-Katalogs. Sie erzählte uns vom Erscheinen des »Erfolg« und berichtete, daß die Presse ungeheure Angriffe gebracht hatte. Auch sonst hatte sie einiges beobachtet, so in der Bar des Hotels Vier Jahreszeiten: Da saß unser Freund Bruno Frank mit Leopold Schwarzschild vom »Tagebuch«, und sie hörte sie auf »Erfolg« schimpfen – wie undankbar Feuchtwanger sei, daß er München und Bayern so heruntergemacht habe. Lion wollte das nicht glauben. Er konnte es sich einfach nicht vorstellen, daß sich die beiden so über ihn geäußert haben sollten. Aber es schien zu stimmen.

Eigentlich hatten wir die Absicht, einige Zeit in Amalfi zu bleiben. Das Klima, die Atmosphäre des Ortes und das herrliche Hotel gefielen uns über die Maßen. Da erreichte uns eines Tages ein Telegramm meines Vetters Siegfried Oberndorfer, der in München Pathologie lehrte und Direktor des Schwabinger Krankenhauses war. Er teilte mir mit, daß meine Mutter in seinem Hospital liege und schwer erkrankt sei. Ich solle sofort zurückkommen.
So rasten wir in ungeheurer Eile Tag und Nacht durch Italien und bekamen oft Schwierigkeiten mit der Polizei, nicht nur aufgrund der Geschwindigkeit, sondern auch wegen der grellen Scheinwerfer meines Wagens. In Norditalien gerieten wir dann auch noch in einen furchtbaren Nebel, es ging bergab in Kehren, und ein Lastauto fuhr auf unseren Wagen auf. Uns beiden passierte nur deshalb nichts, weil hinten ein riesengroßer Schrankkoffer den Aufprall minderte. Dieser Schrankkoffer, der vor allem meine Abendkleider enthielt – Lion wollte, daß ich zum

Essen im Hotel jeden Tag in einem anderen Gewand erschien – wurde übel zugerichtet, das war alles. Der ganze Unfall wurde eine Angelegenheit der Versicherung. Wir konnten weiterfahren und erreichten allmählich den Brenner. Dort oben mußte ich während eines Schneegestöbers in der Nacht einen Reifen wechseln. Lion hielt die Taschenlampe, doch die versagte bald. Meine Finger waren schwarz, nicht nur vom Schmutz, ich hatte sie in der Dunkelheit auch noch eingeklemmt. Als der Schaden behoben war, setzten wir unsere Reise mit Hindernissen fort.

Damals fuhr man in Österreich noch links, in Tirol aber bereits rechts. Plötzlich kam uns mit großer Geschwindigkeit ein Wagen entgegen, und der Fahrer, der wahrscheinlich nicht daran dachte, daß er bereits in Tirol war, fuhr links, auf der falschen Seite. Blitzartig schoß es mir durch den Kopf: Wenn ich nun nach drüben, auf die falsche Seite wechsle, bemerkt er vielleicht seinen Irrtum und fährt auch herüber – dann passiert ein Unglück. So bin ich dem Zusammenstoß schnell rechts in den Graben ausgewichen und wollte in einem Bogen gleich wieder auf die Straße. Die aber war vereist. Der Wagen kam ins Schleudern und war nicht mehr zu halten. Er rutschte auf die andere Seite und hing auf einmal über dem Abhang. Nur ein Hinterrad hatte sich an einem Kilometerstein verfangen, und das war unsere Rettung. Von weitem sah ich einen Geistlichen, der sich bekreuzigte, und wir sangen die Morgenstern-Verse: »Ein Rabe saß auf einem Meilenstein/km zwei ein, km zwei ein.«

Schließlich erreichten wir Mittenwald und stiegen dort ab. Lion blieb da, und ich fuhr allein weiter – im offenen Wagen, wie ein Rennfahrer mit einer Lederhaube und Stulpenhandschuhen. In der trockenen Kälte war das ganz herrlich, aber als ich in München das Krankenhaus erreichte, war es so überheizt, daß ich, aus der beißenden Kälte in die dumpfe Wärme kommend, plötzlich nicht mehr atmen konnte. Es war beängstigend, niemand war da, der mir hätte helfen können. Ich konnte nicht sprechen oder schreien, lehnte mich nur an die Wand und stöhnte. Erst nach einiger Zeit wurde es wieder besser.

Meine Mutter freute sich sehr über meinen Besuch. Sie wußte nicht, daß sie todkrank war. Ich blieb in München und bekam die Erlaubnis, in ihrem Zimmer zu schlafen. So konnte ich bis zu ihrem Tode bei ihr sein.

Allein fuhr ich dann nach Berlin. Lion war vorher von einer Bekannten in ihrem Wagen mitgenommen worden. Die Autoreise führte mich durch das einsame Thüringen und den Thüringer Wald. Es war eine schöne Fahrt. Ich geriet in ein starkes Gewitter, es regnete furchtbar, glücklicherweise hatte ich meinen Wagen geschlossen. Gleich darauf verjagte der Wind die Wolken, die Sonne schien wieder, der Himmel war blau, und ich konnte aussteigen. Ich hatte etwas zu essen mitgenommen, um keine Zeit zu verlieren, und da saß ich nun inmitten der Berge und Täler. »Über allen Gipfeln ist Ruh...«

Ich war noch nicht lange in Berlin zurück, da kam eine Anzeige, ich hätte jemand totgefahren. Es war aber ein Ort angegeben, in dem ich nie in meinem Leben gewesen war. Zum Glück konnte meine Zugehfrau vor Gericht beschwören, daß ich mich zur Zeit des Unfalls schon in Berlin befand. Offenbar scheint sich der Irrtum bald aufgeklärt zu haben, denn ich wurde nicht vorgeladen.

13

Im Herbst 1930 kam Sinclair Lewis mit seiner Frau Dorothy Thompson nach Berlin. Sie befanden sich auf der Rückreise von Stockholm, wo er gerade als erster Amerikaner den Nobelpreis für Literatur erhalten hatte. Lewis berichtete uns, er habe in seiner Rede erklärt, daß nicht er den Preis verdient habe, sondern Feuchtwanger für seinen »Erfolg«. Dann nahm er mich beiseite und erzählte mir, er habe schon mit Lion gesprochen, daß er gern mit ihm zusammen einen Roman schreiben würde, in der Art wie »Erfolg«, aber auf amerikanische Verhältnisse zugeschnitten; Lion habe jedoch erklärt, er könne nicht zu zweit arbeiten. Er habe zwar mit Brecht Theaterstücke schreiben können, aber ein Roman sei doch etwas anderes. Sinclair Lewis hatte darauf in seinem gutartigen Humor zu Lion bemerkt: »Keine Sorge, ich schreibe Sie einfach ab.«
Er veröffentlichte dann auch bald darauf, 1933, den Roman »Ann Vickers«, dessen Handlung eine gewisse Ähnlichkeit mit »Erfolg« aufweist, aber als Ganzes ein vollkommen anderes Werk ist. Die einzige wirkliche Parallele ist eine Frau, die ihren Freund aus dem Gefängnis befreien will.
In »Dodsworth«, einem früheren Roman von Sinclair Lewis, fand ich folgende bezeichnende Stelle: »Er sah sich um in dem Raum – da waren Rosen – von Kurt gesandt. Da war Feuchtwangers ›Jud Süß‹ – von Kurt gesandt –«
»Dodsworth« stammt aus dem Jahr 1929. Zu diesem Zeitpunkt kannten sich Sinclair Lewis und Lion noch nicht

persönlich. Aber eine Geistesverwandtschaft bestand zwischen den beiden offenbar schon vorher. Hatte »Babbitt« Lion beeinflußt, so dessen Werk den amerikanischen Schriftstellerkollegen.
Lewis fuhr zurück nach Amerika, Dorothy Thompson blieb ihrer journalistischen Tätigkeit wegen in Berlin. Sie hatte ein Interview mit Hitler. Direkt danach kam sie zu uns und war vollkommen niedergeschmettert und entsetzt über diesen »unbedeutenden und lächerlichen Mann, der so eine Wirkung ausüben soll«. Sie konnte es einfach nicht begreifen. Zu Weihnachten veranstaltete eine Hamburger Zeitung eine Rundfrage. Man bat Feuchtwanger um eine Äußerung zu den allgemeinen Zeitumständen. Lion schrieb: »Ich sehe Berlin voll von zukünftigen Emigranten.«
Leider hat er aus dieser Erkenntnis nicht die Konsequenz gezogen, sondern sich ein Haus gebaut.

Der 60. Geburtstag von Heinrich Mann am 27. März 1931 wurde groß gefeiert, ich glaube, durch den PEN-Club. Wir saßen am Haupttisch, ich zwischen Heinrich Mann und Monsieur Luchaire, dem Kulturattaché an der Französischen Botschaft, daneben Lion mit Frau Wedekind. Lion hielt die Festrede.
Großen Ärger hatten wir mit unserer Wohnung. Der Mann, der unter uns wohnte, verklagte Lion. Als ich in meinem Skiurlaub gewesen war, hatte Lion Besuch von unserem Freund, dem großen Schauspieler Fritz Kortner, gehabt. Der wollte sich, bevor sie zusammen zum Essen gingen, die Hände waschen; aber er kam aus dem Badezimmer zurück, und sagte, das Wasser laufe nicht. Daraufhin verließen beide die Wohnung. Als Lion ungefähr drei Stunden später nach Hause kam, hatte man das Wasser

inzwischen wieder aufgedreht – das Waschbecken war übergelaufen und die Wohnung überschwemmt.
Am nächsten Morgen ungeheures Geschrei und großer Aufruhr: Das Wasser war bei unserem »Untermieter« durch die Decke gelaufen. Er sprach erst gar nicht mit Lion, sondern verklagte ihn auf Schadenersatz. Bei Gericht gab er an, der Dr. Feuchtwanger über ihm habe wieder einmal seine »Schülerinnen« bei sich gehabt, und die hätten so herumgetobt, daß die Wasserleitung kaputtgegangen sei.
Wir waren ratlos. In dieser Situation beriet uns der Inhaber unserer Wohnung. Ich hatte ihm geschrieben, und er empfahl uns seinen Anwalt, der sehr tüchtig war. Dieser versicherte der Gegenpartei, wir würden selbstverständlich eine angemessene Summe zahlen. Damit war das Problem gelöst.
Als der Anwalt den Namen Feuchtwanger hörte, erinnerte er sich sofort an »Erfolg« und erzählte: »Stellen Sie sich vor, ich war im Krieg der Vorgesetzte von Hitler. Der war schrecklich dumm und stur, er saß immer finster herum und hat nicht gesprochen, und wenn man zum nächsten Schützengraben eine Meldung senden mußte, dann haben wir ihn geschickt. Wir haben immer gesagt, dazu ist der Hitler gerade gut genug.«
Dieser gleiche Anwalt hat uns dann auch später, als wir schon geflohen waren und uns vorübergehend in der Schweiz aufhielten, ohne Bezahlung geholfen, aus Deutschland etwas Geld herauszubekommen. Es war nicht viel, dreitausend Mark, aber wir standen ja zunächst vollkommen mittellos da. Erst waren wir zu dritt mit der Sekretärin. Dann kam noch Lions Assistent, und wir waren zu viert. Da war man froh um alles.
Mit der Berliner Wohnung wurde es immer schwieriger.

Der Inhaber wollte sie für seine Tochter haben. Außerdem fand Lion, daß wir eigentlich jetzt etwas bequemer leben sollten, da aus dem Ausland Tantiemen für seine Bücher kamen.
Ich machte mich also auf die Suche, aber alles, was mir gut gefallen hätte, zumal die Häuser an den vielen Seen rund um Berlin, erwies sich als altmodisch. Besonders die Heizanlagen waren veraltet, man konnte die großen Räume nicht warm kriegen, und außerdem war alles, obwohl beinahe baufällig, unwahrscheinlich teuer. So beschlossen wir, ein Haus zu bauen, in dem die neuesten Errungenschaften selbstverständlich waren.
Ich entdeckte im Grunewald, in der Nähe des kleinen Grunewaldsees, ein Haus im Rohbau. Das fand ich geeignet und kaufte es. Im Garten standen riesige Kiefern – man war eben mitten im Grunewald.
Am Tag des Kaufs war es spät geworden. Es wurde dämmrig. Ich zögerte, sofort nach Hause zu gehen. So trat ich ins Freie unter eine große Kiefer, gerade, ungebeugt. Ich legte meine Hände auf die Rinde und sagte: »Mein Baum.«
Schwierigkeiten gab es dann beim Bauen, weil es wegen der Arbeitslosigkeit gesetzlich verboten war, Überstunden zu machen. Der Architekt fand nicht genug Arbeitskräfte und konnte unseren Vertrag nicht einhalten, da er gleichzeitig den Umbau des Theaters am Kurfürstendamm für Max Reinhardt zu leiten hatte. Aber auch unser Haus mußte bis zu einem bestimmten Termin fertig sein, denn uns stand unsere alte Wohnung nur noch für kurze Zeit zur Verfügung. Der Architekt erklärte, er wisse, daß er uns Schadenersatz zahlen müsse, aber das käme für ihn einer finanziellen Katastrophe gleich. So versprachen wir ihm zu warten, und Lion fuhr aufs Land.

In dieser ungemütlichen Situation kam glücklicherweise meine Freundin Maria Angelika aus Trier zu Besuch. Sie konnte meine Geduld nicht verstehen. Ihr Großvater war Oberbürgermeister von Trier, und in ihrer Familie war man gewohnt zu befehlen. Als sie sah, daß die Arbeiter unseres Grunewald-Hauses im Garten lagen und schliefen, wußte sie, was sie zu tun hatte, und ergriff die Initiative. Mit den Händen in den Jackentaschen marschierte sie vor den Leuten auf und ab und machte ihnen einen ungeheuren Krach: Sie würden bezahlt und hätten gefälligst auch zu arbeiten. Die Maurer sprangen sofort auf, diese Sprache war ihnen vertraut. Und von Stund an taten sie für meine Freundin alles, was sie von ihnen verlangte. Wie sich jetzt herausstellte, waren es sehr gute Arbeiter, besonders die Maler erwiesen sich als hervorragend, und sie leisteten wirklich Vorzügliches.
Trotzdem konnten meine Pläne für verschiedene Neuerungen, vor allem die Installation indirekter Beleuchtung, nicht realisiert werden, denn die Elektriker kamen immer erst am späten Nachmittag zu uns. Sie waren den ganzen Tag bei Reinhardt beschäftigt, in dessen Kurfürstendamm-Theater die Premiere der Ernst-Josef-Aufricht-Produktion von Brecht/Weills »Mahagony« für den 21. Dezember 1931 fest terminiert war. Darüber hinaus wurde nun Lion ungeduldig. Er war nur wegen des Umzugsrummels weggefahren und wollte zurück an seine Arbeit.
Dann hagelte es Rechnungen, auf denen immer der ganze Tag berechnet war. Der Firmenchef wußte offenbar nicht, daß seine Leute täglich nur eine Stunde am Nachmittag bei uns waren. Ich mußte also schon wieder einen Anwalt bemühen. Der Neffe des Chefs gab alles zu, er war aber nicht verantwortlich für die Rechnungen, sondern nur der ausführende Geschäftsführer.

Er sagte für mich gegen seinen eigenen Onkel aus, so daß wir den Prozeß eigentlich hätten gewinnen müssen. Doch das ganze Verfahren war ebenso kompliziert wie langwierig, so daß ich mich am Ende zu einem Vergleich bereitfand. Ich war immer für Einigung und gegen Prozesse.

Schon seit längerer Zeit hatte ich alte Möbel gesammelt. Bevor ich nach Berlin gekommen war, hatte ich in München bei einer Auktion einen großen, herrlichen Täbris, rot und gold, für dreihundert Mark ersteigert. In München fand ich das sehr teuer, aber ein Sachverständiger in Berlin sagte mir, er würde mir für so einen wundervollen Perserteppich sofort dreitausend Mark geben.

Jetzt ging ich in die Berliner Vorstädte hinterm Alexanderplatz und wagte mich sogar in verrufene Gegenden. Dort vor allem spürte ich Trödler auf, die alte Möbel anboten, meistens schadhafte Stücke. Aber nach einer gewissen Zeit führten mich die Händler in den Keller und meinten, vielleicht fände ich da etwas Geeignetes. Die Keller waren nicht beleuchtet, und darunter befanden sich weitere Räume – man mußte mit einer Kerze herumgehen. Dort unten war es unheimlich und sehr staubig, ich hatte immer Angst, es könnte ein Brand entstehen. Aber ich entdeckte manchmal, von Schmutz und Schimmel bedeckt, altertümliche Möbel, von denen ich meist nur die schemenhaften Umrisse erkennen konnte. Da alles sehr billig war, griff ich einfach zu und kaufte die Katze im Sack. Ich zahlte immer sofort, brauchte aber zunächst nichts mitzunehmen, sondern konnte die Sachen stehenlassen, bis das Haus fertig war.

In der Lützowstraße stachen mir in einem Antiquitätengeschäft prachtvolle Mahagoni-Bettstellen, die viel zu groß für den Laden waren, in die Augen, und man war froh, daß ich sie nahm. In seiner Dankbarkeit verkaufte mir der Inhaber für billiges Geld antike Stühle aus herrlichem Ahornholz. Sie waren so schön und kostbar, daß ein Museum sie erwerben wollte, als sie bereits bei uns im Haus standen. Dazu kam es natürlich nicht, und das Museum ließ sie schließlich kopieren. Aus den zwei Mahagoni-Ungetümen ließ ich ein großes Bett mit einem Baldachin für mein Schlafzimmer anfertigen. Es stand etwas erhöht, wie ich es in alten bayerischen Schlössern gesehen hatte. Das war absolut nicht modern, und der Architekt verbarg sein Entsetzen nicht. Aber Moholy-Nagy vom Bauhaus hat mir recht gegeben. Der Boden des Schlafzimmers war hellgrau ausgelegt, davon hob sich die violette Steppdecke aus schwerer Seide, die ich aus meiner Aussteuer hatte, wunderbar ab.

Aber das Schönste überhaupt war Lions Schreibtisch, ursprünglich ein langer gotischer Eßtisch aus einem Mönchskloster.

Außer meinem Schlafzimmer gehörte zu meinem privaten Bereich noch ein zweiter, daneben gelegener, gleich großer Raum: mein Wohnzimmer. Dafür erstand ich einen riesigen Standspiegel, ebenfalls aus Mahagoni, den man verstellen konnte. Auf einem Buchara hatte in der Mitte des Zimmers ein grauseidenes Récamier-Sofa, noch mit dem Originalbezug, seinen Platz gefunden, daneben stand ein fahrbarer Teewagen; außerdem gab es hier alte dänische Eckschränke, dazu passende Stühle sowie einige Perserbrücken.

Das meiste hatte ich auf meinen Streifzügen in der Vorstadt gefunden, und zwar bei einem Mann, der Adventist und sehr fromm war. Er hatte die Stücke meist nach Todesfällen sehr billig aufgekauft und schlug dann

nur zehn Prozent auf. Er freute sich immer sehr über meine Besuche und mein Verständnis für Antiquitäten.
Eines Tages wirkte er verändert. Als ich ihn darauf ansprach, erzählte er mir folgendes: In seiner Gegend wohnten sehr viele verarmte russische Juden, die vor den Pogromen im zaristischen Rußland geflüchtet waren. Als er ihnen erzählte, daß eine Frau Feuchtwanger Kundin bei ihm sei, riefen sie erschrocken aus: »Was, die Frau von dem Feuchtwanger, diesem Antisemiten, der ›Jud Süß‹ geschrieben hat?« Und er fragte mich beklommen, ob das wahr sei; denn es würde ihm gar nicht gefallen, wenn mein Mann einen antisemitischen Roman geschrieben habe; das hätte er nicht von mir erwartet. Ich brachte ihm bei meinem nächsten Besuch das Buch mit, er las es und sah, daß alles nicht so schlimm war, wie sich die armen russischen Juden das vorgestellt hatten.
Wir sparten viel Geld bei meinen Vereinbarungen, welche die Transportkosten für all die antiken Kostbarkeiten entfallen ließ. Ich hatte jeweils beim Kauf mit den Geschäftsleuten abgesprochen, daß uns die Sachen gereinigt und gewachst erst ins fertige Haus geliefert werden sollten. Von meiner Mutter hatte ich noch einen großen antiken Smyrna-Teppich, der jetzt den ganzen Boden der Bibliothek bedeckte. Er war hellgrau und zartrosa, hatte aber einen riesigen Ölfleck, den die Reinigungsanstalt nicht entfernen konnte. So versuchte ich es selbst: Ich legte dicke Bündel Zeitungen darunter und goß Benzin auf den Fleck. Immer wieder wechselte ich die vollgesogenen Zeitungen aus, und auf einmal war der Fleck nicht mehr da.
Als wir soweit eingerichtet waren, ließ ich die Bücher kommen, die noch auf dem Speicher meiner Eltern in München standen. Das war ein großes Ereignis. Das Auspacken und Einstellen machte viel Arbeit. Zum Glück war

Maria Angelika noch da, sie hatte ihren Aufenthalt verlängert und half Lion, die Bibliothek einzurichten. Er freute sich so sehr darüber, daß er in sein Tagebuch stenographierte: »Martas Freundin hilft mir, die Bibliothek einzurichten.«

In unserer unmittelbaren Nähe, direkt um die Ecke, wohnte Dr. Emil Herz, Direktor der literarischen Abteilung des Ullstein Verlags. Als er hörte, daß wir Nachbarn waren, gab er ein großes Festessen. Erich Maria Remarque war da und Vicki Baum mit ihrem Mann, dem Dirigenten Richard Lert, Arnolt Bronnen und Brecht, kurz, alles was gerade in Berlin war. Es gab bei Herzens berühmt gutes Essen, vor allem der Lammrücken wurde besonders zart zubereitet.

Ein anderer Nachbar war Dr. Saalfeld, der eine geborene Ullstein zur Frau hatte. Die Saalfelds baten nicht zum Abendessen, sondern zum Turnen. Regelmäßig ließen sie einen der besten Turnlehrer der Hochschule für Leibesübungen kommen, und unter seiner Leitung turnte die ganze Gesellschaft mindestens eine Stunde in dem großen Garten, bevor man sich zum Nachtmahl setzte. Man mußte sich das Essen verdienen. Die Abende waren immer sehr lustig und amüsant, interessante Leute kamen zusammen, ich erinnere mich, daß einmal auch der Kritiker Stefan Großmann und seine Tochter dabei waren. Und Lion tat sich, geschult durch unseren Herrn Schröder, beim Turnen sehr hervor. Nach seinen Plänen gefragt, erzählte er, daß er an einem Roman über Flavius Josephus arbeite.

Diese Auskunft zog Kreise. Eines Morgens in aller Früh öffnete sich die Tür zu Lions Schlafzimmer von der Terrasse her, zu der eine Treppe vom Garten hinaufführte.

Dr. Herz stand im Raum. Von seinem Garten war er einfach quer durch den Wald zu uns gegangen. Er sagte zu Lion: »Ich möchte mit Ihnen Vertrag machen für den ›Flavius Josephus‹.« Lion lag noch in seinem eingebauten Bett, von niederen Bücherregalen umgeben – und da wurde der Vertrag abgeschlossen, per Handschlag.
Heinrich Mann hatte sich zu einem Besuch angesagt, doch er kam und kam nicht. Wir waren besorgt, dachten, vielleicht ist ihm unterwegs etwas zugestoßen. Am nächsten Tag traf eine Postkarte ein: »Mein Taxi hat das Haus nicht gefunden. Wie wäre es, wenn man sich in einem Café träfe?« Das nächste Mal holte ich ihn sicherheitshalber ab.
Unser Freund Arnold Zweig wohnte ebenfalls in dieser Gegend, aber immerhin doch etwa zwei Kilometer entfernt. Man ging erst durch den Wald, dann kam man zur Chaussee, das war die große Autobahn, die Avus. Hier mußte man durch die Unterführung, und dann war man in dem Viertel, in dem Zweig wohnte. Es war eine Künstlerkolonie, wo viele Literaten lebten, auch der Direktor des Kaiser-Friedrich-Museums, alles Leute, die einander kannten. Dorthin gingen wir oft zum Tee.
Zweig hatte ein Haus für sich, mit einem Atelier, das sein Arbeitshaus war; in dem andern wohnte die ganze Familie, zu der zwei lebhafte Jungen gehörten. Am Abend begleitete Zweig uns immer zurück, aber da waren die beiden Männer noch nicht fertig mit ihren Diskussionen. Lion ging wieder mit ihm zurück, doch da waren sie immer noch mittendrin, und Zweig ging wieder mit zu uns.
Es waren lange Spaziergänge mit ergiebigen Gesprächen. Zweig schreibt über diesen Ideenaustausch in seinen Erinnerungen.

14

Ich war ganz herunter von dem Kampf mit den Arbeitern, den Lieferanten und dem Architekten, so daß Lion sagte, ich müsse mich jetzt etwas ausruhen, vielleicht im Meer baden und in der Sonne liegen. Da gab's nur einen Platz in ganz Europa, wo das zu dieser Jahreszeit möglich war: Ragusa.

Ich fuhr mit dem Schlafwagen dritter Klasse direkt nach Triest, und von da nahm ich das Schiff wie damals mit Lion. Aber unser Hotel Kodak am Meer gab es nicht mehr, der alte Besitzer war gestorben. Gleich nebenan fand ich ein Privatzimmer, und so konnte ich für mich selber kochen. Täglich nahm ich ein Boot und ließ mich zur Insel Lacroma rudern. Dort las ich den ganzen Tag, bin geschwommen, in der Sonne gelegen, und wenn ich meinen Proviant verzehrt hatte, schwamm ich zurück. Die wasserdicht verpackten Bücher zog ich nach.

Ich kam gut erholt nach Berlin zurück, und gleich begann wieder der Trubel. Brecht wollte uns immer verführen, mit ins Kino zu gehen. Außerdem wurde die Negertänzerin Josephine Baker erwartet.

Lion war glücklich mit seinem neuen Haus; bis spät in die Nacht hinein saßen wir draußen, praktisch direkt im Wald, und er wollte am liebsten gar nicht ausgehen. Er, der Frühaufsteher, konnte am nächsten Tag auch nicht gut arbeiten, wenn er am Abend zuvor lange aufgeblieben war. Aber er ließ sich doch davon überzeugen, daß man sich die Baker anschauen müßte, und es war auch wirklich etwas

Unerhörtes, Gewagtes, ganz Neues, etwas sehr Schönes und Aufregendes. Lion bereute es nicht, daß er sich von Brecht dazu hatte überreden lassen.
Dann lud Eugen Klöpfer, wie jedes Jahr im Frühling, zu Lutter und Wegener ein, einem alten Restaurant, in dem schon E.T.A. Hoffmann verkehrt hatte. Wir tranken Maiwein mit Waldmeisterkraut darin, und es gab Krebse mit dickem, weißem Spargel. Zu dieser Schlemmerei hatten wir uns große Servietten umgebunden. Krebse ißt man ja mit der Hand, man sollte dabei unter sich sein. So hatte Klöpfer ein Nebenzimmer reserviert, wo wir ungestört schlürfen und schwelgen konnten. Sogar Brecht, der doch immer etwas spartanisch war, hat es recht gut gefallen.
Klöpfer war ein großer, breiter Mann, etwas gewalttätig, und er übertraf uns alle, sowohl an Appetit als auch an Anekdotenreichtum. Er hatte übrigens schon sehr früh Feuchtwanger gespielt, in Frankfurt die Hauptrolle in »Jud Süß« und später in den »Petroleuminseln«. Er war voller Leben und Kraft. Für Brecht war es wichtig, Klöpfer unter seinen Anhängern zu wissen, denn Brecht wurde viel angegriffen und oft sogar verhöhnt.
Eine große Überraschung war der unverhoffte Besuch von Sergeij Eisenstein. Er befand sich auf der Durchreise von Mexiko, und wir fanden ihn äußerst charmant und gutaussehend. Sehr betrübt waren wir, daß er nur so kurz bleiben konnte. Er bewunderte Lions »Erfolg« und erzählte uns von der Wirkung des Buches in Rußland. In Mexiko hatte er den Film »Que viva Mexico« gedreht, der jetzt in Moskau fertiggestellt werden sollte.
Bald darauf fand die Premiere des Films »Kuhle Wampe« statt, für den Brecht das Drehbuch geschrieben hatte. Damals wurde er ausschließlich in der Berliner Vorstadt gespielt und erreichte nur einen kleinen Kreis, aber er ist

noch heute berühmt. Nach der Premiere fuhr ich Brecht und den politischen Essayisten Fritz Sternberg ins Café am Zoo, und wir warteten da, bis alle anderen nachkamen. Ich hörte zu, wie sich die beiden unterhielten. Brecht stellte viele Fragen, und Sternberg wußte alle Antworten. Ich hatte den Eindruck, daß Sternberg gerade da und dann Brecht für den Kommunismus gewonnen hat. Wir trafen Fritz Sternberg noch öfter bei Brecht, und er berichtete immer von den Unruhen in den Vorstädten Berlins: Wenn das demokratische Reichsbanner – es hatte viele Mitglieder, meistens junge Leute – marschierte, passierte nie etwas; aber wenn sie dann einzeln nach Hause gingen, wurden sie überfallen, verprügelt und oft schwer verletzt. Außerdem erzählte er, daß in den Schrebergärten, wo die ärmeren Leute ihr Gemüse anbauten und in den kleinen Hütten wohnten, sich früher viele junge Kommunisten versammelt hätten, jetzt aber wagten sich nur mehr wenige heraus. Keiner traute sich in der Nacht auf die Straße, denn sie waren unbewaffnet. Die Nazis aber hatten Erlaubnis, Waffen zu tragen. Sternberg meinte, es sei so lächerlich, daß irgend jemand Angst vor den Kommunisten habe, denn diese hätten selbst die größte Angst vor den Nazis. Mitte 1932 standen die sogenannten Papen-Wahlen bevor. Wir wollten weg von Berlin, weil wir Unruhen und Plünderungen befürchteten. An den Fenstern, die zur Straße lagen, ließen wir Stahljalousien anbringen und fuhren mit dem Wagen in Richtung Osten.

Aber vorher hatten wir noch schnell gewählt, und zwar Hindenburg, weil er uns als das geringere Übel erschien. Dann ging es nach Ost- und Westpreußen und von da durch den polnischen Korridor nach Litauen. Zuerst waren wir in Königsberg, in dem alten Marienburg und in Cranz mit seinem berühmt schönen Strand. Herrliche

23 *In Sanary, Villa Valmer 1934*

24 *Mit Lion in der Bibliothek, Villa Valmer 1934*

25/26
Villa Valmer 1935

27/28 Zu Besuch bei uns in der Villa Valmer 1936: Arnold Zweig (27) sowie Ernst Toller mit dem Journalisten, Zeitungsmacher und Schriftsteller Stefan Lorant (28)

29 *Beim Skilaufen in Chamonix 1939*

30 *Ein Unbekannter hatte Lion ohne sein Wissen 1940 im Lager Les Milles von außen photographiert.*

31 *In Nogales, Mexiko, 1941*

32 *Um 1945 vor Ernst van Leydens Gemälde*

LION FEUCHTWANGER

UNHOLDES
FRANKREICH

33 *Titelseite der 1942 in Mexiko unter anderem Titel erschienenen Erstausgabe von »Der Teufel in Frankreich«. Lions Erlebnisbericht über seine Internierung wurde soeben mit meinem Nachwort neu aufgelegt.*

MRS. FRANKLIN D. ROOSEVELT
55 EAST 74TH STREET
NEW YORK CITY 21, N. Y.

May 23, 1960

Dear Mrs. Feuchtwanger:

Thank you for your kind letter.

Of course you may write about any part I played. However, my husband was the one who was responsible for any help given. I could have done nothing except when he asked me to do it and I had his backing.

I shall watch for your book with interest.

Very sincerely yours,

Eleanor Roosevelt

34 *Brief von Eleanor Roosevelt über unsere Rettung aus Frankreichs Internierungslagern*

35–37 Mein heutiger Wohnsitz in Kalifornien: Paseo Miramar, Pacific Palisades. Hier ist Lions 35 000 Bände umfassende Bibliothek untergebracht, die ich der University of Southern California schenkte. Unten Exlibris, rechts Patio mit Klostergang

38 *Aufnahme aus dem Jahr 1982*

Wälder gab es dort mit riesigen Buchen; auf der einen Seite die Buchenwälder, dazwischen der Strand und auf der anderen Seite das Meer, die Ostsee. Man konnte stundenlang am Strand entlanggehen und am Rand des Waldes wilde Johannisbeeren pflücken, große, saftige Früchte, aber auch Stachelbeeren und Blaubeeren soviel man wollte. Es war wunderbar. Dann gingen wir nach Nidden auf der Kurischen Nehrung, um uns dort länger aufzuhalten und um zu schwimmen.

Nidden war eigenartig und aufregend. Wenn man spazierengehen wollte, wurde man gewarnt, man solle vorsichtig sein wegen der Wanderdünen. Sie sind herrlich, vor allem am Abend, aber sie bewegen sich, und man kann versinken. Man muß also bestimmte Wege kennen. Doch leichtsinnig wie wir waren, marschierten wir einfach drauflos, und es ist uns auch nichts passiert; es war ganz großartig. Dunkelviolette Schatten lagen in den Mulden der Dünen, und sonst gab es alle Farben und Tönungen. Diese Landschaft ist ein Phänomen, das, glaube ich, auf der ganzen Welt einmalig ist. Das Wasser war meistens ziemlich seicht, man konnte barfuß hindurchgehen, um zu dem Wald zu gelangen, der sich zwischen dem Kurischen Haff und der Ostsee entlangzog. Wilde Walderdbeeren wuchsen in großer Fülle, aromatisch wie sonst nirgends. Der Strand war meist menschenleer, Leute kamen nur am Sonntag, lauter junge Nazis; sie trugen das Hakenkreuz und badeten nackt mit ihren Mädchen.

Thomas Mann hatte ein Haus in Nidden. Wir wollten ihn nicht unangemeldet überfallen. Eines Tages begegneten wir ihm, Katia und dem Schriftsteller Hans Reisiger im Wald. Sie gingen an uns vorbei, ohne uns zu erkennen.

Kurz nach unserer Rückkehr nach Berlin mußte Lion

wegen eines Prozesses, der sehr kompliziert zu werden schien, nach München. Als Lion in England gewesen war, hatte er dort den Bühnenschriftsteller Ashley Dukes getroffen, der den Roman »Jud Süß« für die englische Bühne bearbeiten wollte. Dazu brauchte er Lions Erlaubnis, der natürlich auch an den Tantiemen beteiligt sein würde. Sie einigten sich schnell, und es wurde ein Vertrag abgeschlossen. Am Schluß fragten Ashley Dukes oder sein Anwalt noch, ob der Roman auch das amerikanische Copyright habe. Lion erklärte das für selbstverständlich und zeigte im Impressum des Buches auf den Copyrightvermerk und die Jahreszahl.

Plötzlich kam ein Anruf aus England, Ashley Dukes war am Apparat. Er war sehr aufgebracht und sagte: »Sie haben versichert, der Roman sei copyrighted. Aber in New York wird ein Stück nach Ihrem Roman gespielt, und zwar in einem jiddischen Theater, es soll einen ungeheuren Erfolg haben. Dadurch ist unser Vertrag hinfällig, und ich verlange Schadenersatz von mindestens einer Million.« Lion wußte nichts von dem amerikanischen Stück und verwies wieder auf das Copyright im Buch. Aber Dukes bestand auf dem Schadenersatz durch Lion. Er könne sich ja bei seinem Münchner Verlag schadlos halten. Darauf mußte Lion notgedrungen den Verlag verklagen und bat Ernst Rowohlt, der ein großer Berliner Verleger war, um Rat. Rowohlt erklärte sich bereit, als Zeuge nach München mitzukommen und für Lion der Wahrheit gemäß auszusagen.

In München schien der Richter auf seiten von Lion zu sein. Er erklärte, man könne doch nicht etwas in ein Buch hineindrucken, was nicht der Wahrheit entspreche. Offenbar sei das Copyright gar nicht erworben worden. Darauf wurde Rowohlt als Zeuge aufgerufen, und er erklärte:

»Auch ich habe während des Krieges das Copyright für keinen meiner Autoren eingereicht und es zu Unrecht in jedes Buch hineingedruckt. Selbstverständlich werde ich das nachholen.« Der Prozeß wurde auf Antrag des Gegners vertagt.
Lion mußte inzwischen zu einer Vortragstournee nach Amerika, und während dieser Zeit bekam ich einen Anruf des Anwalts aus München: Lions Antrag auf Schadenersatz durch den Verlag sei abgelehnt worden. Ob ich Einspruch erheben wolle. Aber ich fühlte, daß um diese Zeit, da in München die Nazis schon die Straße beherrschten, keine Aussicht bestand, einen wenn auch noch so berechtigten Prozeß zu gewinnen. Kein Richter hätte gewagt, einen Juden gewinnen zu lassen. Also verzichtete ich. Bald darauf teilte uns der englische Verleger Martin Secker aus London mit, die öffentliche Meinung sei so stark für Feuchtwanger, daß Ashley Dukes davon abgesehen habe, Lion zu verklagen.

Lion hatte bereits vor langer Zeit fleißig englisch studiert und Stunden genommen. Als jetzt der Antrag einer großen amerikanischen Agentur eintraf, in dem Lion zu der Vortragstournee aufgefordert wurde, konnte er zusagen. Ich war eigentlich gar nicht dafür, denn ich fürchtete, es würde sehr anstrengend werden, dazu im Winter, der in Amerika oft ziemlich unangenehm ist. Außerdem würde Lion sich nicht ausruhen können, bevor er sein neues Buch begann. Er reiste dann doch, wenn auch ungern, denn er hatte immer große Angst, öffentlich aufzutreten und zu sprechen. Seine Stimme trug nicht weit, und Mikrophone gab es noch kaum. Vor allem drängte es ihn aber, an eine neue Arbeit zu gehen. Andererseits war er doch zu neugierig auf Amerika, so daß er sich die Gelegenheit nicht entgehen

lassen wollte. Ein Hauslehrer kam täglich, ein amüsanter junger Engländer mit trockenem Humor. Er war ein guter Lehrer, aber gegen Lions bayerischen Akzent kam er nicht an.
Lion bat mich, zuerst mit ihm nach London zu gehen. Er war ja vorher schon dort gewesen und wollte mir nun alles selbst zeigen. Als wir ankamen, war bereits Ben Huebsch aus Amerika eingetroffen, um Lion zu sehen. Er sagte, das Schönste an New York sei die Nähe von Europa, und er hatte für uns auch schon ein Hotel gefunden.
Wir kamen spät nachts in London an und mußten auf der Straße vor dem Hotel lange warten; man mußte klingeln, endlich erschien an der Türe ein alter Butler mit einem Kerzenleuchter. Er schritt uns voran, sehr feierlich, durch viele Gänge, über breite Treppen und durch unzählige Vorräume, alles war mit dickem roten Plüsch ausgelegt. Schließlich führte er uns in ein Zimmer, das eiskalt war. Ein kleiner Kamin, den er anzündete, war zwar hübsch anzusehen, aber durch ihn wurde es nicht viel wärmer. Die Betten waren klamm, und es war eisig auch am nächsten Morgen. Wir beschlossen, in ein anderes Hotel zu ziehen. Der gute Huebsch war sehr gekränkt, denn er liebte die Dickenssche Atmosphäre der Alten Welt.
Secker forderte uns auf zu einem großen Empfang bei Curtis Brown. Das war der bedeutendste englische Literaturagent. Wir nahmen ein Taxi. Man hatte mir gesagt, es sei nicht weit von unserem Hotel entfernt, doch die Fahrt wurde endlos. Als wir den Trafalgar Square ein zweites Mal überquerten, wurde mir klar, daß der Taxichauffeur einfach eine große Tour haben wollte und uns im Kreis herumgefahren hatte. In meinem besten oder schlechtesten Englisch wurde ich sehr energisch: Ich wisse ganz genau, daß wir da schon vorbeigekommen seien; er solle augen-

blicklich umkehren und uns an unser Ziel bringen. Als wir bei Curtis Brown ankamen, mußten wir uns natürlich wegen der Verspätung entschuldigen, und ich erzählte von unserer Irrfahrt und daß ich dem Mann meine Meinung gesagt hätte. Plötzlich standen alle um mich herum. Man war baß erstaunt: »Sie haben sich getraut, einem Londoner Taxichauffeur die Meinung zu sagen?« Ich wurde wie eine Heldin gefeiert.

Als nächstes kam eine Einladung über Secker, dessen Verlag von einem Lord Melchett finanziert wurde. Dieser wollte in seinem Londoner Palais einen großen Abend für uns geben. Das Palais befand sich in unmittelbarer Nähe des Buckingham Palace und des Big Ben. Durch ein niedriges Tor gelangte man auf einen kleinen Platz, auf dem dünner, pulvriger Schnee lag. Das war der Privatplatz von Lord Melchett, und darauf stand sein Stadtschloß. Kein großes Gebäude, aber sehr alt.

Zum Empfang wurden wir in das Musikzimmer geführt. Dieser Raum war hochmodern mit stainless-steel-Möbeln eingerichtet, die einzige Ausnahme war der Flügel. Als die Gäste beisammen waren, wurden wir alle in die alte Gemäldegalerie gebeten. Da gab es die herrlichsten Bilder von Goya, Rembrandt und den alten englischen Malern. Aber der ganze Stolz war die neue Beleuchtung, eine unsichtbare Lichtquelle über den Bildern. Auch hier war es schrecklich kalt, und ich fragte Lord Melchett: »Sie haben wohl wegen der Bilder keine Heizung?« Er antwortete leicht gereizt: »Natürlich haben wir Zentralheizung, aber die stellen wir nie an. Wir leben nur mit Kaminfeuer.« Zentralheizung war also nicht vornehm und nicht englisch. Sie war da, aber sie wurde nicht benutzt.

Als wir die Bilder alle betrachtet hatten und Sherry gereicht worden war, wurden wir in den Speisesaal geführt. Auch er war modern ausgestattet mit einem riesigen Glastisch, wiederum stainless-steel. Ich trug ein ärmelloses Abendkleid und nahm Platz auf einem Stuhl mit Stahllehnen, die eiskalt waren. Aber dann, bevor man zu speisen begann, taten sich ringsum mehrere Portale auf, und von allen Seiten kamen galonierte Lakaien in Kniehosen, immer zwei, die große Becken mit glühenden Kohlen trugen. Diese Becken stellten sie in die verschiedenen Kamine, die sich rings um den Eßtisch befanden. Von hinten wurde es bald schön warm, aber nicht so sehr von vorne. Das angeregte Gespräch erwärmte uns jedoch allmählich.

Mein Tischherr war ein Vetter der Königin, ein Herzog von Cunningham oder Cornwall; außerdem waren viele Abgeordnete des Parlaments da. Mir gegenüber aber saß Chaim Weizmann, der an diesem Abend besonders geehrt wurde. Als die Deutschen im Ersten Weltkrieg Giftgas einsetzten, war das eine neue, überaus gefährliche Waffe. Weizmann – er war Chemiker in der Fabrik des Vaters von Lord Melchett, der ursprünglich Mond hieß und aus Frankfurt stammte – wurde aufgefordert, ein Gegenmittel zu entwickeln. Seine Erfindung war von entscheidender Wirkung, und Lord Balfour, der britische Außenminister, wollte Weizmann zum Baron machen. Dieser aber legte darauf keinen Wert, statt dessen äußerte er seinen sehnlichsten Wunsch: Man solle in Palästina Land für Juden bereitstellen, vor allem für die Verfolgten im zaristischen Rußland, wo unzählige bei den Pogromen ermordet wurden. So kam es zur Balfour-Deklaration, die besagte, daß ein unbewohnter und unfruchtbarer Teil Palästinas gekauft und den Juden zur Verfügung gestellt werden sollte. Vor allem die Barone Rothschild in England und Frankreich erwarben dort

viel Grund und Boden. Das war die Keimzelle, aus der 1948 der Staat Israel entstand.
Es folgte eine Einladung von Martin Secker in sein Haus, das weit entfernt von London lag. Wir mußten mit der Bahn fahren und wurden dann mit dem Auto abgeholt. Seckers Haus war ein hohes altes Gebäude, das einem seiner Vorfahren gehört hatte, der Erzbischof gewesen war und dessen Porträt in Lebensgröße über dem Kamin hing. Nach dem Essen führte mich Secker in den Garten. Es war fast dunkel. Durch das Gelände floß ein kleiner Bach. Er war von Hänge- und Trauerweiden gesäumt, die von der feuchten Nachtluft schwer herniederhingen und tropften. Das Ganze war in leichten Nebel gehüllt – es war unheimlich. Ein seltsamer Spaziergang mit dem stillen Martin Secker.
Wir erhielten noch viele Einladungen in die alte englische Gesellschaft, die sonst Fremden nicht zugänglich ist. Nicht immer ging es dort luxuriös zu, aber man lernte die Menschen kennen und eine warme, manchmal leicht spießbürgerliche Atmosphäre.
Auch Melchetts luden noch einmal ein, diesmal in ihr Landhaus. Schon am frühen Morgen wurden wir von einem Rolls Royce mit Chauffeur und einem sogenannten »Footman«, der nur dazu da war, die Türen auf- und zuzumachen, abgeholt. Den ganzen Tag fuhren wir durch eine wunderbare Landschaft. Es war Spätherbst, und wir tauchten ein in eine Symphonie aus Rot, Braun und Gelb. Auf einmal kamen wir durch Waldungen, die voll waren von Rhododendren. Sie gehörten bereits zum Besitz der Melchetts. Endlich hielten wir vor einem Schloß, und wir dachten, wir seien angekommen, denn auch hier waren, wie im Stadthaus, Diener in Livree. Sie führten uns durch große Hallen mit alten Gemälden, Skulpturen und antiken

Möbeln. Als wir fragten, ob wir jetzt nicht Lord Melchett begrüßen könnten, sagte man uns, das alles sei nur zum Anschauen, er wohne nicht hier.
Wir fuhren weiter, bis wir endlich zum eigentlichen Landsitz der Melchetts gelangten. Es war ein modernes Haus, sehr langgestreckt und niedrig, in einer schönen hügeligen Landschaft gelegen. Gleichzeitig mit uns trafen zahlreiche andere Gäste ein, und es herrschte ein fröhliches Durcheinander. Aber obwohl mein Gepäck zunächst unauffindbar war, ordnete sich alles dann doch so weit, daß wir abends wieder zusammenkommen konnten.
Zuerst führte man uns alle in das Schwimmbad. Es war November, die riesige Halle, mit Säulen wie in einem griechischen Gymnasium, war geheizt, ebenso das Wasser – das erste Mal, daß ich so etwas sah. Nur wenige Gäste badeten. Ich machte meine Kopfsprünge und nach dem Schwimmen Turnübungen, um warm zu werden. Dann wurde Sherry serviert. Ich war sehr durstig und trank offenbar zuviel. Denn als wir mit frischen, trockenen Badeanzügen wieder ins Haus kamen, vollführte ich, sehr zur Verwunderung aller Gäste, mitten im Salon einen Handstand.
Nach dem Abendessen wurde nur über Politik gesprochen. Ich hörte einen älteren Herrn – offenbar ebenfalls ein Lord –, der gerade im Jagdanzug ankam, sagen, er sei gar nicht zufrieden mit der Regierung, und nur einer könne den Karren aus dem Dreck ziehen, das sei Winston. Ich fragte meine Nachbarin, wer das sei – Winston? Sie gab mir die gewünschte Auskunft. Und plötzlich war Churchill sogar persönlich da. Er wollte Lion treffen und kam sehr spät; seine Tochter hatte ihn entschuldigt, eine wichtige Unterredung halte ihn auf. Er blieb dann auch nur ganz kurz.

Eines Tages ließ der König Lion auffordern, auf Schloß Windsor zu kommen, um sich das Gemälde der häßlichen Herzogin Margarete Maultasch von Quentin Massys anzuschauen. Aber die Einladung kam zu spät. Das Schiff nach Amerika wartete schon.
Wir fuhren nach Southampton, wo Lion sich einschiffte. Ich begleitete ihn auf den Überseedampfer. Kaum waren wir an Bord, als Lions schöner neuer englischer Hut von einem Windstoß ins Meer geweht wurde. Er mußte dann durch ganz Amerika mit seiner Sportmütze reisen.

Ich blieb noch kurze Zeit allein in London und hatte als erstes ein Gefecht mit dem Hotel, weil man Kaviar auf die Rechnung gesetzt hatte. Ich beharrte darauf, daß wir nie Kaviar bestellt hätten, es müsse doch ein slip vorhanden sein – wenn auf dem Zimmer serviert wird, muß man ja eine Quittung unterzeichnen. Secker wartete, er wollte mich zum Essen abholen. Er schüttelte den Kopf: Was ich mich alles traue, erst mit dem Taxichauffeur und nun mit dem Hotel. Aber da sie keinen slip vorzeigen konnten, mußten sie den Kaviar streichen, und ich sparte ein Pfund Sterling. Wahrscheinlich erschien das Secker sehr proletarisch.
Er führte mich in ein besonders gutes neues italienisches Restaurant, das eben eröffnet worden war. Ich suchte mir natürlich, da ich Italien gut kannte, die Gerichte aus, die ich besonders gern aß. Secker aber schwankte lange und studierte immer wieder die Speisekarte von oben bis unten, bis er sich endlich entschloß: »Geben Sie mir ein Steak.«
Hernach gingen wir ins Theater, und zwar in eine geschlossene Vorstellung eines Clubs der High-Society, die sich den Luxus leistete, aus anderen Ländern Theaterstücke kommen zu lassen. Sie waren meist von der Zensur

verboten und wurden daher nicht öffentlich angekündigt. Ich spürte, daß das Publikum sehr gespannt war, was da an neuen erotischen, höchst gewagten Dingen geboten werden würde. Als dann der Vorhang aufging, war es ein Lustspiel von unserem Freund Rudolf Lothar mit dem Titel »Der Werwolf«, das schon lange überall in Deutschland gegeben wurde und auf mich vollkommen harmlos wirkte.

Rudolf Lothar war Ungar, sehr lebhaft, geradezu übersprudelnd. Während des Krieges pendelte er ununterbrochen zwischen der Schweiz und Deutschland in einem geheimnisvollen, sehr einträglichen diplomatischen Auftrag hin und her. Von ihm stammt das Libretto zu Eugen d'Alberts erfolgreicher Oper »Tiefland«. Er hegte große Freundschaft für Lion und wollte ihm Vorlesungen in der Schweiz verschaffen, die wegen der deutschen Inflation viel Geld gebracht hätten. Doch Lion in seiner Scheu vor der Öffentlichkeit lehnte stets ab.

Es wurde Zeit, nach Hause zu fahren. Ich schiffte mich nach Ostende ein. An Bord überdachte ich noch einmal alles, was ich gesehen und gehört hatte. Eines ging mir dabei nicht aus dem Sinn: Lady Melchett hatte Lion ganz zuletzt ins Vertrauen gezogen. Sie war eine schöne blonde Frau, in Südafrika geboren, etwas exzentrisch für englische Verhältnisse – so trug sie einmal hellrote Samthosen als Abendkleid. Sie erzählte Lion, im Radio sei gesendet worden, Lord Melchett, der eine Christin geheiratet habe, sei mit seiner Frau wieder zum Judentum übergetreten. »Daraufhin sind meine Jungen, die in Eton studieren, nachts im Schlafsaal überfallen und verprügelt worden. Kein Wort wurde dabei gesprochen.« Die Kinder hatten zunächst niemandem davon erzählt; aber als sie in den Ferien nach Hause kamen, bemerkte Mrs. Melchett, daß sie merkwürdig deprimiert waren. Zunächst antworteten sie nicht auf ihre Fragen. Schließlich aber hatte der Jüngere ihr dann alles anvertraut.

Von Ostende fuhr ich nicht gleich nach Berlin zurück, sondern machte einen Umweg über Trier, um meine Freundin Maria Angelika zu besuchen, deren Großvater ja dort Oberbürgermeister war. Sie bewohnten ein imposantes Haus, innen alles weißer Marmor und alte Familienmöbel. Der riesige Garten war winterlich verschneit, an seinem Ende befand sich eine Weinkellerei mit großen Fässern. Die Familie besaß auch Weinberge, von denen spritzige Moselweine kamen, einer davon war der berühmte »Bernkastler Doktor«.
Es gab viele Gesellschaften, und ich konnte dabei mit meiner Stopfgansleber glänzen. Eingewickelt in Pergamentpapier, muß man sie stundenlang an einer warmen Stelle des Herdes braten, so daß sie weiß bleibt. Groß und weiß. Dann wird sie gespickt mit Trüffeln, und wenn sie kalt ist, kann man sie schneiden wie Butter, innen ist sie rosig. Das ist das Rezept der Straßburger Gänseleber, und damit habe ich mich in Trier sehr beliebt gemacht.
Das Schönste aber waren die Spaziergänge. In Trier gibt es ja noch römische Ruinen und wunderbare alte Kirchen. Einmal schlenderten wir abends durch die Straßen, da entdeckte ich eine uralte, verborgene Kirche. Als wir eintraten, war es ganz dunkel. Nur in einer Ecke brannte eine Kerze. Und man hörte die hellen Stimmen des unsichtbaren Knabenchors.
Mein nächster Reiseplan: Sankt Anton. Aber vorher ging ich noch kurz nach Berlin zur Weihnachtsbescherung unserer Angestellten, zum Wiedersehen mit Haus und

Garten, mit dem Gärtner, dem Mädchen und der Waschfrau. Dann fuhr ich über München nach Sankt Anton.
Dort begann wieder die herrliche, friedliche Zeit des Skilaufens. Doch plötzlich erreichte uns die Nachricht, daß Hitler an die Macht gekommen war. Wir waren wie betäubt. Niemand hatte je geglaubt, daß Hindenburg, den wir doch alle gewählt hatten, nachgeben würde. Und ich hatte noch vor ein paar Tagen übers Radio gehört, wie er sich gegen Hitler äußerte. Erst viel später sollten wir erfahren, warum er sich plötzlich um 180 Grad gedreht hatte und Hitler zum Reichskanzler ernannte: Hitler hatte erfahren, daß Hindenburgs Sohn, der Großgrundbesitzer war und das Gut, das sein Vater vom Reich geschenkt erhalten hatte, verwaltete, daß dieser Oskar von Hindenburg Gelder unterschlagen hatte, die für die sogenannte Osthilfe gedacht waren, für die kleinen, notleidenden Grundbesitzer. Er tat dies, um sein Gut zu arrondieren, wie man das damals nannte. Das hatte Hitler erfahren, und damit erpreßte er Hindenburg. Auf diese Weise kam Hitler an die Macht. Das hat man aber damals nicht gewußt. Man sagte, Hindenburg ist zu alt und hat wohl nichts begriffen.
Schuld trifft außerdem vor allem zwei Männer: Hjalmar Schacht und Franz von Papen. Schacht war kein Nazi, aber aus Machthunger machte er alles mit und wurde dafür später Wirtschaftsminister. Von Papen war nicht sehr intelligent – was ihn getrieben hat, weiß ich nicht. Man erzählte, daß er, als Botschafter in Amerika, in der Eisenbahn seine Tasche mit sehr wichtigen Dokumenten habe liegen lassen. Eigentlich eher eine Art komische Figur, war er es aber, der dann zwischen Hitler und Hindenburg die Verhandlungen führte. Und dieser Hin-

denburg hatte einmal über Hitler gesagt: »Ich will diesen böhmischen Gefreiten nicht mehr sehen.«
Aus Deutschland kamen Zeitungen, in denen bereits Angriffe auf Lion standen, weil er in Amerika bei einem Interview geäußert hatte: »Hitler means war – Hitler bedeutet Krieg« – und am nächsten Tag war das die Schlagzeile in den Washingtoner Zeitungen gewesen. Außerdem hatte er sich über Hitler und sein Buch lustig gemacht: »Mein Kampf« enthielte ebenso viele grammatikalische Fehler wie Worte. In Deutschland war das alles schon durch Telegramme publik gemacht worden.
Dann kam noch etwas anderes. Ich wohnte nicht im Hotel, weil ich mir sagte, ich bin den ganzen Tag auf dem Hang und gehe nur zum Schlafen ins Haus; wozu das viele Geld ausgeben? So bereitete ich eines Tages in dem Bauernhaus, in dem ich mich einquartiert hatte, mein Abendessen zu. Da kam der Hausherr ganz aufgeregt herein: »Jetzt glaub i scho gar nix mehr, alle lügen. I bin a alter Nazi und hab mi g'freut, daß der Hitler endlich zur Macht kommen is, und jetzt les i da in der Zeitung, in der ›Badner Zeitung‹, über Sie, Frau Feuchtwanger, daß man auf Sie wartet an der Grenze, um Ihnen das Arbeiten beizubringen. Und da steht auch, daß Sie immer im Grand Hotel wohnen und luxuriös leben, dabei sitzen Sie bei mir in der Kuchel und kochen Ihren Spinat. Also i tret aus.«
Im gleichen Haus wohnte auch Leni Riefenstahl. Sie verdrehte immer, wenn von Hitler die Rede war, in Verzükkung die Augen. Später hieß es, sie habe den Film über die Olympiade 1936 gemacht, aber ich weiß, daß das ganz andere Leute waren. Sie stand natürlich an der Spitze, aber sie hätte weder die Regie noch die Organisation allein machen können. Da gab es den Hans Schneeberger und den Hans Ertl. Außerdem war sie keine sehr gute Skiläufe-

rin, aber man mußte ihr immer die ersten Preise geben, weil das Reklame war für die Filme. Viele in Sankt Anton waren ärgerlich darüber.
Wir waren im gleichen Skikurs, und wenn wir zusammen eine Tour machten, sagte der Lehrer immer zu mir: »Geh, Käppli« – er hat mich Käppli genannt, weil ich eine weiße Baskenmütze trug –, »paß auf die Leni auf, die kommt wieder nit nach.« Ich habe dann auf sie gewartet, bis sie langsam den Hang heruntergefahren ist, sehr vorsichtig. Aber eines muß man ihr lassen, und das haben viele bezeugt: Sie konnte ungeheure Strapazen aushalten. Als es bei den Dreharbeiten zu dem Film »Die weiße Hölle vom Piz Palü« schreckliche Schneestürme gab und furchtbar kalt war, nahm sie alles ohne Klage hin und beschwerte sich nie.
Lion kam aus Amerika zurück. Wir zogen natürlich sofort ins Grand Hotel, denn das kleine Dachkämmerchen, in dem ich gewohnt hatte, war nichts für Lion. Hannes Schneider war ein alter Bewunderer von Lions »Häßlicher Herzogin«, dem Roman über Tirol. Wir wurden sehr gefeiert. Kurz darauf kam Eva Boy mit ihrem Mann Ton van Hoboken zu uns und auch der Brecht. Und da saß man zusammen und hat überlegt, was man tun soll.
Alle wußten wir, daß wir nicht mehr zurückkonnten nach Deutschland. Die van Hobokens waren zwar Holländer und keine Juden, aber sie wollten nicht zu den Nazis. Er gab seine Wohnung im Nymphenburger Schloß in München auf und baute sich in Wien ein Haus. Brecht ging nach Dänemark zu Karen Michaelis. Wir blieben noch kurze Zeit, aber dann sagten die Besitzer des Hotels, es würde ihnen leid tun, uns zu verlieren, aber wir seien in Lebensgefahr. Sie hatten gehört, daß Leute nahe der Grenze in der Schweiz umgebracht oder entführt worden waren; die

Brüder Rotter, Berliner Theaterdirektoren, wurden von eingedrungenen deutschen Nazis überfallen, einer wurde ermordet, der andere konnte entkommen.
So fuhren wir nach Bern. Meine Freundin kam aus England, weil sie uns helfen wollte. Mit Briefen und Vollmachten von Lion reiste sie weiter nach Deutschland, um eventuell Geld vom Bankhaus Feuchtwanger in München herauszubringen. Dort lag der größte Teil unseres Vermögens. Sie besuchte Lions Bruder Ludwig und fuhr auch nach Berlin. Aber nirgends hat sich irgend jemand getraut, etwas für Lion zu tun. Alle waren ja in Gefahr.
Später hat Lion Ludschi, der in Dachau war, und seine Familie mit großen Bestechungen losgekauft und nach England gebracht.
Schon vor Hitler hatten wir die Absicht gehabt, uns an der Riviera niederzulassen. Aber dann war uns klargeworden, daß ein deutscher Schriftsteller in Deutschland wohnen müsse, und wir bauten in Berlin unser Haus.
Jetzt fuhr ich also von Bern über Marseille mit dem Autobus die Riviera entlang, um ein geeignetes Haus zu suchen. Eine vorübergehende Bleibe fand ich in Bandol, es war ein kleines Hotel, La Reserve, auf einem Felsvorsprung im Meer gelegen. Da noch keine Saison war, konnten wir das ganze Haus für uns haben. Das war gut, denn auch Lions Sekretärin war inzwischen mit einer Schreibmaschine nachgekommen. Auf dem Altan konnte Lion arbeiten.
Lion hatte schon immer gern Fisch gegessen, aber sogar hiervon gab es in Bandol nur sehr wenig. Die Essensportionen waren genauso klein wie das Hotel. Dafür gab es Nüsse und Mandeln soviel man wollte, und daran haben wir uns satt gegessen.
Eines Tages erschien plötzlich Thomas Mann bei uns. Er

war ebenfalls in Bandol, ohne daß wir davon wußten. Er kam mit seiner Frau, seiner Tochter Monika, wenn ich mich recht erinnere, und dem Schriftsteller Wilhelm Herzog. Sie hatten im Grand Hotel gehört, daß wir hier in La Reserve wohnten.
Überraschenderweise erreichte uns Post aus Deutschland. Der junge Schröder, unser guter, treuer Turnlehrer, hatte Mittel und Wege gefunden, unsere Adresse zu erfahren. Er war sehr bedrückt, aber er wollte seine Aufsicht über Lions Gesundheit nicht aufgeben. An mich als seine Stellvertreterin schrieb er in langen Abhandlungen, worauf ich besonders zu achten habe: daß die Muskeln nicht nur fest bleiben, sondern auch geschmeidig, und daß man auf die richtige Atmung achten müsse.
Aber auch von unseren Angestellten kam ein Brief auf Umwegen über Viking Press aus New York. Sie beschrieben uns, wie der Nazimob eines Nachts in unser Haus eingedrungen war und dabei die Photographie von Mrs. Roosevelt mit einer Widmung an Lion fand. Sie rissen das Bild von der Wand, schmissen es zu Boden und zertrampelten es, Mrs. Roosevelt dabei als »dreckige Judensau« beschimpfend.
Vor einiger Zeit hatte ich dem Hausmeister Hermann und seiner Frau Gertrud, die unser Mädchen war, vorgeschlagen, seine Mutter aus Schlesien kommen zu lassen, denn sie war alt und litt dort unter der bitteren Kälte. Die beiden Frauen waren dabei, als Hermann bei dem Überfall gefragt wurde, wie wir uns ihm gegenüber verhalten hätten. Er war des Lobes voll, und die Hitlerhorde sagte: »Ja, ihre Angestellten haben sie gut behandelt, diese Schweine.« Dann fingen sie an, die Wohnung auszuräumen und gleichzeitig auf den Mann einzuschlagen. Er war bald blutüberströmt, und als sie genug geplündert hatten,

erklärten sie: »So, jetzt erschießen wir dich«, und sie zerrten ihn in den Garten. Die Frauen hörten Schüsse. Am nächsten Morgen rief er von Verwandten außerhalb der Stadt an, er habe sich in der Dunkelheit losreißen können und sich durch die kleine Pforte, die in den Wald führte, gerettet. Er war von den Schüssen der Nazis nicht getroffen worden. Das wollte er uns in dem Brief mitteilen. Er war unsere letzte Verbindung mit dem deutschen Volk.

Als ich im Jahr 1969 nach Berlin kam, suchten mich Hermann und Gertrud dort in der Deutschen Akademie der Künste auf und wohnten der Feier für das Feuchtwanger-Archiv bei.

15

Jetzt hatten wir überhaupt kein Geld mehr. Während ich ein Haus suchte, in dem wir mit der Sekretärin bleiben konnten, mußte Lion vor allem seinen Verlegern im Ausland seine Adresse mitteilen, damit sie Tantiemen überweisen konnten, wenn solche eingingen. Huebsch schickte sofort einen Vorschuß von Viking Press.

Eines Tages erschien aus England ein Bote von MacDonald, der noch immer Ministerpräsident war. MacDonald ließ Lion durch diesen Herrn Fellner einen merkwürdigen Vorschlag unterbreiten: Er fand, es sollte etwas gegen Hitler geschehen, etwas Aufsehenerregendes, und da war er auf die Idee gekommen, Lion solle einen Film gegen Hitler machen. Lion war sehr bestürzt, er hatte sich noch nie mit Film beschäftigt und sagte, er fürchte, daß er sich für dieses Projekt nicht eigne. Aber Fellner versicherte ihm, das mache gar nichts: »Seien Sie ganz beruhigt, das ist alles in Betracht gezogen worden. Wir schicken Ihnen den besten englischen Filmschreiber, der das Skript mit Ihnen macht, und Sie brauchen nur die Story zu liefern.«

So kam Sidney Gilliat, ein noch junger, besonders sympathischer Mann, der später sehr berühmt wurde, zu uns. Lion und Gilliat setzten sich zusammen, und Lion sprach von seinen Ideen zu dem Filmplan. Gilliat fand alles ausgezeichnet und aussichtsreich. Es war die Geschichte der »Oppermanns«, daraus sollte der Film gemacht werden. Die beiden arbeiteten Tag und Nacht an dem Skript, mit glühenden Köpfen saßen sie zusammen, da alles möglichst schnell gehen sollte. Und Gilliat fuhr ab mit dem fertigen Manuskript. Aber dann ist nichts weiter geschehen. Lion bekam, glaube ich, etwas Geld, und das war alles.

Als Lion wieder nach England kam, hörte er, daß sich die politische Lage inzwischen geändert und MacDonald beschlossen hatte, »to swallow Hitler – Hitler zu schlukken«. Das war der allgemeine Ausdruck, der auch in den Zeitungen gebraucht wurde.

Bei seinem Englandaufenthalt war Lion wieder von den Melchetts eingeladen worden, wo auch MacDonald erwartet wurde. Er ist aber nicht gekommen, denn er hätte Lion nicht in die Augen sehen können.

Zurückgekehrt, beschloß Lion folgendes: Er hatte sich so lange mit dem Filmthema beschäftigt, daß er nun, statt am zweiten Teil des »Josephus« weiterzuarbeiten, über die Oppermanns einen Roman schreiben wollte. Diese Entscheidung aber hatte gefährliche Folgen. Der Titel »Die Geschwister Oppermann« war von Lion erfunden. Aber als das Buch in Holland, wo der Verlag Querido die geflüchteten deutschen Autoren verlegte, angekündigt wurde, erhob ein Herr Oppermann in Deutschland wütenden Protest. Er ließ Lion durch den Verleger mitteilen, er würde dafür sorgen, daß Lions beide Brüder, die noch in Deutschland waren, ins Konzentrationslager kämen, wenn er seinen ehrlichen Namen für den Roman benutze. Daraufhin mußte Querido das ganze Buch noch einmal drucken, und es hieß dann 1933 »Die Geschwister Oppenheim«. Erst später kehrte man zu dem ursprünglichen Titel zurück.

Lion hatte sich sofort in die Arbeit gestürzt, er wollte den Roman möglichst schnell veröffentlichen, weil er, Optimist der er war, sich eine politische Wirkung davon versprach. Aber er war immer ein langsamer Arbeiter, und es bedrückte ihn, daß er in so kurzer Zeit nicht sein Bestes geben konnte. Später hat er oft gesagt, daß das Buch mit mehr Zeit hätte besser werden können. Vor allem mit dem Schluß war er nicht zufrieden.

Eines Tages stand ein halbnackter, wild aussehender Mann vor unserer Tür. Er sagte, er sei von Aldous Huxley geschickt, der zur Zeit auch in Bandol wohne und uns einladen wolle. Er selbst heiße Seabrock. Wir kannten den Namen, der Mann war ein amerikanischer Schriftsteller, der ein aufsehenerregendes Buch geschrieben hatte. Er war nämlich irgendwo im Dschungel Südamerikas in die Gewalt von Eingeborenen geraten, mußte mit dem Stamm leben und mit ihm Menschenfleisch essen. Dieses Erlebnis beschrieb er ausführlich in seinem Roman, der großen Erfolg hatte.
Huxleys hatten zu einem großen Tee gebeten. Ebenfalls geladen war Professor Michaelis, ein Gelehrter aus Amerika, der uns auch schon besucht hatte. Wir saßen unter einem großen Kirschbaum, an dem reife Früchte hingen. Es war unsere erste Begegnung mit Huxley. Der Dichter erzählte mir von einer Freundin, Sibylle von Schönebeck, auch eine Deutsche und Tochter eines Generals; sie kenne die Umgebung genau, wisse jedes Haus, das zu vermieten sei, und habe bereits für eine Freundin, die Malerin Eva Herrmann, eines gefunden. Er schickte Sibylle zu uns.
Sie kam in einem winzig kleinen Ford, der keine Türen mehr hatte. Man mußte sich festhalten, um auf den holperigen Wegen nicht hinauszufallen. Aber er rollte, ich fuhr mit ihr herum, und wir haben so auch ein Domizil gefunden. Es war ein sehr einfaches Haus, wir hatten ja so wenig Geld, doch es war unglaublich schön gelegen. Eigentlich

ist es gut, wenn man nicht viel Geld hat, dann findet man die schönsten Dinge, die man sonst nicht beachtet hätte. Die Villa Lazare stand hoch oben auf einer vorspringenden Klippe über dem Meer. Das Haus war nicht eingerichtet und sehr primitiv: keine Küche, nur ein Wohnraum mit einer offenen Feuerstelle, wo ich auf einem Grill über Holzfeuer kochte, so gut es ging. Sonst gab es neben den drei kleinen Schlafzimmern nur noch einen langgestreckten Arbeitsraum mit einer großen Terrasse. Ich rang dem Hausherrn, einem Rechtsanwalt aus Toulon, einen Arbeitstisch ab, den er für uns anfertigen ließ: rohe Bretter zusammengeleimt, von zwei Holzgestellen getragen. In seinem Haushalt fanden sich noch ein paar Matratzen und wackelige Stühle auf, die ich billig mit Restbeständen bezog, ebenso eine Stehlampe.

Lion und ich fanden alles großartig, denn da war ja das Meer. Man konnte von der Klippe auf beiden Seiten in tiefblaue Buchten sehen, im Hintergrund lag eine Insel. Außerdem gab es einen Privatstrand, zu dem man über die Felsen hinunterkletterte und von dem ein Interviewer aus Paris sagte, er wäre nicht größer als ein Taschentuch. Die Felsen waren mit dichtem Gestrüpp bewachsen, mit Rosmarin, Salbei und Thymian. Es war wie in Kalabrien, und es roch ebensogut. Wo gab es ein Meer, Felsen und einen Privatstrand in Berlin-Grunewald? Wir vermißten nichts, auch nicht die Bequemlichkeit unseres Hauses, den gepflegten Garten, nicht einmal unseren Buick. Ich kaufte einen kleinen, abgetakelten und abgeschabten Renault für fünfzig Francs. Der Motor hörte sich an wie eine Nähmaschine, aber er zog wacker die steile, holprige Straße hinauf.

Lion arbeitete an den »Oppermanns« Tag und Nacht. Er

gönnte sich nur den morgendlichen Dauerlauf die Straße hinauf und hinunter um die kleine Bucht und das Schwimmen im Meer. Bald trafen die ersten Besucher ein, die sich nicht anmelden konnten, da wir kein Telephon hatten. Mir fiel die undankbare Aufgabe zu, sie zwar auf der unteren Terrasse zu empfangen, aber ich konnte Lion nicht bei der Arbeit unterbrechen. Die Leute kamen zu Fuß von Bandol oder Sanary, unsere Halbinsel lag genau in der Mitte zwischen den beiden Orten, und unser Haus stand am äußersten Ende. Ich war nicht sehr beliebt bei den Besuchern. Nur als Thomas Mann mit Golo zu Fuß kam, riskierte ich eine Unterbrechung.
Bald hatte sich mein Ruf als Zerberus herumgesprochen, und die Gäste kamen erst zur Teestunde. Auch Huebsch aus New York fand sich ein, Professor Michaelis, die Frau und die Töchter des Verlegers Fritz Landshoff von Querido, mehrere Reporter, eine Berliner Baronin, einige französische Schriftsteller, die für Zeitungen schrieben. Sibylle von Schönebeck brachte Eva Herrmann mit, es folgten die Malerin Lazar, eine Freundin von Rainer Maria Rilke, dessen Porträt sie gemalt hatte, sowie Eva Boy mit Anthony van Hoboken und, eine besonders große Freude für uns, Heinrich Mann. Und vor allem Brecht und Arnold Zweig. Die beiden wollten am Abend nach dem Essen zu uns kommen, und ich holte sie in meinem kleinen Wagen von ihrem Hotel ab.
Als wir ausgestiegen waren, bot sich uns ein außergewöhnliches Naturereignis, ein ungeheuerlicher Sternschnuppenregen: die Meteore schossen kreuz und quer über den Himmel; riesig groß sahen sie aus, man glaubte, sie fielen direkt auf uns herab. Brecht sagte: »Wir wollen an den Strand gehen, da hat man einen freieren Blick ohne Bäume. Sagen Sie doch dem Doktor, er soll nachkom-

men.« Ich lief ins Haus und rief Lion. Er schloß sich den beiden an.
Als die drei Männer unten waren, wendete ich den Renault in die Abfahrtsrichtung und wollte nachfolgen. Da sah ich plötzlich, daß der Wagen sich neben mir in Bewegung setzte. Ich lief hinterher und sprang außen auf das Trittbrett, um durchs Fenster die Bremsen fester anzuziehen; aber alles, was ich tun konnte, war, das Steuerrad schnell nach links zu reißen, so daß der Wagen nicht in die Richtung der drei Männer fuhr. Die merkten nichts von alldem, es war ja Nacht. Das Auto geriet, als ich es von außen lenkte, mit dem Vorderrad in eine Furche. Ich sprang ab, aber der Wagen kippte um und rollte über mich hinweg; auf der anderen Seite richtete er sich wieder auf.
Da lag ich nun und tastete mich ab. Erst glaubte ich, ich hätte die Hüfte gebrochen, aber auf einmal habe ich am linken Bein eine Wunde gespürt. Es war ein offener Bein- und Knöchelbruch, und ich verlor viel Blut. Ich rief laut nach Brecht, von dem ich ja wußte, daß er etwas Medizin studiert hatte. Er rannte herauf und gab mir seinen Gürtel, damit ich sofort das Bein abbinden konnte, um nicht zu verbluten. Dann schickte ich ihn und Zweig mit der Taschenlampe, die sie im Wagen fanden, zu Huxleys. Sie brauchten nur durch den Wald und dann die Küste entlang zu gehen, das erste Haus rechts war das der Huxleys, die ein Telephon hatten.
Maria Huxley war außerordentlich umsichtig. Sie bestellte den Arzt und eine Ambulanz aus Toulon. Der Arzt kam sehr bald, aber die Ambulanz ließ lange auf sich warten. Frau Huxley bezog Posten an der Landstraße, denn die Ambulanz hätte in dem Gewirr von kleinen Wegen auf der Halbinsel nie zu uns gefunden. Lion

begleitete mich dann nach Toulon ins Hospital. Der Arzt dort war sehr bedenklich. Er sagte, eine Operation sei notwendig.
Am nächsten Tag hatte ich hohes Fieber, und der Arzt meinte, wenn es nicht fiele, müsse man das Bein abnehmen. Ich bat ihn, Lion nichts davon zu sagen, weil wir erst abwarten wollten. Allmählich sank die Temperatur auch etwas, und der Arzt sagte, ich sei nun außer Gefahr, doch da auch der Knöchel zerschmettert war, würde es ungefähr sechs Monate dauern, bis ich wieder richtig gehen könne. Außerdem war die Bruchstelle so groß, daß etwas Mark ausgetreten war. Dadurch bestand die Gefahr einer Infektion. Aber es ging alles gut, und im nächsten Jahr bin ich schon wieder Ski gelaufen.
Zunächst aber mußte ich, als ich aus der Klinik kam, in ein Sanatorium in Bandol, um die Wunde in der Sonne heilen zu lassen. Wir hatten zur Zeit sowieso kein Haus, da die Villa Lazare für den Winter nicht geeignet war. Sie besaß keine Heizung, und es war sehr kalt und windig dort über dem Meer. So lag ich eine Zeitlang im Sanatorium, bis Lion aus Paris zurückkam und ich schon mit Stöcken herumhumpeln konnte.
Nach der Entlassung suchte ich nach einer neuen Bleibe für uns. Ich brauchte lange, um etwas zu finden: die Villa Valmer, ein Haus mit drei Stockwerken und einer wunderbaren Aussicht übers Meer und die Inseln. Sie war auf einem Hügel gelegen und hatte einen großen Garten mit Feigenbäumen, anderen Obstbäumen und vielen Ranken und Rosen – ein richtiger französischer Rosengarten, wie von Renoir gemalt. Und es gab eine große Terrasse, eingehüllt von Bougainvilleas. Ich mietete das ganze Haus. Im ersten Stock befanden sich nur das Arbeitszimmer und die Bibliothek – Lion hatte sofort angefangen, mit den neuen

Einnahmen Bücher zu bestellen. Hinter dem Haus lag ein riesiges Gelände von Wiesen, Baumgruppen, Obst- und Nußbäumen, und im Hintergrund ragten hohe Berge auf. Auch Mandelbäume gab es, und niemand war da, die Früchte zu ernten.

Einmal brach ein Brand aus, wahrscheinlich verursacht durch spielende Kinder. Ich entdeckte das Feuer und fing gleich an, mit einer Schaufel auf die Flammen einzuschlagen. Unser Mädchen rief die Feuerwehr und griff zur Schaufel wie ich. Der Bürgermeister hat sich später bei mir bedankt, daß ich den Brand entdeckt und auch sofort zu löschen begonnen hatte.

Sehr merkwürdige Erfahrungen machten wir mit unseren Dienstmädchen. Ich ging auf die Bürgermeisterei, und da verwies man mich an einen Bauern, dessen Tochter mir vielleicht helfen könnte. An sich war er ein reicher Mann, aber das Mädchen war so neugierig auf die Fremden, daß sie jeden Tag auf ein paar Stunden zu mir kam. Sie wusch die Wäsche und ging für mich einkaufen, das war eine halbe Stunde Weg mit ihrem Fahrrad, und zwar in aller Frühe. Denn um sechs Uhr kamen die Bauern aus allen Himmelsrichtungen auf den Marktplatz, der am Meer lag, und legten ihre Waren aus. Das war die »criée«, eine Art Versteigerung im Freien. Wenn man sich mit anderen Leuten zusammentat, konnte man große Mengen einkaufen und dann teilen. So wurde es billiger. Das Mädchen bereitete eine wunderbare Bouillabaisse zu, sogar mit Langusten. So haben wir immer gut und preiswert gegessen. Sie brachte mir auch bei, wie man eine Ratatouille kocht, die ich nur von den Marseiller Restaurants her kannte.

Als wir in die Villa Valmer einzogen, bekamen wir das

Mädchen gleich dazu. Sie war eine komische alte Jungfer, und es stellte sich heraus, daß sie nicht einmal gut genug sehen konnte, um sauberzumachen. »Wissen Sie«, versuchte ich es vorsichtig, »eine Brille steht Ihnen sicher gut. Sie würden damit aussehen wie eine Lehrerin.« – »Eine Lehrerin?« jubelte sie, »da geh ich gleich und kauf mir eine Brille.« Sie war sehr glücklich mit ihren Augengläsern, und das Haus war von Stund an viel sauberer. Auch sonst hatte sie merkwürdige Angewohnheiten. Wenn wir morgens vom Meer kamen, stieg Lion als erstes in die Badewanne, um sich das Salz aus den Haaren zu waschen. Einmal, als ich das Wasser ablassen wollte, bat mich das Mädchen, es bis nach dem Frühstück stehenzulassen. Ich dachte, sie wünschte das, damit die Wanne leichter zu reinigen sei. Aber als ich ins Badezimmer kam, lag Marie-Louise in der Wanne. Sie sagte, sie möchte gern das Wasser benutzen, in dem der Herr Doktor gebadet habe.

Wenn es regnete, machten wir unseren täglichen Dauerlauf, der uns sonst weit über die Wiesen führte, nur um das Haus herum, weil Gras und Wege zu schlammig waren. An solchen Tagen liefen wir natürlich auch immer an der rückwärtig gelegenen Küchentür vorbei. Jedesmal kam das Mädchen heraus und strahlte uns mit einer Verbeugung an: »Bonne promenade.« Ich sagte ihr, sie brauche das nicht bei jedem Rundlauf zu tun, aber sie beharrte darauf: »C'est la politesse – das ist die Höflichkeit.«

Wenn ich allein war und die Pflanzen hinter dem Haus begoß, stand da oft ein Mann, der mich nur ansah. Aber dann wurde es unheimlich, denn er entblößte sich. Ich sprach zu niemandem davon. Wir trafen ihn oft bei unseren Spaziergängen, und der ahnungslose Lion nannte ihn den Kindsmörder, weil er so bleich und immer schwarz angezogen war.

Als Lion zu einem Schriftstellerkongreß nach Paris gereist war, hörte ich in der Nacht ein Geräusch im Haus und lief nach unten. Da sah ich diesen Mann gerade in das Zimmer unseres alten Mädchens schleichen. Es war unbehaglich, meine Türe war nicht absperrbar, aber was sollte ich tun. Ich wollte ihr doch das Vergnügen nicht verderben. Bald darauf mußte das arme Mädchen wegen Trunksucht ins Hospital.

Nun machte ich mich wieder auf die Suche, und der Bürgermeister schickte mir unsere Leontine. Sie war italienischer Abstammung, üppig, schön, sauber, besonders nett und lustig; Leontine hatte einen Mann, Schreiner von Beruf, den sie Bouboule nannte, weil er so dünn war. Das Wort kommt bei Maupassant vor, man könnte es mit »Fettkügelchen« übersetzen.

Grundsätzlich kochte ich für Lion wegen seines empfindlichen Magens selbst. Leontine aber beherrschte köstliche provenzalische Gerichte, unter anderem Escargots à la Sucerelle. Lion hatte schon immer gern Weinbergschnecken gegessen; aber das war eine neue Art der Zubereitung, ganz anders als in Paris, mit Tomaten, Kräutern und gehackten Zwiebeln. Es machte furchtbar viel Arbeit: Erst suchten Leontine und ich in aller Herrgottsfrühe die Schnecken im Garten, dann wurden sie mit Fenchelkraut gefüttert, um die Gedärme zu reinigen. Nach dem ersten Kochgang nahmen wir sie aus ihrem Gehäuse, kochten sie in der Füllung weich und steckten sie in die Schalen zurück. Das Ganze wurde dann mit viel Geräusch herausgeschlürft. Daher der Name Sucerelle.

Leontine sollte später einmal eine große Rolle in unserem Leben spielen. Vorerst aber tat sie nichts lieber, als mit mir für die vielen Gäste, die fast täglich durch unse-

ren Garten zogen, den Nachmittagstee zu bereiten und die unzähligen winzigen Brötchen zu belegen.
Während des langen Sommers riß die Kette der Besucher nicht ab. Freund und Feind trafen und vertrugen sich. Die Frankfurter Rothschilds hatten einen Weingutbesitz jenseits von Toulon. Sie luden uns ein und baten, unsere Freunde mitzubringen. Wir kamen mit dem Statistiker Emil Gumbel, der als Professor in Heidelberg nach dem Ersten Weltkrieg den Ausdruck »auf dem Felde der Unehre gefallen« geprägt hatte und dafür von den Studenten verprügelt worden war. Wir brachten auch den Philosophen Ernst Bloch mit; er sah wunderbar aus und rauchte stets eine Pfeife. Auf seine humorvoll ironische Art war er nur selten einer Meinung mit dem widerspruchsvollen Ludwig Marcuse, aber die beiden blieben trotzdem gute Freunde. Man langweilte sich nicht, wenn sie disputierten. Bei den Rothschilds wohnte in einem kleinen Gartenhaus der Maler Eugen Spiro, einstmals Gatte der Schauspielerin Tilla Durieux, der die Familie porträtierte. Vor dem Essen schlenderten wir gemeinsam durch die Weinberge hinunter zum Strand, und dort bot sich uns eine seltene Naturerscheinung: »l'heure bleue – die blaue Stunde«. Nicht nur das Meer und der Himmel waren tiefblau, auch die Luft schimmerte in der gleichen Farbe.
Manchmal überraschte uns unangemeldeter Besuch. Eines Tages stand eine große, stattliche Figur vor der Verandatür, als Lion und ich allein beim Tee saßen. Es war Graf Carlo Sforza, der frühere Außenminister von Italien, der nicht unter Mussolini dienen wollte. Und wie Alfred Kerr es in seinen Kritiken oft ironisch beschrieb, die »Just-Technik« des Zufalls wollte es, daß gleich darauf eine andere Erscheinung die Türe verdunkelte. Diesmal war es

Graf Karolyi, der frühere ungarische Ministerpräsident. Einen Augenblick lang herrschte stumme Verblüffung. Karolyi kreuzte die Hände und meinte zu Sforza: »Das letzte Mal, als ich Sie sah, erschien ich vor Ihnen mit gefesselten Händen.« Karolyi hieß der »Rote Graf«, und Sforza, wenngleich ein Liberaler, wollte nichts von Kommunismus wissen. Aber auch sie haben sich schließlich gut vertragen in unserem kleinen Teezimmer.

Ein andermal kam Alfred Kerr persönlich. In Berlin war ich ihm wegen seiner Ablehnung Brechts immer ausgewichen. Er war schon ziemlich alt und seine Lage, wie jeder wußte, als deutscher Kritiker fern von Deutschland hoffnungslos. Aber er saß stramm da und ließ sich nichts anmerken. Im Exil hat er dann seine besten Gedichte geschrieben.

Auch Arthur Koestler kam durch Sanary. Er war im Spanischen Bürgerkrieg von den Franco-Faschisten gefangengenommen und zum Tode verurteilt, auf englischen Druck jedoch befreit worden. Für längere Zeit siedelte sich Ludwig Marcuse in Sanary an. Auf einer winzigen Veranda, auf der er gerade mit seinen Beinen Platz hatte, schrieb er seine Artikel und Bücher mit gleichbleibender Begeisterung. Durchgangsstation war Sanary auch für Erika und Klaus Mann, Aldous Huxley kam mit viel Gefolge, darunter die englische Abgeordnete Wilkinson; Ernst Toller erschien, Antonina Vallentin mit ihrem Mann Julien Luchaire, dem französischen Kulturattaché und erfolgreichen Dramatiker, blieben den Sommer über. Toller klagte, daß der viel ältere Luchaire ihn immer erbarmungslos auf die Hügel jage, statt vernünftig am Strand zu liegen. René Schickele, der Elsaß-Lothringer, der sich 1918 für Deutschland entschieden hatte, und die Verleger Ben Huebsch aus Amerika und Fritz Landshoff aus Holland –

sie alle fanden sich ein. Bruno Frank schrieb hier seinen »Cervantes«, Franz Werfel den »Veruntreuten Himmel«, Thomas Mann »Joseph in Ägypten«.
Heinrich Mann, der einen Sommer lang in Bandol wohnte, zog sich dann östlich von Sanary, dort der italienischen Grenze etwas näher, nach Nizza zurück. Er bevorzugte die größere Stadt, deren alter Teil die italienische Vergangenheit noch bewahrt hatte, und liebte vor allem das Kaffeehaus. Nach Nizza folgte ihm seine Nelly aus Berlin. Er schrieb zu dieser Zeit sein größtes Werk, die beiden Romane über den französischen König Henri Quatre, dem »Paris eine Messe wert« gewesen war. Auch Joseph Roth lebte eine Zeitlang in Nizza, arbeitete besessen und trank sich aus Verzweiflung in Paris zu Tode.
Dann kamen nach Sanary Arnold Zweig und auch Bertolt Brecht. Ich machte mit Brecht einen Ausflug nach La Seine, und bei einem Glas Vermouth am Quai erklärte er mir ernstlich, er mache mich dafür verantwortlich, daß Lion seinen »Josephus« nicht zu jüdisch-chauvinistisch schreibe.
Übrigens diktierte Arnold Zweig einen Teil seiner »Erziehung vor Verdun« einer jungen Malerin und bat mich, bevor er nach Israel abreiste, das Manuskript zu korrigieren, denn er war schon damals fast blind und konnte das Geschriebene nicht mehr selbst lesen. Es war viel Arbeit und Verantwortung für mich. Das Mädchen, halb Russin, halb Wienerin, hatte oft nur halbe Sätze geschrieben. Niemand weiß bis auf den heutigen Tag, daß ich große stilistische Veränderungen vornehmen mußte.
Julius Meier-Graefe, der Kunsthistoriker, lebte in der Nähe, in Saint-Cyr. Er mußte jedes Jahr nach Deutschland, weil er da sein Geld hatte, und von dort brachte er auch einen Hanomag mit, das kleinste Auto der Welt. Als

er damit einmal an der Côte d'Azur entlangfuhr, brach der Wagen auseinander, und Meier-Graefe stand mit seinen langen Beinen mitten auf der Landstraße.

Auch ein Arzt war unter uns, der Homöopath Dr. Friedrich Wolf. Er war aber vor allem Dramatiker und hatte das berühmt-berüchtigte Stück »Cyankali« sowie den »Professor Mamlock« geschrieben. Er mietete sich für längere Zeit in Sanary ein und wurde wegen seiner eleganten Kopfsprünge am Strand sehr bewundert. Sein Freund Kurt Hirschfeld besuchte ihn aus Zürich, wo er das Zürcher Schauspielhaus als modernes Theater führte, an dem »verbotene« deutsche Dramatiker gespielt wurden und zahlreiche, aus Nazi-Deutschland emigrierte Schauspieler auftraten. Aus Paris war der aus Rußland gebürtige Maler Moïse Kisling nach Sanary gekommen und füllte sein Atelier mit vielgesuchten Gemälden.

Sie alle fuhr ich mit meinem neu erstandenen alten englischen Talbot herum und zeigte ihnen im Hinterland die auf steilen Hügeln erbauten verwunschenen Orte, so Lacadière mit seinen mittelalterlichen Mauern und Türmen, von den Huxleys auf ihren Wanderungen entdeckt.

Eines Tages erreichte uns eine Nachricht aus Rußland, mit der sich ein Journalist anmeldete, der auf dem Weg zum Spanischen Bürgerkrieg in Sanary Station machen wollte, um Lion zu besuchen. Es erschien ein nicht sehr großer Mann mit schönen Augen und weißen Zähnen, die aber wie Kraut und Rüben in seinem Mund standen. »Ich bin einer von drei kleinen, miesen jüdischen Generälen, der von der russischen Regierung als Kommissar nach Spanien geschickt wird.« General Kolzow erzählte merkwürdige Dinge: Er berichtete vom Tod Maxim Gorkis, den wir alle liebten und verehrten. Wir hörten von dem guten Einfluß, den Gorki auf Stalin ausgeübt hatte. Gorki, der Stalin sehr nahegestanden habe, sei getötet worden, um Stalin zu treffen. Seit der Zarenzeit und seiner Verbannung nach Sibirien sei Gorki lungenkrank gewesen, habe wegen Mussolini nicht mehr in das warme Italien gekonnt und sei langsam dahingesiecht. Eines Tages hätten ihm seine Ärzte brutal eröffnet, er werde in der allernächsten Zeit sterben, und durch diese Rohheit habe Gorki einen Herzschlag erlitten. Kolzow sprach zu uns von seiner tiefen Verehrung für Stalin.

Als Rußland entschieden hatte, daß eine Stellungnahme gegen Franco-Spanien zu einem Krieg führen könnte, hatte man sich entschlossen, die aussichtslose Hilfestellung aufzugeben, und rief den Kommissar Kolzow aus Spanien zurück. Auf dem Rückweg suchte er uns noch einmal auf und erzählte, daß sein Bursche, den ihm die spanischen Loyalisten zur Verfügung gestellt hatten, sich geweigert habe, seinen Wagen zu waschen. Der Soldat, ein Katalane, dem der russische Kommunismus nicht genügt hatte, erklärte: »Wenn der Kamerad Kolzow einen sauberen Wagen wünscht, dann wasche er ihn selber.« Kolzow ist der Kommissar in Hemingways Roman »Wem die Stunde schlägt«.

Als Lion in Rußland war, erzählte ihm die Witwe Gorkis, daß ihr Mann nach der Lektüre von »Erfolg« gesagt habe: »Jetzt kann ich ruhig sterben, ich habe einen Nachfolger gefunden.«

Bald darauf kam wieder ein Besuch aus Rußland, diesmal war es eine Frau. Sie sagte, sie sei Schauspielerin und eine Kollegin von Alexander Granach, der Schauspieler bei Reinhardt gewesen war und sich noch im letzten Augenblick nach Rußland hatte retten können. Da Granach in Weißrußland geboren war und daher russisch sprach, hatte er keine Mühe, in Moskau ein Theaterengagement zu

bekommen. Er fand auch bald eine Freundin. Doch nach einiger Zeit begegnete er einem Mädchen, das ihm besser gefiel. Die erste Freundin zeigte ihn aus Rache als deutschen Spion an, und seitdem war er verschollen. Lion fragte, was er tun könne, und Granachs Kollegin machte ihm klar, daß es nur eine Möglichkeit gäbe, nämlich an Stalin direkt zu schreiben. Das tat Lion ohne viel Hoffnung.
Mehrere Jahre später, als wir schon hier in Kalifornien lebten, kam ich eines Tages vom Markt nach Hause und sah, als ich durch die Tür kam, einen Mann vor Lion auf den Knien liegen. Er drehte sich nach mir um, es war Granach. In seiner überschwenglichen Weise wollte er Lion danken, daß er ihm das Leben gerettet hatte.

Lion hat während seines Aufenthalts in Paris viel gesehen und viel gehört. Zahlreiche Menschen brauchten seine Hilfe. Paris war ein anderes Exil als Sanary. Es zog Lion wieder und wieder in die große Stadt, obwohl er nur in der Ruhe Südfrankreichs arbeiten konnte. Für ihn schien die Sonne nicht am Mittelmeer, die Fische schmeckten ihm nicht, er schlief schlecht in dieser Zeit. Paris war die Hauptstadt der Flüchtlinge. Davon handelt sein Roman »Exil«, an dem er gerade arbeitete.
Da ereignete sich etwas Dringendes, Störendes. Aus Moskau kam ein schriftlicher Hilferuf von Freunden. Viele hatten dort Zuflucht gefunden. Es waren fast nur Schriftsteller, doch keiner von ihnen schrieb oder sprach russisch. Sie beschlossen, eine deutsche Zeitschrift zu gründen. Die Regierung war einverstanden, das Unternehmen zu stützen – unter einer Bedingung: daß sich Schriftsteller von Namen bereit erklärten, die Leitung zu übernehmen. Da waren Brecht, Willi Bredel und Heinrich Mann, aber man

wollte auch Feuchtwanger, der den Russen durch »Erfolg« bekannt war. Daher das dringende Schreiben. Es war schwer für Lion, seine Arbeit an »Exil« zu unterbrechen; aber noch schwerer wäre es gewesen, den Kollegen nicht beizustehen. Er entschloß sich, nach Moskau zu fahren. Er reiste über Prag, wo er dem tschechischen Staatspräsidenten Eduard Beneš versprach, auf dem Rückweg einen Vortrag zu halten. Dann fuhr er weiter durch Polen. Dort wurde sein Gepäck mit gefährlichem Eifer durchsucht. Man wollte ihn nicht weiterreisen lassen, glaubte, er sei im Besitz der Kronjuwelen. Es gab viele Stunden Verspätung, bis sich alles von Moskau her klärte. Dort angekommen, wurde er stürmisch empfangen.

Lion hatte Ludwig Marcuse und seine Frau eingeladen, mit ihm zu fahren. Marcuse war an der Mitarbeit bei der Zeitschrift interessiert, und nach kurzen Verhandlungen wurde »Das Wort« gegründet.

Lion sah das Bolschoi-Ballett, und außerhalb Moskaus zeigte man ihm ein neues Mustergefängnis. Es war eine Stadt, in der die Sträflinge sich frei bewegen und auch verschiedenen Berufen nachgehen konnten. Aber sie waren Gefangene. Das machte großen Eindruck auf Lion. Doch durch das ungewohnte Klima – es war Dezember – hatte sich Lion stark erkältet. Er konnte nicht in die berühmte Oper gehen, da er mit Fieber im Bett lag. Viele Ärzte bemühten sich um ihn und bestanden darauf, daß er zur Erholung in ein Sanatorium im Süden Rußlands ging. Als er nach Moskau zurückkam, nahm ihn der amerikanische Botschafter Joseph E. Davies zu Prozeßverhandlungen mit. Da Lion nicht russisch konnte, mußte er sich auf die Eindrücke und Erläuterungen des Botschafters verlassen. Lion war höchst erstaunt über das, was er sah: Es wurde Tee getrunken, der gefürchtete Staatsanwalt

Wischinski setzte sich auf die Stuhllehne des Angeklagten und diskutierte mit ihm über Politik. Auf dem Rückweg erklärte der Botschafter, der selbst Jurist war, daß alles korrekt nach russischem Gesetz abliefe, die Angeklagten der Schuld überführt waren und sich auch schuldig bekannten. Sie waren größtenteils politische Gegner Stalins, es befanden sich aber einige Männer darunter, die sich als seine Anhänger bezeichneten, wie zum Beispiel Karl Radek.

Dann wurde Lion überraschenderweise aufgefordert, Stalin zu besuchen. Darüber schrieb er in seinem kleinen Buch »Moskau 1937 – Ein Reisebericht für meine Freunde«. Bei dem Gespräch war kein Dolmetscher zugegen; doch der Chefredakteur Tal von der »Prawda« war anwesend, der fließend deutsch sprach. Stalin war ungemein liebenswürdig, er fragte Lion, ob er seine Pfeife rauchen dürfe. Als Lion antwortete: »Ich habe gerade eine schwere Erkältung hinter mir«, legte Stalin die Pfeife aus der Hand. Lion, über seine Eindrücke befragt, rühmte die Schönheit der Stadt, lobte das Theater und fragte beiläufig, ob es Stalin nicht störe, daß seine Bilder in allen Straßen riesengroß angebracht seien. Stalin antwortete: »Man muß sehr laut schreien, um in Wladiwostok gehört zu werden.« Dann kam die Rede auf die Prozesse. Lion sagte, daß er Radek persönlich kenne, und fragte, ob man die Angeklagten nicht begnadigen könne. Stalin antwortete etwas gereizt: »Und das sagen Sie, der die ›Oppermanns‹ geschrieben hat«, und zu Tal, halb im Scherz: »Solche Leute laden Sie mir ein.« Zu Lion gewandt, erklärte er, er habe alle schon einmal begnadigt, als sie sich in der Verbannung in Sibirien befanden hätten. Sie seien Trotzkisten und unverbesserlich. Und unwillkürlich zündete er sich seine Pfeife an.

Alle Angeklagten wurden später zum Tode verurteilt, mit Ausnahme von Radek, für den Lion sich eingesetzt hatte. Er wurde auf zehn Jahre in die Verbannung geschickt.
Nach dieser Reise, oder vielmehr, als Lion »Moskau 1937« veröffentlichte, fing eine wilde Hetze gegen ihn an. Später hat er wegen dieses Buches und seiner Freundschaft mit Brecht die amerikanische Staatsbürgerschaft nicht erhalten. Übrigens rief mich am Tag nach Lions Tod die einschlägige Behörde an, um mir ihre Bestürzung auszudrücken: Gerade jetzt war man so weit, ihn einzubürgern, und ich möchte mich in einem Monat im Staatsgebäude einfinden, um an meinem Geburtstag Amerikanerin zu werden.
Auf dem Rückweg über Prag, wo Lion den versprochenen Vortrag halten wollte, eröffnete ihm Beneš, daß durch den Druck der Hitleranhänger die Rede hatte abgesagt werden müssen.

Der Winter war in diesem Jahr außerordentlich streng. Alle Mimosenbäume an der Riviera fielen dem Frost zum Opfer.
In unserem Haus gab es große Komplikationen. Die Heizung funktionierte gut, aber plötzlich war kein Wasser in den Leitungen. Als das Haus gebaut worden war, hatte der Besitzer ein riesiges Wasserreservoir unter dem Dach anbringen lassen, wahrscheinlich für den Fall großer Dürre. Das hatte zur Folge, daß durch die ungewöhnliche Kälte das Wasser in dem Kessel fror. Abgesehen von der Wassernot bestand die Gefahr, daß das ganze Reservoir platzen könnte, denn in einem Hinterzimmer, wo offenbar die Röhren gesprungen waren, lief bereits Wasser. Ich entdeckte dies, als ich mich gerade schlafen legen wollte und mir vorher ein Buch holte. Ich trug eine Leiter zum

Speicher und stieg auf das hohe Reservoir. Es blieb mir nichts anderes übrig, als die ganze Nacht hindurch mit einem Beil das Eis aufzuschlagen und das Wasser so gut wie möglich in Bewegung zu halten. Es war die Nacht vom 20. auf den 21. Januar, mein Geburtstag.
Als die Sonne in der strahlenden Kälte über dem Horizont erschien, ging ich hinunter zum Meer, um zu schwimmen. Der Rand des Meeres war vereist. Aber das Wasser war wärmer als die Luft.

Für die jährliche Sitzung des PEN-Clubs, die diesmal in Paris stattfand, wurde Lion zum deutschen Delegierten ernannt. Trotz des ehrenvollen Auftrags war er erschrokken. Es war wie damals anläßlich der Amerikareise. Seine Stimme trug nach wie vor nicht weit, und seine Schüchternheit hatte sich nicht vermindert. Aber er hat sich nie gedrückt, wenn es darauf ankam.
So fuhren wir nach Paris. Wir wohnten für mein Gefühl viel zu teuer; doch man mußte Rücksicht darauf nehmen, daß Lion zu repräsentieren hatte.
Ich ging nur zu den wichtigsten Sitzungen und nahm die Gelegenheit wahr, die Museen zu besuchen. Am Nachmittag holte ich Lion dann ab und zeigte ihm eine Auswahl der Entdeckungen, die ich am Vormittag gemacht hatte. Wir sahen zum erstenmal die großen Grecos. Nicht alle Werke schienen mir gleichwertig, und Jahre später hörte ich, daß es viele falsche Grecos gibt. Aber in dem kleinen Museum an der Rue Royale entdeckten wir die sogenannten Sonntagsmaler, »Le Douanier« Rousseau, Bombois, Marin – es war eine reine Freude. Im Petit Palais hatten wir unsere ersten Eindrücke von Picasso, Braque, Juan Gris, im Museum de l'Art Moderne standen wir vor den Werken des Bildhauers Despiau; außerdem bewunderten wir frühe

anonyme französische Malerei zur Zeit Henri IV. Ich sehe noch jetzt alles vor mir.
Einer Sitzung mußte ich unbedingt beiwohnen, und zwar als André Malraux, damals Präsident des PEN-Clubs, sprach. Er erzählte von seinen Erlebnissen im Spanischen Bürgerkrieg und sprach von seinem Schmerz, als Federico Garcia Lorca auf Francos Befehl erschlagen wurde. Er nannte ihn »Ce poète pur – dieser reine Dichter«. Da sprang der spanische Abgesandte auf und schrie: »Lorca war alles andere als ein reiner Dichter – er war ein Aufsässiger.« Am Tag zuvor waren wir bei dem großen Empfang in der Spanischen Botschaft gewesen. Jetzt bereuten wir es. Lion wurde mit allen anderen Delegierten von Albert Lebrun, dem Präsidenten der Republik, empfangen. Dort traf er zum erstenmal Franz Werfel, der als österreichischer Abgesandter anwesend war.
Die nächste Feierlichkeit war ein fürstlicher Empfang beim Außenminister, zu dem auch die Ehefrauen geladen waren. Hier wohnte ich erstmals einem Buffet-Diner bei. Es war sehr üppig und schmackhaft. Wir trafen dort unter anderen den belgischen Schriftsteller Camille Lemonnier sowie François Mauriac.
Den Schluß des Kongresses bildete ein großes Bankett, und da hatte Lion zu sprechen. Er verbreitete sich vor allem über die Redefreiheit, die Hitler in Deutschland abgeschafft hatte. Lions Rede, die er, leicht auf der Oberlippe schwitzend, absolvierte, wurde mit feierlichem Respekt aufgenommen.
Dann trat Werfel ans Rednerpult. Wir hatten uns beide von einer Begegnung mit ihm viel versprochen, kannten und bewunderten wir doch seinen Roman »Die vierzig Tage des Musa Dagh«. Zu unserem Erstaunen hörten wir jetzt, wie er Lion wegen seiner Reise nach Rußland und des

Empfangs bei Stalin angriff. Er sprach leidenschaftlich – wenn ich mich recht erinnere, auf deutsch –, aber die Hörer konnten nicht viel damit anfangen. Wir waren betroffen. Gegen Ende des Abends trafen sich Lion und Werfel, und Lion lud ihn für den nächsten Tag zu uns ins Hotel ein, als sei nichts geschehen.
Werfel kam, und die Unterhaltung drehte sich bald um Politik. Ich, die sich sonst nie in die Gespräche der Männer einmischte, wollte Lion beistehen und sagte törichterweise: »Wenn man von dem Elend des russischen Volkes spricht, darf man nicht vergessen, daß die Armut von allen geteilt wird – es gibt keine Standesunterschiede.« Da wurde Werfel, der bis dahin ganz österreichische Freundlichkeit war, sehr zornig. Er schrie mich an: »Schweigen Sie, Sie verstehen nichts von Politik.« Ich war tief erschrocken – schließlich war Werfel unser Gast, und wie ich Lion kannte, war ihm der Vorfall peinlich. Doch Werfels Zorn war schnell verraucht. Er kniete vor mir nieder und bat: »Können Sie mir verzeihen?« Lion bestellte Kaviar.
Alma Mahler-Werfel war nicht mit in Paris. Wir waren ihr zum erstenmal in Sanary begegnet, als die Werfels dort einen alten Sarazenen-Turm bezogen und er wieder anfing zu arbeiten.

Ich fuhr allein zurück nach Sanary, um das Haus wieder aufzumachen. Lion traf, wie er mir später erzählte, kurz vor seiner Abreise einen außergewöhnlichen, sehr amüsanten, sehr brillanten Mann, der sich im Auftrag Rußlands in Paris befand. Sein Name war Willi Münzenberg. Er hatte, so sagte man, nach dem Ersten Weltkrieg die russische Valuta zusammen mit dem schwedischen Finanzier Wenner-Gren geschaffen. Er war sehr angesehen in französischen Kreisen und besaß auch das Vertrauen der Emigranten. Münzenberg lud Lion in das berühmte Pariser Restaurant »Le Boeuf sur le Toit« (Der Ochse auf dem Dach) ein, wo man sich das Stück Fleisch, das man essen wollte, auf einer Zeichnung aussuchte, die den Ochsen darstellte. Im Lokal warteten bereits die Wenner-Grens auf die beiden. Beim Abschied forderte Lion die drei auf, bei uns haltzumachen, wenn sie an die Riviera kämen. Frau Wenner-Gren fragte: »Axel, haben wir nicht dort irgendwo ein Schloß?« – »Zwei, meine Liebe«, antwortete ihr Mann.

Dieser Schwede hat später Waffen an Hitler geliefert und konnte deshalb keine Einreisegenehmigung nach Amerika erhalten. Er befand sich in Südamerika und schickte von da einen Freund zu Lion: Wenn dieser ihm eine Einreise verschaffen könnte, würde er dafür die Verfilmung der Josephus-Trilogie finanzieren. Lion lehnte ab. Bald darauf traf Wenner-Gren in Amerika ein und wurde eingebürgert. Feuchtwanger erhielt dagegen die amerikanische Staatsbürgerschaft bekanntlich nie.

Heinrich Mann war eng mit Münzenberg befreundet. Er bewunderte seine diplomatische Geschicklichkeit, und als es später zum Bruch zwischen Münzenberg und der russischen Regierung kam, schrieb Heinrich Mann an die deutsche Emigration in Rußland, wie sehr er es bedauere, daß man nun die Dienste eines so fähigen Mannes verloren habe. Bei Ausbruch des Krieges veröffentlichte Münzenberg eine Notiz in seiner Zeitung – ich habe sie selbst gelesen –, daß Heinrich Mann und Feuchtwanger in Nizza eine kommunistische Zelle gegründet hätten. Münzenberg wurde später, als er über die Alpen in die Schweiz flüchten wollte, bei Chamonix erhängt aufgefunden. Die französischen Zeitungen schrieben von einem Raubmord.

Lion traf bald nach mir in Sanary ein. Er vertiefte sich wieder in die Arbeit an »Exil«. Dieses Buch hat ihn sehr beschäftigt, fast möchte ich sagen: mitgenommen. Manchmal hat er unterbrochen, um Atem zu schöpfen, und ist dann mit Freunden, mit den Bruno Franks oder mit Eva Herrmann und Sibylle von Schönebeck, nach Cannes zum Spielen gefahren. Und während alle anderen entweder wenig oder gar nichts verloren, vielleicht sogar gewannen, hat er stets viel gewagt, sehr viel gewonnen, dann aber das Gewonnene wieder aufs Spiel gesetzt und alles und noch mehr verloren. Von diesem selbstzerstörerischen Treiben kam er immer deprimiert und krank zurück. Sein Magen vertrug die Anstrengungen und Aufregungen nicht.

Ich ging nach wie vor im Winter regelmäßig zum Skilaufen. Zum Reisen mußte man eine Erlaubnis haben, die ich ohne weiteres erhielt; Anfang 1939 fuhr ich nach Megève bei Chamonix.

Damals war Skilaufen in Frankreich noch ziemlich unbekannt, und es war merkwürdig zu beobachten, daß die Männer sehr böse wurden, wenn die Frauen besser waren als sie. Am Abend saßen die armen Mädchen immer in den Hotels und warteten, daß getanzt würde, aber es waren keine Partner da. Die jungen Männer gingen alle sehr früh zu Bett, damit sie am anderen Tag ausgeruht auf ihren Skiern stehen konnten. Auf den Schneehängen hörte man vor allem ein Wort: »merde«. Jedesmal, wenn ein Skiläufer hinfiel, hat er es laut verkündet, indem er »merde« rief. Aber das Skigelände von Megève ist wohl das beste in Europa.

Der jährliche Skiurlaub war mein Geburtstagsgeschenk, und während dieser Zeit hat sich Lion besonders in die Arbeit vertieft, ohne alle Unterbrechung. Wenn ich dann aus dem Schnee in den Frühling fuhr, war das immer ein besonderes Erlebnis. Man kam hinunter durch das Rhônetal, und der Schnee auf den Bergen wich dem Schnee auf den blühenden Mandelbäumen.

Das gewohnte Leben fing wieder an. Viele Freunde besuchten uns, aber die Arbeit an »Exil« ging voran.

16

Aus Deutschland kamen schlimme Nachrichten: die Überfälle auf die Nachbarländer, die Politik von München und die Aussichtslosigkeit, da niemand sich wehrte. Die ganze Welt gab Hitler nach, und wir fühlten uns den Ereignissen besonders ausgeliefert – wir hatten ja alles vorausgesehen. Wir wußten, daß es unbedingt zum Krieg kommen mußte, als nach Österreichs Fall die Tschechoslowakei geopfert wurde. Dann kam der Einfall in Polen, und bald darauf begann in Frankreich »la guerre drôle«, dieser falsche Krieg, den wir schon als den wirklichen Krieg betrachteten, während die wichtigsten Länder glaubten, alles könne noch eingerenkt werden.
Da traf die Nachricht ein, Lion solle sich zur Internierung in Toulon einfinden. Alle Deutschstämmigen hatten dort zu erscheinen. Man sagte nicht »Immigranten«, es hieß »alle Deutschstämmigen«, so daß also auch die Deutschen, die seit eh und je in Frankreich lebten und keine Immigranten waren, aber noch die deutsche Staatsangehörigkeit besaßen, von der Bestimmung betroffen waren.
Ich brachte Lion nach Toulon und begann sogleich eine dringliche Korrespondenz mit den Behörden, mit der französischen, mit der englischen Regierung und mit dem PEN-Club. Ich betonte, daß Lion der meistgelesene zeitgenössische deutsche Autor der damaligen Zeit wäre, besonders im Ausland, und statt interniert zu sein, könnte er doch besser dazu verwendet werden, Propaganda gegen den Feind zu machen. Sehr bald ließ man ihn dann auch

mit Entschuldigungen frei, und er kam nach Sanary zurück.
Eine Frau Ulmer, die sich sonst sehr freundschaftlich gegen uns benommen hatte, eine reiche Deutsche aus Argentinien, tat einen merkwürdigen Ausspruch. Ihr Mann Wilhelm war Kammersänger und hatte in Bayreuth gesungen, sein Bruder war der Schauspieler Friedrich Ulmer in München, der die Hauptrolle in Lions »Der holländische Kaufmann« gespielt hatte. Sie sagte: »Mein armer Mann muß Weihnachten im Lager verbringen, und der Feuchtwanger, der Kommunist, ist frei.«
Mit der Zeit wurden wir alle unruhig. Lion wollte unter allen Umständen ein Ausreisevisum haben, um jederzeit nach Amerika zu können. Als ihm dieses verweigert wurde, hätten wir eigentlich gewarnt sein sollen. Er sprach mit Franz Werfel darüber, der sagte: »Das ist doch nur eine Formalität. Wahrscheinlich glaubt man, Sie zu einer Propaganda gegen Hitler verwenden zu können. Und überhaupt, was tun wir in Amerika, da sind wir ganz unbekannt, wir gehören nach Europa, nicht nach Amerika.« Das klang Lion angenehm in den Ohren, denn er wäre ja sehr ungern von dem friedlichen Sanary weggegangen, von dem Haus und der Bibliothek, die er sich mühsam wieder zusammengestellt hatte. Wir sind also nicht unserem ersten Gefühl gefolgt, daß die Verweigerung des Ausreisevisums gefährlich sein könnte.
Die Erleichterung dauerte nur kurze Zeit, denn bald erreichte uns wieder eine Aufforderung, Lion habe sich in dem Internierungslager Les Milles einzufinden. Ich bekam eine Art Hausarrest und durfte nicht mehr Auto fahren. Aber unsere treue Leontine besorgte alles für mich, ihr Mann war schon längst im Feld, und die ganze Bevölkerung verhielt sich wunderbar. Nur eine große Schwierig-

keit hatte ich: Niemand wollte mein Geld haben. Ich wollte gern rechtzeitig meine Schulden bezahlen, denn wir hatten sehr viel im Haus machen lassen, einen großen Schreibtisch und viele Bücherregale, es war neu tapeziert worden und ähnliches; doch niemand hatte je eine Rechnung gesandt. Jetzt schickte ich Leontine herum, damit sie bezahle. Aber die Geschäftsleute und Handwerker sagten stets, es habe noch Zeit. Das war mein größtes Problem.

Eines Tages erhielt auch ich die Aufforderung, mich in Hyère einzufinden. Das war ein Internierungslager östlich von Sanary. Der Mechaniker von der Werkstatt, in der ich das Auto immer abschmieren ließ, fuhr mich mit meinem Wagen hin. Er weinte, als er mich ins Lager gehen sah. Das Lager war eine große Garage, und es herrschte ein ungeheures Durcheinander. Da es keine Liegestätten gab, wurden eine Art Militärbetten aufgestellt, aber es waren sehr viele Kinder da und nicht genug Strohsäcke. Niemand wußte Bescheid. Das ganze Lager stand unter Militäraufsicht. Wir waren dem Kommandanten des Landkreises unterstellt, und dieser hatte versucht, alles möglichst menschenwürdig zu gestalten. Aber auch er war der Situation nicht gewachsen, denn es herrschte ja in ganz Frankreich ein ungeheures Chaos. Natürlich wurde alles militärisch aufgezogen. Am Morgen mußten wir neben dem Lager strammstehen, wenn der Kommandant kam, und uns melden. Trotzdem hatten wir das Gefühl, daß er uns gegenüber wohlwollend und teilnahmsvoll war.
Die Nachrichten wurden immer schlechter, und wir hörten, daß sich die Italiener den Deutschen angeschlossen hatten. Durch die Nähe des Touloner Kriegshafens fielen Bomben auf Hyère. Unsere Garage lag etwas außerhalb des Ortes und war ein bevorzugtes Ziel der Bomber.

Durch die Erschütterung der Einschläge ringsum rieselte innen schon überall der Mörtel herunter. Die Wachsoldaten gruben für sich Schützengräben rings um das Lager, aber wir waren eingesperrt. Wir durften nicht hinaus und fürchteten, daß wir jeden Augenblick zerbombt würden. Unsere Lage war im höchsten Maße unangenehm. Da ernannte mich der Kommandant zur »Surveillante Générale«, das heißt, er übertrug mir die Oberaufsicht. Der Name Feuchtwanger war ihm bekannt, er hatte die französische Übersetzung des Romans »Jud Süß« gelesen und glaubte, mich durch die Ernennung auszuzeichnen. Ich hatte nun eine große Verantwortung.
Für die vielen Kinder hatten wir keinen Raum. Es gab auch keine Stühle, lediglich Matratzen. Tagsüber sollten die Kleinen im Freien sein, aber da war nur ein winziger Platz mit Sand hinter der Garage. Ich stand immer sehr früh auf, um nach dem Rechten zu sehen. So entdeckte ich eines Morgens, daß die Kinder, bewaffnet mit Zweigen, im Sand mit Schlangen spielten, kleinen, sehr gefährlichen giftigen Vipern. Eiligst veranlaßte ich, daß die Jungen und Mädchen in die Garage zurückkamen, und meldete mich beim Kommandanten. Der sagte: »Ja, was soll ich mit den Kindern tun? Wir haben Anweisung, daß niemand vor der Garage, also dem Teil, der auf die Straße führt, gesehen werden darf.« Diese Maßnahme galt wahrscheinlich dem Schutz der Eingeschlossenen, denn man wußte ja nicht, wie die Bevölkerung reagieren würde. Ich entgegnete: »Mit Kindern könnte man vielleicht eine Ausnahme machen.« Er mußte sehr darüber lachen, daß ich glaubte, beim Militär gäbe es Ausnahmen. Immerhin erlaubte er, daß sich die Kinder in der Einfahrt vor der Garage aufhalten konnten.
In dieser Situation fiel mir eine blutjunge deutsche Nonne

auf, die vollkommen verstört in einer Ecke stand. Ich fragte sie, ob sie sich der Kinder annehmen würde. Sie war sehr glücklich darüber, ihr ganzes Elend war vergessen; sie konnte mit den Kindern spielen, jetzt war sie in ihrem Element. So hat sich das gelöst.

Aber ein Fliegerangriff machte alles wieder kompliziert. Die meisten Frauen waren ohnedies sehr verstört, sie wußten nicht, wo ihre Männer waren. In einer Nacht brach große Hysterie aus, viele der Frauen bekamen furchtbare Krämpfe und Durchfall, manche bäumten sich hoch auf, es war die Hölle. Licht durfte nicht brennen, nur eine kleine Funzel war erlaubt. Ich hatte glücklicherweise eine Medizin gegen Durchfall bei mir, sie hieß Bon Jean und war im wesentlichen ein Likör aus Äther. Ich gab jeder der Kranken einen Schluck. Bald fühlten sie sich besser, sie waren durch den Geruch des Äthers etwas betäubt, und wahrscheinlich half es auch, daß sich überhaupt jemand um sie kümmerte.

Dann ereignete sich das Unglück mit der Toilette, die eigentlich nur ein Abtritt war, bestehend aus einem Erdloch. Eine von uns wollte die Reinigung möglichst hygienisch durchführen, sie fand eine Desinfektionsflüssigkeit, die sie in die Öffnung schütten wollte. Aber in ihrer Nervosität glitt ihr die große Flasche aus der Hand, und die Scherben fielen in das Loch, das dadurch vollständig verstopft wurde. Da alle Durchfall hatten, war die Grube bald voll bis oben hin, der Inhalt floß über und in unser Lager hinein. Es gab ein schreckliches Geschrei und einen furchtbaren Gestank. Da ergriff Frau Ulmer die Initiative. Die große, schöne, füllige Frau zog sich splitternackt aus und erklärte sich lachend bereit, die Scherben aus dem stinkenden Loch zu holen. Eine hübsche, elegante französische Hure, die ebenfalls deutscher Abstammung war, tat es ihr nach und half brav mit. Natürlich waren wir alle sehr erleichtert.

Die Fliegerangriffe wiederholten sich, und während einer der Beschießungen mußte ich in meiner Eigenschaft als Aufseherin aktiv werden. In einer Ecke der Garage lagen die sogenannten Spanienkämpferinnen, die schon länger als wir anderen Furchtbares mitmachten. Nach der Niederlage der Loyalisten waren sie in Frankreich interniert worden und hatten ein Jahr lang nichts als Linsen zu essen bekommen. Sie waren erschöpft und krank, empfanden unser Lager aber als Paradies. Jetzt war ein Mädchen dieser Gruppe ernstlich krank geworden, und deswegen holten sie mich. Sie hatte ein rotes, gedunsenes Gesicht, und die Führerin der Gruppe sagte, sie habe einen Pneumothorax, also eine künstliche Lunge, die von Zeit zu Zeit aufgepumpt werden müsse. Ich sah, in welch furchtbarem Zustand das Mädchen war, rüttelte an der Türe und klopfte, damit man aufmachte, doch niemand meldete sich. Ich hörte nicht auf, bis ein Soldat hereinschrie, wir sollten uns still verhalten, sonst würden sie schießen. Aber ich und viele andere zerrten weiter an der Türe und hämmerten mit den Fäusten dagegen. Schließlich holten sie den Korporal.

Als er hereinkam – er war im Zivilleben ein braver kaufmännischer Angestellter und sehr schüchtern –, verlangte ich energisch einen Arzt. »Jede Armee muß doch einen Arzt haben. Sie müssen ihn wecken und herbringen.« Der Korporal hatte große Angst, ohne Befehl zu handeln, aber seine Menschlichkeit veranlaßte ihn doch, etwas zu unternehmen. Er ging und kam mit dem Arzt zurück.

Der Arzt war total betrunken. Er fing sofort an zu toben und nannte uns »vaches allemandes – deutsche Kühe«. Er schrie, es sei richtig, wenn wir hier verreckten. Man sollte

uns alle an die Wand stellen, denn wegen uns gingen jetzt die französischen Soldaten in den Tod. Als ich ihm ruhig klarzumachen versuchte, daß wir keineswegs Deutsche, sondern im Gegenteil aus Deutschland geflohen seien, fuhr er mich an: »Halten Sie das Maul oder ich laß Sie abführen!« Ich stellte mich vor die Tür und ließ ihn einfach nicht hinausgehen. Als er sich heiser geschrien hatte, beruhigte er sich allmählich und sah sich die Kranke an. Er stellte fest, daß sie wirklich in ein Hospital mußte, und traf entsprechende Vorkehrungen. So war diese junge Frau eine der wenigen, die wahrscheinlich dadurch gerettet wurden, daß sie statt in ein deutsches Lager ins Krankenhaus kamen.
Ein paar Tage später bekam ein Mädchen, ebenfalls eine von den Spanienkämpferinnen, hohes Fieber. Sie konnte nicht schlucken. Ich fürchtete, daß sie Diphtherie hätte, und bestand wieder darauf, daß der Arzt geholt wurde. Auch diesmal wurde ich furchtbar angeschrien. Ich stand da wie ein Soldat in Habachtstellung, schaute ihm unverwandt in die Augen und sagte kein Wort. Das irritierte ihn, und er fragte: »Was wollen Sie eigentlich von mir?« Ich antwortete: »Ich glaube, man sollte der Frau in den Hals sehen, sie hat wohl Diphtherie.« Das tat er, aber er war so roh mit dem Löffel, den er ihr in den Mund steckte, daß die Arme husten mußte. Und schon wieder fing er an zu brüllen, er wolle von ihr nicht angesteckt werden. Hinter ihrem Rücken stand der brave Korporal, er machte mir Zeichen, ich solle nichts sagen und alles über mich ergehen lassen. Das Ergebnis war, daß auch dieses Mädchen ins Hospital gebracht wurde.
Es bestand große Gefahr, daß die Kinder angesteckt wurden. Deshalb hatte ich darauf gedrungen, daß, noch bevor der Arzt kam, das halskranke Mädchen sofort isoliert

wurde. Ich ließ sie in das kleine Zimmer über der Garage legen, das eigentlich für mich bestimmt war, denn von da oben konnte man das ganze Lager überblicken. In diesem Zimmer wohnte noch immer die frühere Aufseherin, eine hübsche Malerin namens Ezzard, die später in Amerika sehr bekannt wurde. Ich mußte ihr eröffnen, daß nun eigentlich ich zu bestimmen hatte und sie das Zimmer an die Kranke abgeben müsse. Sie verstand das gut. Ich selbst bewohnte das Zimmer nie, sondern lag mit den anderen in der Garage. Ich hatte so viele Sorgen, daß ich mein eigenes Elend fast vergaß.

In meiner Nähe lag eine alte, dicke Deutsche, die gar nicht wußte, daß sie Deutsche war, denn schon als Kind war sie aus Straßburg nach Frankreich gekommen und hatte immer in Toulon gelebt. Sie konnte weder lesen noch schreiben, in keiner Sprache, und begriff überhaupt nicht, warum sie hier war. Man fragte sie: »Sind Sie Französin?«, und sie antwortete auf französisch, sie wisse es nicht, ihre Eltern hätten in Frankreich gewohnt. Wie sich dann herausstellte, war sie wirklich nicht Französin.

Die Alte hatte offene Beine und lag neben einer jungen Frau mit einem Kind. Die Mutter kam zu mir und bat mich, doch dafür zu sorgen, daß sie einen anderen Platz bekäme, weil sie eine Infektion des Kindes befürchtete, denn die alte Frau zupfte jeden Abend Hautstückchen von ihren stinkenden Wunden und warf sie auf den Boden.

Ich ging also zu der Alten und fragte sie, ob sie schon einmal ein Bad genommen habe. »Nein, um Gottes willen«, bekreuzigte sie sich, »ich werde doch nicht baden, davon wird man ja krank.« Nun hatte aber die Malerin Ezzard, die viel Geld ins Lager hatte mitnehmen können, eine Dusche einbauen lassen. Sie bestand zwar nur aus einem Schlauch mit einem Duschkopf, aber das Wetter war sehr heiß, und wir alle waren dankbar dafür. So fragte ich die alte Frau noch einmal, ob sie sich nicht ein bißchen mit der Dusche erfrischen wolle, das wäre auch gut für die Wunden. Lange blieb sie störrisch und weigerte sich. Sie wollte sich auch nicht wegbewegen von diesem Stück Erde, auf dem sie lag. Also tauschte ich den Platz mit der jungen Mutter, so daß ich neben die Alte zu liegen kam, und allmählich wirkte mein stetes Drängen. Ich sprach französisch mit ihr, und eines Tages erklärte sie, sie wolle es für mich tun. Ich half ihr zur Dusche, allerdings mit großer Mühe, denn sie war sehr schwer und unbeholfen. Als sie herauskam, kicherte sie und war selig: So was Schönes habe sie noch nie erlebt, und sie fühle sich um Pfunde leichter.

Dann war da eine strahlend blonde, üppige Frau mit sieben Kindern. Sie erzählte mir, wie sie mit den Kindern interniert worden war: Als Adlige aus dem Sudetenland lebte sie mit ihrer Familie auf ihrem Gut in Frankreich. Sie mußte alles stehen und liegen lassen, als sie mit den Kindern abgeholt wurde. Die Kühe standen noch auf der Weide, und sie wußte überhaupt nicht, was passiert war. Jetzt war sie auch noch hochschwanger und ihr Mann ebenfalls in einem Internierungslager.

Ich ging erneut zum Kommandanten, der mich recht freundlich empfing: »Was wollen Sie denn schon wieder? Für sich haben Sie noch nie etwas verlangt.« – »Ja, ich möchte gern, daß Sie die Frau mit den vielen Kindern entlassen – die Kinder, die so furchtlos mit den Schlangen gespielt haben.« – »Wie komme ich denn dazu? Wissen Sie, daß ich versucht habe, Sie zu entlassen, und Ihre Anwesenheit nach Paris gemeldet habe? Mais c'est plus fort que moi – aber da ist etwas, das stärker ist als ich.« Auf seine Veranlassung erschien eine Kommission, die

zunächst mich verhörte. Sie ließen dann die Tochter von Jakob Wassermann, die Österreicherin war, frei, aber nicht mich. Wie wir später hörten, lag eine Denunziation von Leopold Schwarzschild vor, die das verhinderte.
Die Frau mit den sieben Kindern wurde ebenfalls freigelassen, und ich bekam deshalb große Schwierigkeiten mit den anderen Mitgefangenen. Es hatte sich nämlich herumgesprochen, daß sich der Mann dieser Frau, ein Baron, im gleichen Lager befand wie unsere Männer. Als Sudetendeutscher war er wahrscheinlich Nazianhänger. Ich warf ein, daß eine Frau mit einem dicken Bauch und sieben Kindern kaum die Möglichkeit habe, Sabotage zu betreiben; wenn der Mann wirklich ein Spion sein sollte, dann sei er ja mit unseren Männern zusammen, die könnten sich mit der Sache befassen und ihn anzeigen. »Ich denunziere die Frau nicht«, war mein letztes Wort.
Sie kam dann zu mir und sagte: »Wenn ich gewußt hätte, was mit Ihnen passiert ist – wir haben früher eine ganz andere Ansicht gehabt. Ich hab mich sehr geändert.« So gab sie indirekt zu, daß sie Nazianhängerin war. Später erfuhr ich, daß Lion in größte Gefahr gekommen wäre, wenn ich die Frau denunziert hätte.

Eines Tages kam der Befehl, Hyère, das eher eine Sammelstelle war, aufzulösen. Wir kamen in ein anderes Lager. Wohin es gehen sollte, wurde nicht gesagt, aber irgend jemand erwähnte, es sei am anderen Ende von Südfrankreich, nach Westen zu, in der Nähe der Pyrenäen.
Tagelang wurden wir in übervollen Zügen befördert, wir hatten kaum Platz zum Sitzen, und es gab auch fast nichts zu essen. Ich hatte vorher schnell zusammengerafft, was ich in der Küche fand, eine Menge Sardinenbüchsen, Käse und Brot. Das war alles, was wir in dem großen Waggon

hatten. Manchmal gab es einen sogenannten Kaffee, wenn man an irgendeiner Station hielt. In Lourdes durften wir aussteigen, weil die Lokomotive ausgewechselt wurde. Wir waren natürlich selig, denn wir mußten ja immer sitzen und hatten inzwischen geschwollene Beine. Aber jetzt konnten wir uns ausstrecken auf dem staubigen Gras, und in dem kleinen Bach, der neben dem Eisenbahngeleis floß, badeten wir unsere Füße. Nach dieser Rast hatten wir große Schwierigkeiten, wieder in den Zug hineinzukommen, weil er übervoll war; die schon vorher Zugestiegenen wollten uns nicht hineinlassen.

Endstation war Gurs, ein Ort mit einem riesigen Lager, ursprünglich für spanische Flüchtlinge, aber auch für Militärgefangene. Das Lager war viele Kilometer lang, mit hallenartigen Hütten, sogenannten Ilots. Ich hatte das Glück, meinen Strohsack neben der Tür auflegen zu können, so daß ich ein bißchen frische Luft bekam. Innen war es wie in einem Tunnel.

Es war furchtbar schmutzig, es gab überhaupt nichts zum Reinigen, weder eine Schaufel noch einen Besen, weder Wasser, Lappen noch Seife. Da es oft regnete, wurden Erde und Schmutz mit den Schuhen hereingetragen. Nur wenn man das Glück hatte, eine Zeitung zu finden, die ein Wachsoldat weggeworfen hatte, gab es eine Möglichkeit, aufzuwischen oder zusammenzukehren. Die Krankheitsgefahr war dadurch ungeheuer groß.

Sehr bald hatte ich in einiger Entfernung einen Brunnen entdeckt. Ganz früh, wenn alle noch schliefen, zog ich mich aus und wusch mich mit dem kalten Wasser. Später wurden Duschen eingerichtet, sogar solche mit heißem Wasser. Aber es waren zu wenige, so daß man nur alle paar Wochen drankam.

Für Wäsche gab es kein warmes Wasser, und das Essen

mußte man selber schleppen. Das taten aus jeder Halle abwechselnd zwei Frauen; sie holten zusammen große Kessel von der Küche, die im Freien lag. Aber es gab fast nichts zu essen, eigentlich immer nur Linsensuppe. Wenn wir mal Erbsen bekamen, war das schon ein Festtag. Zuerst schwammen noch kleine Stückchen Fleisch darin, aber die verschwanden dann auch. Wir waren alle unterernährt, viele hatten Zahnschmerzen, weil ihnen durch die Unterernährung die Plomben herausfielen. Eine Frau verlor sogar die Fingernägel. Aber unter uns waren ein paar russische Ärztinnen, die sich sehr bewährten. Sie waren außerordentlich tüchtig, immer guten Muts und verstanden es, gelegentlich etwas Verbandszeug oder eine Medizin aufzutreiben. Obwohl sie die gleichen Leiden durchzustehen hatten wie wir, strahlten sie Hoffnung aus, und das war sehr tröstlich für uns.

Eines Tages wurde eine Frau mit einem Jungen von ungefähr elf oder zwölf Jahren eingeliefert. Sie tobte und schrie: »Was wollt ihr eigentlich von mir? Mein Mann zahlt alles, ich bin nicht so ein Habenichts wie die«, sie zeigte auf mich. »Ich will in ein Hotel.« Als man ihr eröffnete, daß der Junge nicht bei ihr bleiben könne, sondern ins Männerlager müsse, weil er schon zu groß sei, um mit den Frauen zu leben, jammerte und weinte sie furchtbar und erklärte, das sei ihr Tod. Da kam mir die Idee, mich an die Surveillante zu wenden, die der Kommandant von Gurs eingesetzt hatte; sie war die Tochter eines Generals aus Stuttgart, also eine Deutsche, ein großes, schönes, rothaariges Mädchen, das Macht über alle Gefangenen hatte und jeden Tag dem Kommandanten berichten mußte.

Ich holte also die Aufseherin und fragte sie, ob sie nicht irgend etwas für die verzweifelte Frau tun könne. Als sie sich ihr näherte, schlug diese sie ins Gesicht. Alles schrie

vor Schreck auf und wartete entsetzt, was nun passieren würde. Auch ich war natürlich sehr erschrocken. Aber ich faßte mich schnell und sprach zu dem Mädchen: »Sie sehen, die Frau ist durch den Schmerz um ihr Kind verrückt geworden. Vielleicht können Sie ihr verzeihen.« – »Selbstverständlich«, antwortete sie und verhinderte, daß die französischen Polizisten, die die Frau bereits an den Armen gepackt hatten, sie abführten.
Nach einiger Zeit wurde sie auch wirklich von ihrem Mann abgeholt. Wahrscheinlich hatte Bestechung dabei eine Rolle gespielt. Den Jungen hatten die Soldaten in einen Graben gestoßen. Es sah recht gefährlich aus, da er sich dabei verletzte. Aber als seine Eltern das Lager verlassen durften, hinkte er munter mit.

Ungefähr zur gleichen Zeit wurde ein wahres Monstrum von einer Frau eingeliefert. Sie trug ein schleppendes, schwarzes Kleid, war kalkweiß geschminkt und so schwer und dick, daß sie auf beiden Seiten von kleineren Frauen gestützt werden mußte. Die Frau konnte nicht mehr allein gehen, und so wankte sie langsam und feierlich, starr vor sich hinsehend, ins Lager. Sie war eine sogenannte Madame, eine Bordellmutter, und wirkte wie eine tragikomische Figur aus einem Stück von Wedekind.
Ein andermal, als ich gerade meinen Morgendauerlauf gemacht hatte, stand plötzlich eine Frau vor meinem Ilot und sagte, sie müsse mit mir sprechen, sie habe sonst niemanden. Und dann brach es aus ihr heraus: Sie war mit einem der großen Trecks, die vor den Bombardierungen der Städte auf der Flucht waren, von Norden nach Süden durch ganz Frankreich gezogen. Bei einem der vielen Tieffliegerangriffe der Stukas war die Frau ohnmächtig geworden, und als sie am nächsten Morgen wieder zu sich

kam, war ihr Kind verschwunden. Das wollte sie mir sagen. Sie mußte es irgend jemand sagen.
Dann wieder traf ich eine Frau, die mich bat, mit ihr spazierenzugehen. Dabei erzählte sie mir, daß sie nachts auf der Landstraße bei einem Fliegerangriff in der Menge von ihrem Mann getrennt worden war, als sie alle in einem Straßengraben Deckung suchten. Auch am nächsten Morgen hatte sie ihn nicht mehr gefunden. Während wir miteinander sprachen, hörten wir auf dem Dach eines Ilots hämmern. Unwillkürlich schauten wir hinauf: es war ihr Mann. Er war inzwischen als Prestidigitateur beim französischen Militär gewesen, war zur Arbeit gezwungen worden, und so reparierte er hier das Dach. Aus diesem Erlebnis schöpfte ich neue Hoffnung.
Eines Tages rief man mir von einem anderen Ilot zu, ich würde am Eingang des Camps verlangt. Da wäre jemand, der mich sehen wollte. Nun wußte ich, daß Frauen, die allein im Lager waren, nach dem Waffenstillstand häufig von ihren Männern abgeholt werden durften. Manchmal, wenn die Männer sich als Landarbeiter verdingten, konnten sie durch Vermittlung des Roten Kreuzes sogar nach Amerika. Und so dachte ich mir, vielleicht ist Lion am Eingang. Ich bin die lange Chaussee in einem Zug durchgerannt – aber es war Joachim, ein Freund von uns. Er hatte gehört, Lion sei aus dem Lager und dem Zug entkommen, aber später von den Nazis hingerichtet worden. Ich wollte es nicht glauben und lief in meiner Not zum Kommandanten, der in der Nähe sein Büro hatte. Ihm erzählte ich alles und bat ihn um Rat. »Ich hätte ganz sicher davon gehört«, beruhigte er mich. »Diese Lager unterstehen alle dem Militär. Sie brauchen das nicht zu glauben.«
Zwei Tage darauf wurde ich hinausgerufen. Da stand der Kommandeur, furchterregend, mit seiner Reitpeitsche

schlug er sich auf die Ledergamaschen. Aber auf einmal trat er auf mich zu und flüsterte: »Die Deutschen sind da, aber haben Sie keine Angst. Wir haben alle Listen verbrannt und werden Sie schützen.« Ich sah das als eine Warnung an: Er meinte wohl, ich solle mich verstecken. Ich schluckte schnell ein rohes Ei, das mir die rothaarige Aufseherin geschenkt hatte, und nahm mir ein Stück Brot. Oft hatte ich beobachtet, daß von der einen Seite des Lagers Soldaten hereinkamen, um sich mit den Mädchen in einem leeren Ilot zu verlustieren. Vielleicht kann ich mich da durchzwängen, um in den Wald zu gelangen, dachte ich. Ich suchte und fand die Stelle.

Später wurde diese Lücke im Stacheldraht geschlossen, weil eine alte Jungfer sich daran gestoßen hatte, daß die jungen Soldaten die Nacht in dem Ilot verbrachten. So war dann diese letzte Möglichkeit zur Flucht verloren.

Im Wald war es drückend heiß, und es schwirrte von lästigen Stechfliegen. Aber immerhin war ich in der freien Natur, konnte sogar in einem Wasserloch schwimmen. So hielt ich mich den ganzen Tag über versteckt. Da ich kein Geld hatte, blieb mir auch gar nichts anderes übrig. Ich wußte nicht, wo ich mich hätte hinwenden sollen. Außerdem hatte ich oft beobachtet, daß geflohene Lagerinsassen gefesselt zurückgebracht wurden.

Als ich am Abend ins Lager zurückkam, verhaftete mich ein Soldat auf der Stelle und führte mich zu der Aufsicht, einer Frau Sandor aus Ungarn, die eine Untergebene unserer rothaarigen Surveillante war. Sie schrie mich an: »Was fällt Ihnen ein, um diese Zeit im Lager herumzugehen.« Als der Soldat, der halbbetrunken war, sah, daß man mich so schlecht behandelte, zog er hochbefriedigt ab. Kaum war er fort, lachte Frau Sandor laut auf und sagte: »Ich hab nur so wild getan wegen des Soldaten,

damit Ihnen nichts passiert. Und jetzt gehen Sie wieder in Ihr Ilot.«
Am nächsten Tag begegnete ich zwischen den Ilots einer Dame, die mich ansprach: »Ich glaube, Sie sind die Frau Feuchtwanger. Mein Name ist Sternheim, ich bin die geschiedene Frau von Carl Sternheim.«
Sie war eine große Dame, trug alles mit Humor und hat sich nicht beklagt und geschimpft wie die meisten, sie fand, man solle die Dinge eben so hinnehmen wie sie kommen. Sie war es auch, die mich zu den Zigeunern brachte, die als Gruppe in einer Ecke des Lagers lebten; auch sie wurden ja von den Nazis verfolgt. Die Zigeunerinnen trugen wunderbare Kleider, natürlich verschmutzt und auch zum Teil zerrissen – aber diese Farben, und wie sie die weiten Röcke trugen! Die Kleider waren farblich abgestuft von Gelb über Braun bis Beige und Rot und reichten bis zum Boden. Die Zigeunerinnen waren Wahrsagerinnen und lasen aus der Hand. Sie hatten großen Zulauf, denn viele der Frauen, die später eingeliefert wurden, hatten ihr ganzes Geld bei sich. Ich freute mich, daß die Zigeunerinnen dadurch wenigstens etwas verdienten.

Mit der Zeit wurde ich ängstlich. Vor allem nachdem ich die Nazi-Offiziere gesehen hatte, sagte ich mir: Hier ist deines Bleibens nicht länger, sieh zu, daß du hinauskommst. Ich erforschte das Gelände, beobachtete, wie durch den vielen Regen die Erde weich wurde, und überlegte mir, daß ich mich vielleicht unter dem Stacheldraht würde durchgraben können. Und so begann ich, jeden Tag etwas daran zu arbeiten, bis ich genug Platz zum Durchzwängen hatte. Ich zog meinen Staubmantel an, um mein Kleid zu schonen, und schlupfte hindurch, als die Wache gerade auf die andere Seite gegangen war. Es gelang mir,

und draußen war ich sofort durch das hohe Gras verdeckt. Der Staubmantel blieb allerdings im Stacheldraht hängen. Ich kroch den ganzen Tag auf dem Bauch durch das Gras, bis ich an eine Landstraße kam, und da es ununterbrochen geregnet hatte, konnte ich mein Kleid mit dem nassen Gras säubern. Ich mischte mich unter die französischen Flüchtlinge und erreichte mit ihnen den Ort Oleron, wo ich mich mit dem spanischen Flüchtling traf, der im Lager arbeitete. Ihm hatte ich etwas Geld gegeben, damit er mir meinen Koffer und die Schreibmaschine herausholte. Lions deutsche Sekretärin, die uns nach Frankreich gefolgt war, hatte nämlich die Schreibmaschine mit ins Lager gebracht. Als ich sie einmal fragte, was sie damit im Lager anfangen wolle, antwortete sie, sie müsse doch ihre Briefe schreiben. Sie war Schweizerin durch Heirat, und der Schweizer Konsul hatte durchgesetzt, daß sie freikam. Die Schreibmaschine ließ sie zurück, und so bin ich dann mit einem Koffer und der Schreibmaschine durch Südfrankreich gewandert, was manchmal etwas beschwerlich war. Aber die alte Maschine war damals eine Kostbarkeit.
Nun noch einmal zurück zu Frau Sandor im Lager. Ihr war bekannt, daß siebzigjährige Frauen freigelassen wurden, weil es nicht mehr genug zu essen gab. Diesen Umstand nutzte sie für mich und war so mutig, meinen Namen in die entsprechende Liste zu schmuggeln, die von der rothaarigen christlichen Oberaufsicht dann auch unterschrieben wurde. Ich traute mich mit dem Entlassungspapier natürlich nicht zum Ausgang hinaus; schließlich war ich noch nicht einmal fünfzig. Deshalb meine Flucht durch den Stacheldraht. Aber später habe ich mir mit diesem Papier eine Fahrkarte kaufen können, die ich sonst nie bekommen hätte. Der Mann am Schalter schaute gar nicht auf, als ich vor ihm stand.

Nîmes war mein Ziel. Vom Lager aus hatte ich mit Hilfe des Roten Kreuzes unzählige Telegramme an unser Mädchen in Sanary geschickt mit der Frage, ob sie wisse, wo Lion sei. Sie hat mit unzähligen Telegrammen geantwortet, aber keines ist mir ausgehändigt worden: Im Büro des Kommandanten sah ich Briefe und Telegramme bis zur Decke angehäuft. Als das Geld, das ich Leontine zurückgelassen hatte, zur Neige ging und sie auf ihre Telegramme kein Lebenszeichen von mir erhielt, versuchte sie es mit einer Postkarte. Und siehe da, sie gelangte in meine Hände und bestimmte endgültig meine Flucht. Denn auf dieser Karte teilte sie mir mit, daß Lion in einem Lager in San Nicolà bei Nîmes sei. Ihrer Treue und Ausdauer verdanken wir es, daß ich Lion fand und die Aktion für seine Befreiung ins Rollen kam.
In Nîmes ging ich in ein sehr einfaches Gasthaus und verlangte das billigste Zimmer, das zu haben war. Die Leute waren sehr nett und fragten, ob sie mir helfen könnten. Ich sagte ja und bat um etwas zu essen, denn ich war völlig ausgehungert. Sie zeigten mir eine Bäckerei gegenüber. Aber als ich dort ein Brot kaufen wollte, gab man mir keines, denn man konnte Lebensmittel nur auf Marken bekommen. Den Rat: »Gehen Sie doch zur Bürgermeisterei und lassen Sie sich dort Lebensmittelkarten geben«, konnte ich natürlich nicht befolgen, denn dann wäre ich ja aufgeflogen und wieder ins Lager zurückgeschickt worden. Als ich langsam, Schritt für Schritt, die Treppe von der Bäckerei hinunterging, kam gerade ein altes Ehepaar vorbei und sprach mich an: »Wollten Sie Brot kaufen?« – »Ja. Ich habe aber keine Marken.« Da haben mir die beiden mir ihre Marken gegeben.
Wie aber sollte ich von Nîmes nach San Nicolà kommen? Es gab keinerlei Verbindung, keine Bahn, keinen Auto-

bus. Man mußte entweder zu Fuß gehen oder ein Taxi nehmen.
Ich war bereits auf der Militärbehörde gewesen und hatte einem Offizier am Schalter alles wahrheitsgemäß erzählt: Daß ich Deutsche sei, aus dem Lager komme und jetzt meinen Mann suche, von dem ich gehört habe, daß er in San Nicolà sei. Ob ich ihn besuchen könne. Der junge Offizier sagte: »Ja, wissen Sie, wir würden alles gern tun, schließlich sind wir in der gleichen Lage wie Sie. Hitlers Gefangene. Und wenn der Hitler zu mir sagen würde: ›Bringen Sie Ihre Großmutter um‹, dann würd ich's auch tun. So ist unsere Situation jetzt. Aber kommen Sie morgen wieder. Ich will mich erkundigen.« Ich mußte das Ganze schriftlich niederlegen. In dem Schreiben erklärte ich außerdem, wie gern wir in Frankreich waren, und daß es für uns um so trauriger sei, jetzt so schlecht behandelt zu werden.
Ich war ungeduldig und glaubte nicht an den Erfolg meines Antrags. So ging ich zu dem Platz, wo die Taxis standen, und sprach mit einem Fahrer. Der erkannte sofort, daß ich Flüchtling war, und sagte: »Ich war in der gleichen Lage wie Sie jetzt, denn ich bin seinerzeit aus dem zaristischen Rußland geflüchtet, weil ich an einer Demonstration teilgenommen hatte. San Nicolà ist sehr weit weg, und eine Fahrt ist teuer. Aber kommen Sie morgen wieder, ich nehme Sie mit. Ich hab nämlich jeden Tag eine Fuhre von Schwarzhändlern. Die bringen Lebensmittel zu den Fremdenlegionären.«
Die Legionäre waren meist Deutsche, die jetzt, nach dem Waffenstillstand, von den Nazis befreit worden waren. Sie hatten alle Geld, weil sie in der Legion gut bezahlt wurden, während des Krieges aber waren sie als deutsche Staatsangehörige interniert. Jetzt beschafften sie sich schwarz Lebensmittel und Alkohol.

Ich sollte nun als Schwarzhändlerin mitfahren. Über diese Möglichkeit war ich natürlich sehr froh und bin gar nicht mehr zur Militärbehörde gegangen. Das sollte aber später ziemlich schlimme Folgen haben.

17

San Nicolà war eine Zeltstadt. Überall standen bunte Buden von Leuten, die etwas zu verkaufen hatten für die, die noch Geld besaßen. Als erster fiel mir ein sehr bleicher, sehr dünner Herr auf, der ein freundliches Lächeln für mich hatte. Es war der berühmte Maler Max Ernst. Ich fragte ihn nach Lion, und er sagte: »Der Feuchtwanger, der ist im rückwärtigen Teil des Lagers.«
Ich ging weiter, und plötzlich sah ich Lion auf mich zukommen. Beinahe hätte ich ihn nicht erkannt, so elend sah er aus. Er hatte Ruhr gehabt, und dies war sein erster Ausgang nach dem schweren Anfall. Er sagte, er hätte großes Glück gehabt, denn seine Zeltgenossen hätten ihn gesund gepflegt, vor allem ein Herr Wolf hätte für ihn gesorgt, wie nur eine Mutter oder eine Krankenschwester es könnte. Aber auch die anderen hätten ihn saubergemacht, gewaschen und alles für ihn getan wie in einem Krankenhaus. Und dann stellte er mir seine neuen Freunde vor. Das hatte gute Nachwirkungen bis in die heutige Zeit. Lion erzählte mir, daß er verhältnismäßig gut hatte essen können, weil er noch etwas Geld besaß, und als das zu Ende war, hatten die Wolfs für ihn gesorgt. Aber jetzt müsse er noch strenge Diät halten. Behandelt hatten ihn, so berichtete er, junge österreichische Ärzte, die ebenfalls im Lager waren. Sie hatten ihm geraten, um die Krankheit ganz auszuheilen, unreife Äpfel zu essen, und zur Kräftigung bittere Schokolade. All das gab es aber nicht im Lager.

Daraufhin öffnete ich meinen Rucksack und reichte ihm die ungezuckerte Schokolade, die er sich immer aus Paris hatte kommen lassen. Einige Tafeln hatte ich mit ins Lager genommen für den Fall, daß ich Lion fände. Trotz großen Hungers hatte ich die Schokolade nicht angerührt.
Äpfel waren um diese Zeit in Frankreich noch nicht auf dem Markt. So ging ich zu meinem Chauffeur zurück. Der war inzwischen auf Bauernhöfen hamstern gegangen und zog unter seinem Sitz einen Sack grüner Äpfel hervor.
Dann kriegte auch ich zu essen. Ich bekam Lions Ration, weil er noch vorsichtig sein mußte mit seiner Diät. Ich hab alles gierig verschlungen.
Während ich aß, erzählte mir Lion von einem großen Schrecken an diesem Morgen. Es war ein Anruf von der Militärbehörde in Nîmes gekommen, Lion möchte sich nicht von seinem Zelt entfernen. Nun wußte man, daß Hitler bei Abschluß des Waffenstillstands die Bedingung gestellt hatte, daß ihm alle Personen, die er anfordern würde, ausgeliefert werden müßten. Jedermann vermutete, daß Lion, der alte Feind, der »Erfolg« geschrieben hatte, unter diesen Angeforderten war. Auch Lion fürchtete das Schlimmste.
An allem war mein Brief an die Militärbehörde schuld, in dem ich auf gut Glück erwähnt hatte, daß Lions Gesundheit gefährdet sei. Daraufhin hatte man den Militärarzt ins Lager geschickt, der Lion ein Zeugnis ausstellen sollte, daß er ins Krankenhaus überführt werden müsse. Von da aus, hoffte man, würde er leichter entfliehen können. Der Arzt untersuchte Lion und fragte ihn, wie er sich fühle. Lion, von der langen Krankheit genesen, sagte, es ginge ihm ganz gut. So war der Arzt machtlos.
Lion hatte die ärztliche Untersuchung natürlich nicht mit dem Befehl der Militärbehörde in Verbindung bringen

können, und als man ihn rufen ließ, war er tief erschrokken. Erst als ich ihm den Hergang vom Tag zuvor berichtete, klärte sich alles auf.
Ich konnte es mir nicht verzeihen, ihn so erschreckt zu haben.
Ich möchte aber nicht versäumen, die Geschichte mit den Äpfeln zu erklären. Im Ersten Weltkrieg waren auf dem Balkan viele Gefangene an Ruhr erkrankt. Man gab ihnen im Lazarett einfach nichts zu essen; das hielt man für die beste Medizin. Die hungrigen Soldaten gingen in den Garten und aßen aus Verzweiflung unreife Äpfel, die sie unter den Bäumen fanden. Und siehe da, sie wurden schnell wieder gesund. Diese Erfahrung machte sich die Medizin zunutze, und die jungen österreichischen Ärzte hatten sich daran erinnert.

Ich wollte nun nach Marseille zum amerikanischen Konsulat. Zum Teil mußte ich zu Fuß gehen, weil ich fast gar kein Geld mehr hatte. Zwischendurch stieg ich einfach in die Militärzüge ein. Die Soldaten waren meist betrunken. Ihre Frauen hatten bei den Militärbehörden verlangt, daß ihre Männer Brom in den Wein bekamen, damit sie keine Gelüste auf andere Frauen hätten, und das kam mir zugute.
Ich war die einzige Frau im ganzen Zug. Da es keine Sitzplätze mehr gab, ließ ich mich einfach auf dem Boden nieder. Da saß schon ein Soldat. Wir lehnten in der Nacht Rücken an Rücken. Ich habe nie sein Gesicht gesehen, aber ich konnte mich ausruhen.
Endlich erreichte ich Marseille. Ich stieg aus, doch als ich mich der Sperre näherte, bemerkte ich einen großen, schweren Mann, der bei der Fahrkartenabgabe Schwierigkeiten mit dem Beamten oder mit der Wache hatte. Schnell

lief ich zum Zug zurück und fuhr bis zur nächsten Station weiter. Sie war ganz nahe. Und so bin ich mit Koffer und Schreibmaschine zu Fuß nach Marseille gewandert.
Ich ging durch die Cannebière, die berühmte Straße, und mir fiel ein Mann auf, der wie ein Flüchtling aussah. Nicht daß er schlecht angezogen war. Ich ging an ihm vorbei – der Mann hatte einen Spitzbart. Trotzdem erkannte ich ihn. Es war unser Freund Emil Gumbel, der bekannte Statistiker. Er konnte mir sagen, wo das amerikanische Konsulat war, und erklärte mir den Weg.
Als ich dort ankam, wartete bereits eine große Menschenmenge, viele Straßen entlang. Es herrschte glühende Hitze, und viele wurden ohnmächtig; aber ich konnte mich nicht hinten anstellen. Man sagte, um fünf Uhr würden alle wieder weggeschickt, das war jeden Tag so. Ich mußte Lion retten und durfte keine Zeit verlieren. Und so ging ich denn an den Leuten vorbei, die mich stumpf und erstaunt anschauten. Ich hatte ein schlechtes Gewissen, ich schämte mich.
An der Tür des Konsulats reichte ich durch eine Spalte einen kleinen Zettel mit meinem Namen. Bald darauf wurde geöffnet, und ich wurde hineingelassen. Konsul Hiram Bingham, Sohn des Senators Bingham, empfing mich mit großer Sorge; denn er hatte schon gehört, daß wir im Lager wären. Er rief einen jüngeren Kollegen herein, der uns einmal in Sanary besucht hatte. Vizekonsul Miles Standish erkannte mich aber nicht wieder, ich sah so abgerissen und mager aus.
Es war das erstemal, daß ich mich sicher fühlte. Ich weinte zum erstenmal.
Amerikaner können Frauen nicht weinen sehen. Bingham und Standish sagten, da müsse etwas geschehen. Sie berieten, wie man Lion aus dem Lager befreien könnte.

Bingham erklärte, er habe bereits aus Amerika durch die Roosevelts dringende Weisung erhalten, Feuchtwanger, wo immer man ihn finde, jede Hilfe zuteil werden zu lassen. Auch an die Amerikanische Botschaft war diese Order ergangen. Diese Anordnung war die Folge eines merkwürdigen Umstands. Ein Unbekannter hatte Lion ohne sein Wissen im Lager Les Milles von außen photographiert: Er steht verlassen hinter dem Stacheldraht, im Hintergrund gehen Leute vorbei. Dieses Photo gelangte – ich weiß nicht, auf welchen Wegen – an Viking Press in New York. Ben Huebsch war tief erschrocken und fuhr damit sogleich nach Washington zu Mrs. Roosevelt. Sie zeigte es ihrem Mann, der sofort das Nötige veranlaßte. All das ermutigte die beiden Konsuln, Schritte zu unternehmen, die nicht den allgemeinen Vorschriften entsprachen. An die Vichy-Regierung war nicht zu denken. Miles Standish glaubte, die einzigen, die etwas wagen würden, wäre die Mafia. Die könnten Feuchtwanger vielleicht aus dem Lager entführen.
So nahm er im Hafenviertel mit einigen Mitgliedern der Mafia Kontakt auf. Die aber sagten: »Wir würden gern alles tun, was Sie verlangen, auch daß wir jemand umbringen, ohne weiteres, aber mit den Nazis wollen wir nichts zu tun haben.«
Miles Standish beschloß darauf: »Wenn niemand etwas tun will, geh ich selber.« Ich gab ihm die Adresse einer Frau in Nîmes, deren Mann, ein Arzt, mit Lion im Lager war. Diese Frau Lekisch war eine große Wohltäterin, sie hatte das Haus voll von Flüchtlingen, auf den Treppen, auf den Fußböden. Sie war sehr beliebt bei der Bevölkerung und konnte Standish den Weg beschreiben.
Ich gab ihm einen kleinen Zettel mit, den man in der Hand verstecken konnte. Darauf hatte ich geschrieben: »Frag

nichts. Sag nichts. Geh mit.« Keinen Namen, um niemand zu gefährden.
Ich wußte, daß viele im Lager, wenn sie gesund genug waren, am Nachmittag zum Fluß hinunterstiegen, um sich zu waschen. Dabei wurden nur wenige Wachen eingesetzt – niemand würde ja in der Unterwäsche flüchten. Dort also fand Miles Standish Lion und gab ihm meinen Zettel. Lion verstand sofort – er hatte natürlich meine Schrift erkannt – und ging mit ihm. Das Auto war hinter einem Busch versteckt, Standish gab Lion einen Mantel und ein Tuch, das er sich um den Kopf band. Dann fuhren sie los, und jedesmal, wenn sie von den Wachen angehalten wurden, zeigte Standish seine Diplomatenpapiere. Und wenn sie fragten: »Wer sitzt da hinten?«, antwortete er: »Das ist meine Schwiegermutter.« So kamen sie nach Marseille, wo ich schon wartete.

Endlich fühlten wir uns etwas sicherer, wenigstens augenblicklich – schließlich waren wir im Konsulat auf amerikanischem Boden. Aber wir wußten, daß das nicht lange dauern konnte; denn es war nicht erlaubt, daß ein Diplomat jemanden aus Rücksicht auf die Vichy-Regierung beherbergte. Und so wurde überlegt, wie wir am besten aus Frankreich herauskommen könnten.
Zuerst kam Dr. Frank Bohn von der amerikanischen Arbeiter-Partei. Er hatte durch Mrs. Roosevelt gehört, daß Lion in Frankreich in Gefahr sei. Bohn, ein energischer Ire mit viel Humor, erfuhr von Konsul Bingham, daß wir bei ihm versteckt waren. Bohn war voll Zuversicht. Er sagte: »Ich krieg sie raus, koste es, was es wolle.« Er mietete ein italienisches Schiff, das allerdings in einem ziemlich weit entfernten Hafen lag. Mit dem sollten wir nach Afrika fahren.

Lion hatte ein denkwürdiges Gespräch mit Bingham. Er sagte zum Konsul: »Wir müssen Heinrich Mann herausbringen, und außerdem ist da noch ein Sohn von Thomas Mann, Golo, auch der muß gerettet werden.« Bingham entgegnete: »Ich weiß nicht, ob eine so große Gruppe vorgesehen ist. Wir müssen uns wahrscheinlich entscheiden, welchen von beiden wir einschließen können. Finden Sie, man solle lieber den Jüngeren retten, den Golo, oder Heinrich Mann, der zwar der Bedeutendere ist, aber doch schon sein Leben gelebt hat?« Lion erklärte: »Ich kann keine Kompromisse machen, man muß beide retten.« Und Bingham ließ sich überzeugen. Golo kam und war dann auch bei Bingham versteckt. Damals wußten wir noch nicht, daß auch die Werfels in Marseille waren. Es wurde beschlossen, daß wir die dreißig Kilometer zu Fuß zu dem Hafen gehen sollten, in dem das Schiff vor Anker lag. Heinrich Mann sagte zu Lion: »Wenn Sie es mir raten, gehe ich mit.« Er war damals schon recht alt und nicht sehr kräftig.

Da stürzte Dr. Bohn herein: »Es ist alles aus.« Unser Schiff war von den Italienern beschlagnahmt worden. Sie hatten beobachtet, daß dort Proviant eingeladen wurde. Wir hatten großes Glück, daß wir noch nicht an Bord waren.

In dieser Situation erschien Varian Fry, Quaker und Professor an der Columbia Universität. Er sagte, er arbeite mit dem Roten Kreuz zusammen und sei beauftragt, uns zu retten. Auch er wußte natürlich von Lion und versicherte, er werde Lion, mich, Golo und Heinrich Mann sowie die Werfels nach Amerika bringen, komme, was da wolle. Er hätte zuvor schon den Nobelpreisträger Professor Otto Meyerhoff nach Amerika gerettet, und so wäre er gut vorbereitet. Man müsse an die spanische Grenze

nach Cerbère fahren und könne von dort durch einen Tunnel unter den Pyrenäen nach Spanien gelangen.
Bei unserer nächsten Begegnung war er sehr verstört. Er berichtete: »Die Vorschriften sind plötzlich verschärft worden. Man kann nur durch den Tunnel fahren, wenn man eine Ausreiseerlaubnis hat.« Niemand von uns besaß ein solches Papier. Es blieb also nichts anderes übrig, als über die Pyrenäen zu steigen. Alle waren besser daran als wir; Werfel war Tscheche, Heinrich Mann hatte ein tschechisches Papier, ebenso Golo Mann.
Da nahm Varian Fry Lion beiseite, um ihm zu sagen, daß alles in Ordnung sei, aber er, Lion, bedeute für die anderen eine zu große Gefahr. Er könne die Verantwortung nicht übernehmen. Die ganze Rettungsaktion könnte durch uns mißglücken. Lion verstand die Gründe gut.
In seinem Buch »Surrender on Command« schrieb Varian Fry: »Feuchtwanger saß unbeweglich an dem kleinen Gartentisch, als wir ihm sagten, was geschehen war. Er nahm die Nachricht mit Ruhe auf. Viele Wochen hatte er gewartet – und nun war alle Hoffnung verloren. Während des Abendessens war er heiter, als wäre nichts geschehen.«
Lion sprach kein Wort zu mir, setzte sich an seinen Tisch in unserem Dachzimmer und schrieb weiter am letzten Teil der Josephus-Trilogie. Er schlief, als ich mitten in der Nacht aufstand, um Golo zu wecken und ihm sein Frühstück zu bringen. Golo war so verschlafen, daß ihm dies alles gar nicht zu Bewußtsein kam. Ich verschwand, ohne ihm adieu zu sagen.
Übrigens war es gar nicht so ungefährlich für uns, bei Bingham versteckt zu sein. Sein tschechisches Dienstmädchen erzählte mir empört, daß die langjährige Haushälterin einen Bruder habe, der, obgleich Schweizer, ein überzeugter Nazi sei und großen Einfluß auf seine Schwester

ausübe. Der Bruder war Koch in einem Hotel, und die Haushälterin ging ihn oft besuchen. Ich hatte von Anfang an eine gewisse Zurückhaltung von ihrer Seite gespürt. Jetzt wurde ich ängstlich. Ich beschenkte sie reichlich, um sie für die Mühe, die sie mit uns hatte, zu entschädigen. Vor allem aber konnte ich ihre Gunst dadurch gewinnen, daß ich ihr anbot, abends für Bingham und uns zu kochen, wenn sie ihren Bruder besuchen wollte.

Manchmal kam Bingham vom Konsulat nach Hause, sagte nur kurz: »Ich muß mir etwas Bewegung machen«, und ging wieder weg. Ich hatte beobachtet, wie sehr er Lions Gesellschaft genoß, und ließ die beiden oft allein. So konnten wir uns sein Verhalten nicht erklären. Bis er eines Abends sprach. Ich war gerade aus Sanary zurückgekommen, wo ich die Behörden auf eine falsche Spur lenken wollte und durch Leontine das Gerücht verbreiten ließ, Lion sei schon lange in der Schweiz. Bingham klagte an diesem Abend, wie furchtbar es für ihn sei, all diese armen Menschen täglich abweisen zu müssen, denn es war den Konsuln, aufgrund einer Weisung des State Department, an dessen Spitze Cordell Hull stand, nicht mehr erlaubt, amerikanische Visa auszustellen. Hull hatte das Verbot übrigens gegen die Absicht der Roosevelts ausgesprochen. Eines Abends – Lion war nach Einbruch der Dunkelheit soeben mit Bingham zu einem Spaziergang aufgebrochen – klingelte es. Ich öffnete. Der Generalkonsul stand vor der Tür und brachte ein Paket, das gerade aus Amerika angekommen war; die verschiedenen Konsulate mußten sich selbst versorgen, da es in Frankreich zu wenig zu essen gab. Der Generalkonsul war sehr erstaunt, mich zu sehen, sagte aber nichts. Er war den Emigranten nicht gut gesinnt, stand auf seiten der faschistischen Regierung und hatte erklärt: »Diese Leute stören nur unsere Beziehungen zur

Vichy-Regierung.« Als Bingham zurückkam und das Paket entdeckte, wurde er bleich. Niemand außer seinem Freund Miles Standish wußte, daß wir bei ihm versteckt waren.

Ich mußte oft in die Stadt fahren, um auf den zuständigen Konsulaten Durchreisevisen für Spanien und Portugal zu erhalten. Einmal war ich gerade wieder unterwegs. Ich fuhr mit der Elektrischen, um weniger aufzufallen. Innen war es überfüllt, so stand ich auf der Plattform. Da klopfte mir jemand auf die Schulter. Mir blieb das Herz stehen, ich glaubte, ich würde verhaftet und nach Gurs gebracht. Es war aber nur der Schaffner, der das Fahrgeld kassieren wollte.

Auf den Konsulaten konnte man, wenn man Glück hatte, auf den Treppen sitzen; sonst mußte man stundenlang stehen. Eines Tages traf ich dort Leonhard Frank, der in Paris interniert und zu Fuß durch ganz Frankreich gegangen war, um sich wie wir über Spanien zu retten. Bei ihm waren Leo Lania und Walter Mehring. Alle saßen wir auf der Treppe, und alle bekamen wir nach langem Warten und vielem Hin und Her die Durchreisevisen.

Nach diesem Erfolg gab es für Lion einen weiteren Auftrieb: Aus Amerika traf ein Mr. Sharp ein. Dr. Fritchman, Pastor der Unitarischen Kirche in Los Angeles, war ein Bekannter von Mrs. Roosevelt. Sie bat ihn, sich für Feuchtwanger einzusetzen und alles zu tun, was irgend möglich war. Er veranlaßte Waitstill Sharp, Pastor der Bostoner Unitarischen Kirche, sich unverzüglich nach Marseille zu begeben. Er stand nun in Binghams Garten und sagte zu Lion: »Ich bin nur für Sie hergeschickt worden«, und schien voll Zuversicht. Auch seine Frau befand sich in Marseille. Sie war gerade aus der Tschecho-

slowakei gekommen, wo sie Hunderte von jüdischen Kindern gerettet hatte.
Zunächst schien alles sehr kompliziert. Die erste Frage war: Wie kommt man auf die Bahn? In Marseille standen Wachen an der Sperre, und man mußte einen Ausweis haben, daß man reisen durfte. Diese Schwierigkeit hatte Mrs. Sharp auf geniale Weise gelöst. Sie fand heraus, daß ein Hotel direkt in den Bahnhof hineingebaut war, und dort mietete sie ein Zimmer für sich. Dann kam ihr noch ein Zufall zu Hilfe: Das Gepäck der Reisenden wurde innerhalb des Hotels durch eine kleine Unterführung unmittelbar an die Rampe gebracht, während die Reisenden selber um das Hotel herum zur Sperre gehen mußten. Wir begaben uns in der Nacht in das Hotel und auf ihr Zimmer. Von da gingen wir direkt in den Keller und durch den kleinen Tunnel an die Rampe. Als wir im Zug saßen, atmeten wir erleichtert auf. Eine große Schwierigkeit war überwunden.
Wir fuhren nach Narbonne, mußten dort den Zug wechseln und sahen uns die schöne alte Stadt an. Sharp war etwas nervös, aber er ging tapfer mit. Die nächste Station war Cerbère am Fuß der Pyrenäen. Und jenseits der Berge: Spanien.
Sharp zog Erkundigungen ein und kehrte bestürzt zurück. Varian Frys Bericht aus Marseille hatte sich bewahrheitet: Ohne Ausreiseerlaubnis kam man mit dem Zug nicht nach Spanien. So mußten auch wir zu Fuß über die Berge. Das war, wie wir später erfuhren, bereits Heinrich Mann und seiner Frau, Franz Werfel und Alma Mahler-Werfel sowie Golo Mann gelungen. Varian Fry hatte für sie einen jungen Mann namens Ball ausfindig gemacht, der sehr umsichtig war und unter großen Schwierigkeiten und Ängsten die ganze Gruppe schließ-

lich in Sicherheit brachte. Aber würde es ihm ein zweites Mal gelingen?
Zunächst glaubte Mr. Sharp, er könne an der Grenze vielleicht die Wachen bestechen, so daß wir die Landstraße benutzen könnten. Einige der Grenzposten zeigten sich auch interessiert und wollten den Emigranten gern helfen, aber anderen traute Sharp nicht. Außerdem wurden die Wachen ständig abgelöst. Es war zu unsicher.
Ball zeigte uns die Route auf der Landkarte. Er selbst wagte nicht mitzukommen, aber er schärfte uns ein, die Straße zu meiden und weglos so steil wie möglich hinaufzuklettern. Wir waren beide gute Bergsteiger, und ich war es vom Skilaufen gewohnt, mich auf fremdem Gelände zurechtzufinden. Eine Landkarte wäre gefährlich gewesen.
Zuerst ging es durch Weinberge, dann gab es nur mehr Geröll. Das Wichtigste war, daß man das spanische Zollhaus fand, sonst bestand Gefahr, daß man als Schmuggler kurzerhand erschossen wurde. Als wir eine ziemlich lange Zeit gestiegen waren, hörte ich unter uns plötzlich Stimmen. Sie kamen vom Zollhaus. Wir konnten aber nicht zusammen hingehen, weil ich kein Visum hatte, auch kein Papier auf einen anderen Namen. Lion hingegen hatte die amerikanische Einreiseerlaubnis mit dem Pseudonym Wetcheek. Ihm war auf eine Frage von Bingham in Marseille wieder eingefallen, daß er bei der Veröffentlichung der »PEP«-Gedichte seinen Namen mit Wetcheek übersetzt hatte.
So ging Lion allein voraus, und ich, gut versteckt, schaute von oben zu, wie er das Zollhaus betrat, sehr bald wieder herauskam und muntern Schrittes den Berg hinuntermarschierte.
Dann ging auch ich in das Zollhaus, und hier zeigte sich

erneut, wie umsichtig Binghams Vorausplanung gewesen war. Er hatte prophezeit, man könne in Spanien viel mit Camel-Zigaretten erreichen, und mir den Rucksack und die Taschen meines Kostüms mit vielen Päckchen vollgesteckt. Im Zollhaus erklärte ich, eigentlich hätte ich diese Zigaretten ja gern nach Spanien mitgenommen, aber da man mir gesagt habe, es sei hoher Zoll darauf, ließe ich sie lieber gleich hier. Mit diesen Worten warf ich einen ganzen Haufen von den Päckchen auf den Tisch. Alle stürzten sich darauf, und einer der Beamten stempelte schnell mein Papier, ohne mich anzuschauen und den Namen zu kontrollieren. Ich bin noch nie so schnell einen Berg hinuntergelaufen.

Wir hatten vorher mit Sharp ausgemacht, uns alle in Port Boû im Reisebüro Cook, das sich im ersten Stock eines Hauses befand, zu sammeln. Das war ein bekannter Treffpunkt. Ich ging hin, aber Lion war nicht da. Nur Sharp. Ich war sehr erschrocken und suchte alle Restaurants ab – es gab sehr viele in Port Boû und in jedem eine Unmenge Menschen. Zum besten Lokal ging ich zuallerletzt. Da saß Lion vergnügt, aß und begrüßte mich: »Setz dich hin und iß mit.« Cook hatte er total vergessen.

Am nächsten Morgen fuhren wir weiter nach Barcelona. Dort erwarteten uns neue Schwierigkeiten. Wir mußten nach Lissabon, konnten aber das Flugzeug nicht nehmen, denn es war eine Maschine der Deutschen Lufthansa. Außerdem war Sonntag, und wir brauchten Geld; das konnten wir nur beim amerikanischen Konsulat bekommen, das geschlossen war. Aber unser energischer Reverend Sharp war ja mit uns. Er suchte kurz entschlossen den Konsul in seiner Privatwohnung auf und ließ sich so viel Geld geben, daß wir den Zug nehmen konnten.

Bevor wir aber abfuhren, hatte Sharp ein Anliegen. Er bat

Lion, mit ihm zu einer protestantischen Gemeinde außerhalb der Stadt zu fahren. Die Protestanten wurden im katholischen Spanien Francos unbarmherzig verfolgt. Sie mußten ihre Schulen schließen, da alle Lehrer eingesperrt waren. Sharp meinte, es wäre ein großer Trost für die Gemeinde, wenn Lion sie aufsuchte; vielleicht könnte man Lion auch überreden, in Amerika etwas für sie zu tun. So machten wir uns auf den Weg, und es war für alle ein großer Tag.

Sharp hatte erfahren, daß man ungefährdet nur im Schlafwagen fahren könnte; die würden von der Polizei nicht untersucht. Das Geld reichte aber nur für zwei Plätze. So fuhr ich dritter Klasse, denn Sharp wollte Lion natürlich nicht aus den Augen lassen. Er gab ihm auch seine Aktenmappe mit dem großen roten Kreuz darauf. Die sollte Lion bei sich tragen, wo immer er ging. Und das war gut so. Denn als Lion in den Waschraum des Schlafwagens gehen wollte, tat sich die Tür eines anderen Abteils auf, und ein Nazi-Offizier in voller Uniform stand da. Er grüßte militärisch und sagte auf englisch: »Ah, das Rote Kreuz«, und Lion bejahte. Der Offizier sprach Englisch mit preußischem Akzent und Lion mit bayerischem.

Die dritte Klasse war vollkommen besetzt, so mußte ich stehen. Ich war immer noch nicht ganz erholt vom Konzentrationslager; vor allem bei längerem Stehen schwollen meine Beine stark an. Ich sah offenbar sehr elend aus, denn ein älterer Mann sagte auf einmal: »Was ist denn mit dieser jungen Frau? Die muß doch einen Sitzplatz haben.« Er ging durch den Zug, um für mich Platz zu suchen. Als er zurückkam, verkündete er stolz: »Sehen Sie, ich hab Platz gefunden. Jetzt kommen Sie gleich mit mir.« Mir war das gar nicht recht, ich wollte kein Aufsehen erregen. Doch ich folgte ihm, und wirklich, da war ein leeres Coupé. Aber kaum saßen wir, kam die Polizei: »Das ist unser Abteil. Gehen Sie sofort raus.« Da schimpfte der Mann, mit dem ich bisher französisch geredet hatte, wütend auf deutsch. Die beiden Schutzleute wurden bleich und verschwanden. Die deutschen Laute, die Sprache der Nazis, hatten ihnen angst gemacht. Mein Beschützer war Schweizer, er sprach deutsch und französisch. Endlich konnte ich mich ausstrecken, selbst die Holzbänke schienen mir nicht zu hart. An der Grenze nach Portugal mußten wir alle den Zug verlassen, weil wir in einen anderen umsteigen sollten. Die Papiere wurden uns abverlangt. Lion und ich standen an den entgegengesetzten Enden des Bahnsteigs, wir durften uns nicht kennen. Ich hatte ja das gefährliche Ausweispapier mit dem Namen Feuchtwanger.

Als ich da ganz allein stand, kam eine Dame auf mich zu und sprach mich mit ziemlich lauter Stimme an: »Ist es wahr, daß Lion Feuchtwanger im Zug ist?« – »Wer ist das?« fragte ich. Die Dame zog verächtlich die Augenbrauen hoch: »Wie kann man nur so unkultiviert sein und nicht wissen, wer Lion Feuchtwanger ist.« Zum Glück hatte Mr. Sharp die Szene beobachtet. Er kam heran und fragte die Frau: »Was wollen Sie von der Dame?« Darauf antwortete sie: »Ich bin Journalistin und will einen Scoop haben.« Das heißt, eine sensationelle Nachricht. »Und da ich hörte, daß Feuchtwanger im Zug sein soll, wollte ich das meiner Zeitung telegraphieren.« Sharp schnitt ihr grob das Wort ab, sie solle den Mund halten, ob sie denn nicht wisse, daß man jeden Flüchtling in Gefahr bringt, wenn man über seine Absicht spricht. Sie wurde sehr verlegen und kleinlaut: »Ja, ich hab doch nur einen Scoop gewollt.« Dann löste sich alles in Wohlgefallen auf. Der Zug kam an. Wir erhielten unsere Papiere zurück.

Als wir nach Lissabon kamen, wurden wir direkt zur amerikanischen Hilfsstelle für Flüchtlinge geführt. Ein freundlicher Herr namens Joy erklärte sofort, Lion könne nicht in Lissabon bleiben, er müsse so schnell wie möglich auf ein Schiff. Die Stadt sei voll von Nazi-Spionen, der sogenannten Fünften Kolonne, und es seien schon viele Leute entführt worden. Die portugiesische Regierung sei vollkommen unparteiisch, sie schreite nicht ein, wenn jemand entführt werde.
Wir gingen zur Schiffahrtsgesellschaft. Da hieß es, erst in vierzehn Tagen sei eine Kabine zu haben. Wie es Sharp dann doch geschafft hat, weiß ich nicht – auf jeden Fall waren auf einmal zwei Schiffskarten da, und Lion konnte mit Sharp abfahren, der eiligst zurück mußte.
Ich blieb in Portugal so gut wie ohne Geld. Meine letzten Dollars hatte ich Lion gegeben, weil Sharp gesagt hatte, man müsse auf dem Schiff Trinkgelder bereit haben, und das Geld, das ihm der Konsul in Barcelona ausgehändigt hatte, würde nicht ausreichen. So war ich mit Sharp zwischen zwei Lagerhäuser am Anlegeplatz gegangen und hatte aus dem Rocksaum meine letzten Dollars genommen. Es blieben mir noch einige französische Francs.
Ich ging sofort in das Hotel zurück, in dem wir übernachtet hatten, und sagte dem Manager, ich müsse das Zimmer aufgeben, ob er mir ein billiges Privatquartier empfehlen könne. So zog ich in ein Zimmer im vierten Stock eines alten Hauses. Es gab nur eine kleine Waschschüssel. Man mußte die vier Stockwerke hinuntergehen, um sich Wasser an einem öffentlichen Brunnen zu holen.
Ich beschloß, auf den Hauptplatz zu gehen, und fand ein Café, das von Flüchtlingen besucht wurde. Dort traf ich viele Bekannte, und von ihnen hörte ich, daß sich die Werfels ganz in der Nähe, in Estoril, aufhielten. Vielleicht

konnte ich mir von ihnen Geld für die Schiffskarte ausleihen.
Am nächsten Tag machte ich mich auf den Weg. Estoril liegt an der breiten Mündung des Tajo ins Meer. Ich wanderte so vor mich hin, leichten Sinnes: Lion war in Sicherheit, und ich spürte wieder die Landstraße unter den Füßen. Am liebsten hätte ich gesungen.
Ich kam an der uralten Festung Belem vorbei, die Erde war rötlich, auf der linken Seite floß langsam der tiefblaue Tajo. Ich wollte endlich wieder schwimmen. Meinen Badeanzug trug ich unter dem Kleid, so brauchte ich nur das Kostüm auszuziehen. Ich fand auch eine schützende Grotte, da ließ ich Kleider und Rucksack zurück und wollte mich ins Meer stürzen. Plötzlich stand ein Mann vor mir und redete portugiesisch auf mich ein. Er hielt mich am Arm und deutete auf meinen Badeanzug. Auf spanisch sagte er dann mit grober Stimme, der sei verboten, und streckte mir einen Polizeiausweis entgegen. Ich fragte, ob ich eine Strafe zahlen müsse, und zückte eine Fünf-Francs-Note. Da schrie er mich an, verlangte Namen und Adresse und schrieb einen Strafzettel aus. Ich war froh, als er weiterging. Das Schwimmen ließ ich mir aber nicht vergällen. Endlich wieder einmal sauber, marschierte ich weiter.
Am Horizont ragten Hunderte von schlanken Masten in den Himmel, an denen lange, bänderartige Fahnen im Wind flatterten. Ich ging darauf zu – es war eine im Abbau befindliche Ausstellung, man konnte noch einige Pavillons mit schöner portugiesischer Volkskunst sehen. Zwischen den kleinen Buden schimmerte das tiefe Blau des Tajo – beim Ausgang flatterten dann wieder die bunten Flaggen, ein bezaubernder Anblick.
In Estoril fand ich unschwer das Grand Hotel, und da

kamen auch schon die Werfels von einem Spaziergang zurück. Ich muß sehr abgerissen ausgesehen haben, denn Alma sagte nicht wie üblich: »Wie geht es Ihnen?«, sie fragte nur: »Wieviel brauchen Sie?« Sie hob den Rock und zog aus ihrem Strumpf Geldscheine hervor. Werfel erklärte freundlich-wohlwollend: »Sie ist wie eine Bäuerin und traut den Banken nicht.« Alma wollte trotz meines Drängens keine Quittung annehmen.

Ich mußte gleich wieder zurück, der Weg war lang, der Tag nur mehr kurz. In Lissabon ging ich in mein ehemaliges Hotel und legte dem Manager den Strafzettel vor. Der brach in schallendes Gelächter aus und zeigte ihn seinen Freunden. Es herrschte allgemeine Heiterkeit, und er versprach, durch ein Telephongespräch alles beizulegen. Doch er kam mit ernster Miene zurück: »Sie haben sich morgen früh beim Marineamt einzufinden.«

Um sieben Uhr war ich dort und wurde einem Offizier vorgeführt, der französisch sprach. Streng verlangte er, ich solle den Hergang vom Tag zuvor beschreiben. Danach wurde er freundlicher und meinte, das klinge schon viel besser, aber nebenan sei die Verhandlung, da würde über den Fall entschieden. Ich mußte eine schriftliche Erklärung in französischer Sprache abgeben, die er ins Nebenzimmer brachte. In mir kroch die Angst hoch, weil ich fürchtete, ich könnte ausgewiesen werden, zurück nach Frankreich – oder noch Schlimmeres.

Aber der Offizier kam strahlend mit einem Freispruch zurück. Er erzählte, der Polizist habe mich wegen Beamtenbestechung angezeigt, und außerdem hätte ich einen zweiteiligen Badeanzug angehabt. Ich hatte aber in meinem Bericht wahrheitsgemäß geschrieben, ich wäre bereit, eine Polizeistrafe zu zahlen, und das war ausschlaggebend. Erleichtert beschloß ich, mir etwas zu essen zu kaufen – dank der Werfels fühlte ich mich reich.

Jetzt wollte ich mir Lissabon ansehen. Die großen Straßen waren voll von Luxusautos. Überall hörte man deutsch sprechen: Es waren Hitler-Deutsche. Ich wunderte mich über die vielen Männer mit verbundenem Fuß und fragte einen Taxichauffeur, ob es hier eine besondere Fußkrankheit gebe. Er antwortete, die Regierung habe verboten, daß die Leute barfuß gingen, das mache einen schlechten Eindruck. Sie seien aber zu arm, sich ein Paar Schuhe zu kaufen. So taten sich immer zwei zusammen und verbanden sich den unbeschuhten Fuß.

Auch auf meinen Wanderungen die Hügel hinauf sah ich viel Armut, doch alles war sauber, und die Menschen lächelten freundlich. Plötzlich stand ich vor der Ruine einer alten Kirche. Sie war durch ein furchtbares Erdbeben zerstört worden. Die Pfeiler standen noch, und als ich durch das ehemalige Kirchenschiff schritt, bildete der blaue Himmel die Decke.

Eines Abends, als ich von meinen Streifzügen durch das alte Lissabon zurückkam, traf ich die Budzislawskis. Er war Herausgeber der »Neuen Weltbühne« in Paris. Das Ehepaar war im Besitz aller nötigen Papiere, auch des so wichtigen Affidavits, des Dokuments, in dem bestätigt wurde, daß für beide ein Jahr lang in Amerika gesorgt werden würde. Aber sie klagten, es sei unmöglich, Auskunft auf dem amerikanischen Konsulat zu bekommen, wann und auf welchem Schiff sie abfahren könnten. Ich erbot mich, ihnen bei einer erneuten Rückfrage behilflich zu sein – vielleicht könnte ich mit dem Namen Feuchtwanger etwas ausrichten.

Der Generalkonsul empfing mich sofort, und es stellte sich heraus, daß das Schiff, für das die Budzislawskis die Karten hatten, am nächsten Tag in aller Frühe abfahren würde. Ohne diesen letzten Schritt hätten sich die beiden vermutlich auf lange Zeit, vielleicht sogar überhaupt nicht mehr, nach Amerika einschiffen können.

Und dann stattete ich mich für Amerika aus. Ich fand ein weißes, warmes Kostüm – der Winter stand bevor –, ein Paar hübsche Schuhe und einen etwas zu leichten Mantel. Amerika, ich komme.

18

Auf dem Schiff wurde ich von einem deutschsprechenden Steward empfangen. Er war blond, elegant und bemühte sich sehr um mich. Jeden Abend stand eine Schale mit Obst an meinem Bett. Aber in meiner damaligen Verfassung konnte ich ihm kaum Antwort geben auf seine freundlichen Fragen. Wie kam ein Deutscher auf ein amerikanisches Schiff? Er war wahrscheinlich nur deutscher Abstammung und vielleicht sogar in Amerika geboren.
Ich traf Leonhard Frank. Er klagte, daß er auf einem Billardtisch schlafen müsse, da das Schiff überfüllt sei. Durch den freundlichen Steward hatte ich zum Glück eine geräumige Kabine. Aber nach der Choleraimpfung fühlte ich mich nicht wohl und hatte ziemlich hohes Fieber. Auch das ging vorbei. Ich freute mich auf die Einfahrt in den Hafen, auf den unvergleichlichen Anblick der Wolkenkratzer, auf die Skyline von New York, die mir aus den zwanziger Jahren her noch in Erinnerung war.
In New York legte ein kleiner Dampfer mit Journalisten an unserem Schiff an. Ich wurde interviewt und von allen Seiten fotografiert. Man berichtete mir, daß Lion am Hafen auf mich wartete.
Aber es kam ganz anders.
Während alle Passagiere eine Bescheinigung erhielten, die ihnen gestattete, an Land zu gehen, sagte man mir, ich müsse noch warten. Das Schiff war schon ganz leer, ich aber stand noch verloren auf dem Deck. Da kam ein älterer Mann auf mich zu und forderte mich barsch auf, ihm zu

folgen. Er führte mich tief in das Innere des Schiffs, und in einem kleinen, finsteren Raum mit einem Tisch und zwei Stühlen eröffnete er mir, meine Aufenthaltsgenehmigung für Amerika laufe in zwei Tagen ab. Deshalb dürfe ich das Schiff nicht verlassen und müsse wieder zurück.
Ich schwieg und schaute ihn nur an. Lauernd forderte er mich auf, mich dazu zu äußern. »Mein Mann ist am Hafen«, antwortete ich, »er wird das Nötige veranlassen.« Keine Antwort. Schweigend starrten wir einander an. Da hörte ich eine Stimme von außen. Aufgeregt stürzte Ben Huebsch herein: Lion und er warteten schon seit einer Stunde verzweifelt auf mich – sie glaubten bereits, ich hätte das Schiff verpaßt. Der Mann ließ mich sofort gehen. War er ein Sadist? Haßte er die Emigranten?
Wir wohnten im Hotel St. Moritz mit Aussicht auf den verschneiten Central Park. Hier schrieb Lion sein Buch über den Teufel in Frankreich, dessen ursprünglicher Titel »Unholdes Frankreich« war. Ein Absatz bleibt mir für immer im Gedächtnis: »Einmal hielt der Zug in einem Tunnel. Es war stockdunkel, und der Zug hielt lange. Doch diesmal fluchte keiner von uns, und keiner jammerte, auch die Kranken nicht, und keiner regte sich. Es war eine tödliche Stille, man hörte nichts als den Schlag unserer Herzen. Denn über den Hügel, in dem unser Zug hielt, fuhren deutsche Motorkolonnen.«
Wir trafen die Werfels wieder, und da waren auch Erich Maria Remarque, der Dirigent Otto Klemperer und der Operettenkomponist Oscar Straus... Meist sah man sich zufällig im Aufzug. Dort trafen wir auch den Berliner Psychoanalytiker Dr. Erich Mosse, einen Neffen Rudolf Mosses, des Gründers des »Berliner Tageblatts«.
Lion war bei seiner Ankunft in New York mit sensationellen Artikeln und offiziellen Begrüßungen empfangen wor-

den. Als ich eintraf, war gerade ein schäbiger Angriff auf Lion im »Time Magazine« zu lesen. Wir wurden durch Zufall informiert, daß ein hysterischer Kommunistenhasser diesen einen Artikel – ich glaube, es war auch sein letzter im »Time Magazine« – verfaßt hatte. Der Schreiber zitierte eine Stelle aus Feuchtwangers »Moskau 1937«, die sich auf die unentschiedene Haltung der westlichen Länder (gemeint war der Westen Europas) gegen den Faschismus bezieht. Feuchtwanger hatte dabei an die Zustimmung der europäischen Alliierten zur Wiedereinnahme des linken Rheinufers durch Hitler gedacht, eine Zustimmung, die vorher der Weimarer Republik verweigert worden war. Ein Jahr, nachdem Feuchtwanger seine prophetische Warnung an den »Westen« geschrieben hatte, erfolgte die Annexion Österreichs und der Überfall auf die Tschechoslowakei.
Lion, der nicht fließend Englisch sprach, beriet sich mit Sharp und Huebsch über die Antworten bei den zu erwartenden Interviews. Die beiden wollten durch sensationelle Beschreibung (geheimnisvolle Entführung aus dem Lager und Flucht in Frauenkleidern) möglichst viel Interesse für eine großangelegte Hilfsaktion wecken. Lion flog dann auch auf Veranlassung von Sharp nach Boston, wo an einem Abend zehntausend Dollar für den Hilfsfonds eingingen.
Besonders großer Schaden war Lion dadurch entstanden, daß der Artikel im »Time Magazine« behauptete, Feuchtwanger hätte ebensogut der Gestapo Mitteilung machen können und Varian Frys Hilfsaktion in Frankreich gefährdet. Lions Rettung hatte aber damit nichts zu tun, wie aus meiner früheren Schilderung hervorgeht. Lion konnte nichts erwidern, nichts richtigstellen, wie sich denken läßt. Die Hilfsaktion ging noch ein Jahr lang weiter.
Lion beschloß, der Einladung nach Washington zur Einsetzung des Präsidenten nicht Folge zu leisten. Er fürch-

tete, Mrs. Roosevelt in Verlegenheit zu bringen und dadurch die Rettung anderer zu gefährden. Und er wagte auch nicht, ihr für die Rettung zu danken.

Viele Jahre später schrieb ich an Frau Eleanor Roosevelt: »Ich arbeite an der Niederschrift meiner Erinnerungen, natürlich möchte ich darin auch unsere Flucht aus Vichy-Frankreich schildern und wie sie zustande kam. Soweit ich mich an diese hektische Zeit erinnere und an Gespräche mit dem damaligen Vizekonsul, waren es Ihre Weisungen und die des Präsidenten Roosevelt, die es dem Vizekonsul ermöglichten, meinem Mann das rettende Einreisevisum auszustellen, so daß er den Nazis entkommen konnte.«

Ihre Antwort vom 23. Mai 1960 lautete: »Natürlich können Sie über die Rolle schreiben, die ich gespielt habe. Jedoch war es mein Mann, der die Verantwortung trug für jede Hilfe, die gegeben wurde. Auch hätte ich nichts unternehmen können ohne seine Aufforderung, es zu tun, und ohne seine Unterstützung.«

Dann erschien ein Buch von Joseph P. Lash, »Eleanor and Franklin«*, in dem unser Briefwechsel erwähnt wird und aus dem hervorgeht, daß sie mit Genugtuung an den Erfolg ihrer Bemühungen zurückdachte.

Wir wurden viel eingeladen von amerikanischen Intellektuellen und Schriftstellern, so von Robert Nathan und Louis Nizer. Der hatte gerade einen großen Erfolg mit seinem Buch »Thinking on your Feet«. Wir wußten nicht, was das bedeuten sollte, und ließen es uns von ihm erklären: Es könne mit »geistesgegenwärtig« übersetzt werden. Nizer hatte uns zusammen mit zahlreichen wichtigen Leuten zu sich gebeten und war sehr stolz, Lion zu präsentie-

* New York 1973, New American Library, Seite 823

ren. Aber nachdem er erfahren hatte, daß Lion in Rußland gewesen war, änderte sich das alles. Er war plötzlich kein Bewunderer mehr und schrieb höhnische Briefe an ihn.

Dann trafen wir Pierre Côt, den ehemaligen Luftfahrtminister von Frankreich, der auf seiten der Loyalisten in Spanien gewesen war, obwohl die Regierung selbst sich neutral verhalten hatte. Ich erinnere mich an eine Debatte in der französischen Kammer wegen eines Flugzeugs, das Devoitine hieß. Es war das neueste Modell. Pierre Côt wurde gefragt, wo denn dieses Flugzeug sei, und er antwortete kühl: »Die Devoitine ist in ihrem Hangar.« Tatsächlich hatte er sie aber mit André Malraux, der in Spanien als Flieger kämpfte, zu den Loyalisten geschickt. Pierre Côt war der wichtigste Mann der Free-French-Bewegung in Amerika, als in England unter de Gaulle eine Regierung gebildet wurde. Eine entschiedene Gegnerin de Gaulles war Geneviève Tabouis, die Nichte Herriots, des ehemaligen Ministerpräsidenten von Frankreich. Sie sah aus wie eine französische Marquise, sehr zart und zerbrechlich. Sie wies darauf hin, daß de Gaulle ein Faschist sei, und hat Roosevelt gegen ihn beeinflußt. Und Churchill, gereizt durch de Gaulles ungestüme Forderungen, nannte ihn eine männliche Jungfrau von Orléans. Ich habe de Gaulle damals sehr bewundert.

Die ganze Free-French-Bewegung wurde zusammengehalten und finanziert von dem Russen Serge Rubinstein. Er war stämmig wie ein Boxer und hatte eindringliche braune Augen. Sein Vater war der Juwelier des Zaren gewesen. Er lebte mit seiner Mutter in New York und hatte ein palastartiges Haus am Central Park. Seine Mutter wohnte hoch oben, und er gab in den unteren Stockwerken seine Gesellschaften. Dort traf man jeden, der einen Namen hatte: Maurice Maeterlinck, den wunderbaren belgischen Schriftsteller, und die Witwe Gustav Stresemanns, des ehemaligen deutschen Kanzlers, mit einem ihrer Söhne. Auch ein Habsburger Erzherzog, Franz Joseph, fehlte nicht; er schrieb für Zeitschriften und Zeitungen. In der gleichen Gesellschaft trafen wir Artur Rubinstein, der aber nicht verwandt war mit Serge. Es wurde viel debattiert, und ich erinnere mich noch an eine lebhafte Auseinandersetzung zwischen dem jungen Stresemann und Dorothy Thompson.

Der große Pianist fragte meinen Mann: »Wie sind Sie eigentlich auf Serge Rubinstein gekommen?« Lion erzählte: »Da kam ein junger Mann zu mir, hat sich vorgestellt als Serge Rubinstein und folgendes gesagt: ›Ich habe in Rußland Ihre Bücher gekannt, vor allem Ihren ›Jud Süß‹. Er war ein Vorbild für mich.« Er verriet Lion auch das Geheimnis, wie Serge Rubinstein zu seinem Reichtum gekommen war: Er hatte in der Schweiz gehört, daß viele, die ihr Geld dort auf den Banken hatten, während der Russischen Revolution umgekommen waren. Ihre Nachkommen, die im Ausland aufwuchsen, wußten nichts von diesen Geldern. Rubinstein suchte Leute mit russischen Namen auf und ging mit ihnen zu den Schweizer Banken. Er hatte aber vorher mit den glücklichen Erben einen einträglichen Vertrag abgeschlossen.

Serge Rubinstein lud uns in sein Haus ein, damit wir Artur Rubinstein wiederbegegneten. Dann ging er zu Artur Rubinstein: »Ich möchte Sie gern einladen. Auch Lion Feuchtwanger kommt.« So hat er das mit jedem gemacht, auch mit Dorothy Thompson.

Serges Mutter war eine reizende, vornehme alte Dame. Sie war ein bißchen zu jugendlich geschminkt und trug etwas zuviel Schmuck, aber sie hatte alles gelesen und sprach viele Sprachen. Sie zog Lion ins Vertrauen und sagte ihm, das Leben ihres Sohnes mache ihr große Sorgen. Sehr viel später hat ihn ein ähnliches Schicksal ereilt wie das des Jud Süß. Zuerst wurde er als »Draft Dodger« eingesperrt, weil er den Militärdienst verweigert hatte. Die größten Anwälte New Yorks konnten ihn nicht retten, er mußte ins Gefängnis. Er hatte, was viele andere mit Erfolg taten, angegeben, er sei der einzige Sohn seiner Mutter und könne sein Geschäft, das nur auf ihm ruhe, nicht im Stich lassen.

Als er aus dem Gefängnis kam, besuchte er Lion hier in Los Angeles. Er hatte sehr viel Geld verloren und fand, er hätte den Schluß des »Jud Süß« genauer lesen sollen. Er war verheiratet, hatte Kinder. Nun ließ sich seine Frau von ihm scheiden. Bald jedoch hatte er sich ein neues Vermögen geschaffen. Und als seine ehemalige Frau wieder heiratete, nahm er deren Mann mit ins Geschäft. So war Serge Rubinstein.

Aber dann kam die Nachricht durch das Fernsehen, und alle Zeitungen berichteten: Serge Rubinstein ist ermordet worden. Seine Mutter kam zu Lion und erzählte, daß sie oben in ihrer Wohnung geschlafen habe, während ihr Sohn nach heftigem Widerstand erwürgt wurde. Sie sagte: »Es waren wichtige Leute, die dahinterstanden. Er wußte zuviel.«

Die Mörder wurden nie gefunden. Rubinstein hatte die französische politische Emigration uneigennützig und aufs großzügigste finanziert.

Wir trafen noch viele Franzosen, die nach Amerika geflüchtet waren, darunter den großen Romancier und Präsidenten des internationalen PEN-Clubs Jules Romains mit seiner Frau. Sie wohnten in einem Penthouse im Hotel Mayflower und gaben einen Empfang zu Ehren Lions und Maeterlincks. Als wir ankamen, waren eine Menge Leute da und die Presse. Es wurde viel photographiert. Jules Romains stellte uns einen gutaussehenden, stattlichen Mann aus England vor, sein Name war Hitler. Er sprach nur englisch, sagte, er sei Irländer, und gab zu, ein Verwandter Adolf Hitlers zu sein. Er verstand kein Wort deutsch und sagte, er sei selbstverständlich gegen die Nazis. Aber als dann Aufnahmen für Zeitungen gemacht wurden, hab ich Lion schnell weggezogen.

Plötzlich entdeckte ich Kurt Weill. Unsere Wiedersehensfreude war natürlich groß. Ich fragte, wo Lotte Lenja sei, und Weill antwortete: »Sie steht doch neben mir.« Ich erblickte eine sehr hübsche, blonde Frau. Aus Berlin kannte ich sie nur dunkelhaarig.

Kurt Weill hatte in New York gleich große Erfolge, denn man kannte ihn als Komponist der »Dreigroschenoper« von Brecht. Für den Broadway schrieb er u. a. die Musik zu »The Lady in the Dark«, »Street Scene« und »Lost in the Stars«. Seine Freundschaft mit Brecht ging jedoch zu Ende. Es waren wohl vor allem politische Gründe. Später hat Lotte Lenja, als Brecht schon tot war, in einem kleinen Büchlein, »Freunde über Brecht«, einen kurzen Aufsatz geschrieben, der ihn ungeheuer lebendig darstellt. Sie hat vor allem sein Lachen geschildert, wie Brecht lachen, wie er sich freuen konnte. Alles ganz im Gegensatz zu den finsteren Biographien über ihn.

Wir erhielten noch andere Einladungen von Franzosen. So von Jules Buré, der wichtige, vielgelesene Leitartikel in einer großen Pariser Zeitung geschrieben hatte. Auch er war nach Amerika geflüchtet, schon ziemlich alt und der einzige, der untröstlich war. Weihnachten waren wir bei Pierre Côt. Als wir eintraten, begrüßte mich Maeterlinck

als Monna Vanna, weil ich ein schwarzes Cape trug, innen weiß gefüttert. Ich habe aber darunter mehr Kleider getragen als die Heldin seines gleichnamigen Stücks. Das Cape hatte eine Emigrantin, die Frau eines Arztes, der nicht praktizieren durfte, für mich angefertigt.
Bei einem Bankett – ich weiß nicht mehr, wer es veranlaßte – führte die große Schauspielerin Catherine Cornell Maeterlinck und Lion ein. Sie hatte die Rolle der Monna Vanna in Amerika mit sensationellem Erfolg gespielt. Ein Herr mit düsterer Miene führte mich zu Tisch, seine Stirn hatte tiefe Falten. Lange sagte er kein Wort, dann auf einmal: »Mein Name ist Preminger. Sie haben sicher noch nie von mir gehört.« Ich aber wußte, daß er Mitarbeiter Max Reinhardts und Direktor des Neuen Wiener Schauspielhauses sowie des Theaters in der Josefstadt gewesen war. Das sagte ich ihm. Da glättete sich die Stirn des Herrn Preminger. Heute kennt jeder den berühmten Filmregisseur Otto Preminger und weiß von seinem stürmischen Temperament. Zu Anfang hat er hier im Radio häufig Nazis gespielt – er, der Jude Preminger aus Wien, war der beste SS-Mann, und sein preußisch-militärischer Tonfall hat allen Hörern Furcht eingejagt.
Am meisten waren wir überrascht von einer Einladung, die Somerset Maugham in einem Hotel gab. Da traf ich vor allem viele Verleger, MacMillan, Little Brown, Cerf und natürlich auch Huebsch. Maugham stand auf und erzählte von seinen Bemühungen, Lion in Frankreich zu retten. Er hatte sich an die englische Regierung gewandt, an Clement Attlee, und versucht, durch diesen auf Frankreich einzuwirken. Aber am Ende war er selbst froh, als er sich im letzten Moment auf einen Kohlentender retten konnte.
Eines Nachts, es war ungefähr zwei Uhr, klingelte das Telephon an meinem Bett. Es war Dorothy Thompson,

die vielleicht wichtigste Journalistin ihrer Zeit. Sie schien sehr erregt und sagte, sie müsse sofort Lion sprechen. Ich weckte ihn, und bald darauf traf sie ein. Als sie gegangen war, erzählte mir Lion, sie sei sehr verzweifelt und habe ihn um Rat gebeten. Die Präsidentenwahlen standen vor der Tür, und sie hatte sich stürmisch für Roosevelt eingesetzt. Ihre Ehe mit Sinclair Lewis war in die Brüche gegangen und das Trauma noch nicht verheilt. Sinclair Lewis war immer ein Demokrat gewesen. Aber auf einmal hatte sie erfahren, daß er seinen nicht zu unterschätzenden Einfluß benutzte, um den Republikaner Willkie zu propagieren. Und sie sagte, Sinclair Lewis tue das nur, um sie, Dorothy, zu treffen. Sie wisse nicht, wie sie sich verhalten solle. Ob Lion es für richtig halte, Sinclair Lewis durch einen direkten Angriff in den Zeitungen zu diskreditieren. Lion riet ihr ab; es würde Sinclair Lewis nur bestärken. Und wirklich, Lewis rief Dorothy bald darauf an und sagte, er habe es sich überlegt und werde sich von nun an mit ganzer Kraft hinter Roosevelt stellen.

Nachdem ich wieder Schnee gesehen hatte, konnten auch die besten New Yorker Partys das Skilaufen nicht ersetzen. Seit fast zwanzig Jahren war ja mein Geburtstagsgeschenk eine Reise in die Berge. Ich wußte, daß es für Lion ein Opfer war, mich so lange wegzulassen. Obwohl ich mir Egoismus vorwarf, fuhr ich. In diesem Jahr hatte ich Gewißheit, daß Lions neue Sekretärin Hilde Waldo ihn treu versorgen würde.
Ich fuhr in die nordkalifornischen Berge nach Yosemite. Das Wort ist indianisch und bedeutet »Der Grislybärjäger«. Das Tal, mein Urlaubsziel, war lange verborgen und unbekannt gewesen. Es ist einzigartig in der Welt. Der Eingang führt durch einen mächtigen Baum; ringsum ste-

hen die ältesten und größten Bäume der Welt. Man kommt vorbei an El Capitan, einer senkrechten Felswand, aus deren Mitte eine riesige Tanne hervorstrebt. Niemand kann erklären, woher dieser Baum seine Nahrung nimmt. Das Tal selbst hat auf beiden Seiten viele hohe, senkrecht abstürzende Wasserfälle, einer heißt »Brautschleier«. Morgens wird man geweckt durch das Rauschen des Wassers, das oft in der Nacht gefriert. Rehe warten vor der Tür auf ihre tägliche Ration Rosinen und Schokolade, und beim Frühstück in der Sonne flitzen schlanke, stahlblaue Vögel vorbei und stehlen sich ihren Anteil.
Yosemite war damals fast noch unbekannt als Wintersportgebiet. Man traf nur Kalifornier, vor allem Studenten und Studentinnen aus San Francisco. Als sie den Namen Feuchtwanger hörten, nahmen sie mich sofort in ihren Kreis auf. Sie wußten mich nicht anders zu ehren, als daß sie mich aufforderten, abends mit ihnen tanzen zu gehen.
Tanzen! Der Druck war immer da. Was geschah mit denen, die man zurückgelassen hatte, wartend in den Häfen Europas? Ich verbrachte die Abende allein in meiner Hütte.
Mein fünfzigster Geburtstag fiel in die Tage dieses Januar 1941. Ich hätte feiern können – unsere Ankunft im sicheren Amerika, die Möglichkeit, die ich schon aufgegeben hatte, wieder in den Bergen zu sein, im Winter, im Schnee, die Steilhänge hinunterschwingend. Ich dachte an Europa.
Ich traf meinen Skilehrer aus Sankt Anton in Tirol, Luggi Foeger, jetzt Direktor der Skischule in Yosemite. Sein und mein alter Lehrer, der große Skimeister vom Arlberg, Hannes Schneider, lehrte in New Hampshire. Er war durch die Fürsprache des Herzogs von Windsor von den Nazis freigelassen worden und verzehrte sich vor Sehnsucht nach dem heimatlichen Tirol. Er telephonierte über

den ganzen Kontinent, um die Stimme seines Landsmanns, die Stimme seines Lieblingsschülers zu hören. Er starb bald darauf; wenn es das gibt, an gebrochenem Herzen.
Von Lion kam ein langes Telegramm zu meinem Geburtstag und die Nachricht, daß wir uns bald treffen würden. Ich sollte nach Tucson kommen zur Einwanderungsbehörde. Mit dem Zug fuhr ich aus dem Schnee durch die kalifornische Wüste. Sie war schon im Blühen, Kakteen stachen wie rotglühende Speere in die Luft. Manchmal sanken die Sandmulden in tiefes Violett, dahinter die Berge schwebten im Ätherblau. Dann fuhr ich am Salton Sea entlang. Vollkommen leer war die Wüste, auch das Ufer des Sees. Hier gibt es schmackhafte Fische, ähnliche wie im Mittelmeer. Sie haben auch den gleichen Namen: »Mulet«, nur wird das Wort hier anders ausgesprochen und geschrieben: »Mullet«.
In Yuma stieg ich aus zu einem kurzen Aufenthalt. In grellen Farben gekleidete, tiefbraune Indianerfrauen hockten auf dem Boden, ihre weiten Röcke wie Reifen ausgebreitet. Sie verkauften bunte Strohgeflechte. Es war sehr heiß, es war die Wüste.
In Arizona war es dann herrlich kühl, und in Tucson holte mich der Rechtsanwalt ab, der unsere Einwanderung besorgte. Ein junger Arzt begleitete ihn. Er sagte, er kenne mich von der Überfahrt aus Europa. Sie brachten mich zum Grenzort Nogales, dessen eine Hälfte mexikanisch ist. Im Wagen saß der junge Arzt mit mir auf dem Rücksitz und beteuerte eindringlich, er habe mich schon auf dem Schiff geliebt, sich aber nicht getraut, mich anzusprechen. Im Hafen von New York habe er durch die auf das Schiff stürmenden Journalisten gehört, wer ich sei. Da habe ihn vollends der Mut verlassen. Immer wieder versicherte er,

daß es nicht der Name gewesen sei, der ihn angezogen habe. Nachts stand er vor meinem Fenster. Jeder im Hotel wußte darum. Er war so erfrischend jung und unverdorben wie die Berge und die Luft. Ich dachte an die Marschallin im »Rosenkavalier« und fühlte mich alt nach all dem Schweren.
Ich war so erregt, als ich Lion wiedersah, daß ich schwindlig wurde und umfiel. Lion glaubte, es käme von der anstrengenden Fahrt. Aber ich war nicht müde, ich war nur überempfindlich geworden – der Reiter über den Bodensee.
Lion und ich gingen am frühen Morgen durch die leuchtende, kristallklare Hügellandschaft von Arizona. Die Luft war elektrisierend, es war sehr früh, wir waren noch allein. Lion sprach von der Hoffnung, bald in Los Angeles ein Haus zu finden, wo er seine Arbeit neu beginnen könne. Und er sprach von seinen Plänen, vom Hellseher Hanussen, von Benjamin Franklin. Er hatte sich das Erlebnis Frankreich von der Seele geschrieben, das »Unholde Frankreich« lag hinter ihm.
Es kamen noch mehr Anwälte aus New York und aus Los Angeles. Sie hatten eine einträgliche Beute gefunden. Man dachte, die Einwanderung würde viele Monate kosten; aber alles wickelte sich unkompliziert ab. Wir gingen einfach in den mexikanischen Teil des Ortes Nogales.
Der amerikanische Generalkonsul in Mexiko war sehr aufgeregt, als er hörte, wer da durch sein Amt in die Staaten einwanderte. Enthusiastisch erklärte er, der deutsche Verlust sei der Gewinn Amerikas. Die Bücher Feuchtwangers standen in seiner Bibliothek.
So, in meinem fünfzigsten Lebensjahr, wanderte ich im wahrsten Sinne des Wortes zu Fuß in Amerika ein.
Bin ich dadurch eine Amerikanerin geworden? Kann ein

Stück Papier ein halbes Jahrhundert meines Lebens ändern? Ich glaubte es nicht. Jetzt, da mir knapp zehn Jahre fehlen an der zweiten Hälfte des Jahrhunderts, fühle ich, daß es gut ist, die Staatsangehörigkeit eines Landes zu besitzen, das in sich das Erbe meiner deutschen Abstammung vereinigt mit den Nachkommen vieler anderer Nationen. Man ist als Amerikaner dem Weltbürgertum sehr nahe.

Personenregister

Biographie

Taschenbücher

Band 2315
336 Seiten
mit zahlreichen
Abbildungen
ISBN 3-426-02315-6

Es begann wie im Märchen vom häßlichen Entlein: Die junge Cecilia Sophia Anna Maria Kalegoropoulos war ein dickliches, nicht besonders hübsches und recht unbeholfenes Mädchen. Doch sie hatte ein Geheimnis – ihre Stimme – und dazu einen eisernen Willen. Mit der Offenbarung eines großen Temperaments und einer persönlichen und künstlerischen Präsenz sondergleichen wurde aus dem scheinbaren Mauerblümchen der gefeierte Opernstar und Mittelpunkt der internationalen Musikszene. Aus dem Mädchen mit dem langen Namen wurde kurz »die Callas«.

Biographie

Taschenbücher

Band 2317
432 Seiten
mit zahlreichen
Abbildungen
ISBN 3-426-02317-2

Als Boleslaw Barlog die Generalintendanz des Schiller-Theaters, des Schloßpark-Theaters und der Schiller-Theater-Werkstatt übernimmt, gehört es zu seinen dringendsten Anliegen, das Vakuum, das das Dritte Reich nicht nur im Berliner Kulturleben hinterlassen hat, wieder aufzufüllen. Binnen kurzem macht Barlog sein Publikum mit der Entwicklung der internationalen Dramenliteratur vertraut. Er liebt das moderne Theater, wenn auch nicht das modernistische. Seinen Schauspielern und Regisseuren aus jenen Tagen gedenkt Barlog in liebevollen Porträts: Bertolt Brecht, Gustaf Gründgens, Fritz Kortner, Martin Held und viele andere, deren Namen unvergessen sind.

Biographie

Taschenbücher

Band 2310
128 Seiten
mit zahlreichen
Abbildungen
ISBN 3-426-02310-5

Selten war ein geschichtliches Drama so mit persönlicher Leidenschaft verknüpft: Horatio Admiral Nelson, einer der größten Helden Englands, dessen Ruhm sich mit jeder Seeschlacht steigert, der den endgültigen Sieg gegen Napoleons Flotte schließlich mit dem Leben bezahlt – und zugleich auch der seinen Gefühlen erlegene Liebhaber von Emma, der Frau eines anderen. Zwei leidenschaftliche Kämpfe durchziehen und bestimmen sein Leben: der glorreiche Feldzug für seine Nation und der von Heimlichkeit und Pein umdüsterte Kampf eines Herzens, das wider alle Regel von Vernunft und Gesellschaft nicht entsagen will.

Biographie

Taschenbücher

Band 2312
288 Seiten
mit zahlreichen
Abbildungen
ISBN 3-426-02312-1

Napoleon war siebenunddreißig Jahre alt, als er im Januar 1807 in Warschau die schöne Gräfin Maria Walewska kennenlernte und sich in sie verliebte. Sie war kaum zwanzig, unerfahren im Leben und in der Liebe und mit einem polnischen Aristokraten verheiratet, der fünfzig Jahre älter war als sie. Napoleon, der triumphale Eroberer Europas, war der Inbegriff der Romantik, der mit einem Schlag Polens Unabhängigkeit wiederherstellen würde. Das polnische Volk und die polnische Aristokratie begrüßten ihn mit Pomp und Feierlichkeiten. Der Höhepunkt war ein Empfang im königlichen Palast. Im großen Salon stand er Maria zum erstenmal gegenüber und verfolgte sie von diesem Augenblick an mit der ganzen Begeisterung und Entschlossenheit, die sein Schicksal antrieben.